D1583573

We zetten nu de afdaling in

Van James Meek verscheen eerder bij De Arbeiderspers:

De liefde van het volk

James Meek

We zetten nu de afdaling in

VERTAALD DOOR MEA FLOTHUIS

UITGEVERIJ DE ARBEIDERSPERS
AMSTERDAM · ANTWERPEN

Uitgeverij De Arbeiderspers stelt alles in het werk om op milieuvriendelijke en duurzame wijze met natuurlijke bronnen om te gaan. Bij de productie van dit boek is gebruikgemaakt van papier dat het keurmerk van de Forest Stewardship Council (FSC) mag dragen. Bij dit papier is het zeker dat de productie niet tot bosvernietiging heeft geleid.

Omslagontwerp: Jan van Zomeren
Omslagillustratie: H. David Seawell/Corbis

ISBN 978 90 295 6619 3/NUR 302
www.arbeiderspers.nl

Oktober 2001

I

Om vier uur in de ochtend, toen het nog donker was en een uur voor het Fajrgebed, stond Sarina Najafi op, waste zich, kleedde zich aan, ontbeet haastig met *lavasj* en kaas en verliet haar ouderlijke woning op de tiende etage van een moderne torenflat in de zuidelijke buitenwijken van de Iraanse stad Isfahan. Haar vader, moeder en twee broertjes sliepen nog. Het waren streng-vrijdagse moskeegangers, en de vijftienjarige Sarina was zeker niet vromer. Maar de directrice van haar school wilde zo graag in een goed blaadje komen bij de *basiji*, de gardisten van de islamitische revolutie, en deze hele week zouden Sarina en de zeshonderd andere leerlingen van de middelbare meisjesschool Bevrijding van Chorramsjahr vijfmaal daags gaan bidden. Naar Sarina's mening, die ze vaak en luidkeels aan haar vriendinnen kenbaar maakte, was dat te veel. Tuurlijk hadden meisjes evenveel recht om te bidden als jongens, zoals de directrice zei. Maar hoe zou ze zo ooit haar klassenproject afkrijgen, en voor haar proefwerk Engels leren, met al dat bidden en al dat vroege opstaan?

Sarina nam de lift naar de begane grond. Over haar lila lievelingsjas droeg ze een zwarte chador die alleen haar gezicht liet zien, en daaroverheen een rugtas met haar schoolboeken en de geleende videocamera voor haar klassenproject. Ze trok aan de bovenrand van de chador, waar haar weerbarstige pony steeds weer onderuit piepte. Telkens wanneer Sarina en haar vriendinnen op een eerbiedige afstand van de moskee waren, ging die chador áf. Vijf keer per dag! Het was een corvee. Ze moest er niet aan dénken dat haar neef Faraj haar zou zien in dat duffe kledingstuk, gezien de manier waarop hij tegen haar lachte op straat.

Buiten was het koud. De felle straatlantaarns verlichtten de kale grond en het beton. Dit was een nieuwe woonwijk, gebouwd om ingenieurs en technici te huisvesten, die net als Sarina's ouders bij de kerncentrale werkten. Er waren nog geen bomen of gras, maar de flats waren ruim en licht en de gezinnen waren er dolblij mee. Een kilometer verderop zag Sarina de groene neonlampen, die waren opgehangen aan de tijdelijke moskee, een vorige week omgebouwde sporthal. Iets verder, achter een hoge betonnen muur en scheermesdraad, stond de kerncentrale. De president was een paar maanden terug op bezoek geweest en had een paar heel stomme dingen gezegd, hoewel Asal Sarina had toegefluisterd dat ze hem best knap vond, en Sarina had haar vriendin een tik op haar arm gegeven.

Er was weinig verkeer op dit uur. Boven het geluid van de weinige auto's en haar eigen voetstappen hoorde Sarina een vreemd lawaai in de verte, een laag, snel ronken, als de draaibanken in het meubelatelier van haar oom. Of het geluid toen de president kwam. Ja, dat was het: een helikopter. Misschien wel meer dan één. Sarina liep door. Langzamerhand begon de straat vol te stromen met andere meisjes, donkere spoken in hun chadors. Het geluid van de helikopter verdween en Sarina hoorde het giechelen en murmelen van haar medeleerlingen. Een versterkte 'klik' weerklonk boven de buurt en de muezzin begon aan zijn oproep tot het gebed.

Er liep een nieuwe vierbaansweg regelrecht tot aan de poort van de centrale, maar de kortste route naar de moskee leidde over een breed onbebouwd stuk land en door een veel smallere straat, tussen twee rijen gerieflijke villa's door, waar de meeste hooggeplaatste kerningenieurs met hun gezinnen woonden. Voor de vierde achtereenvolgende ochtend bevond Sarina zich in een traag voortbewegende kakelende colonne van honderden in het zwart geklede meisjes die door de ochtendschemer slenterden, als een rivier onder de straatlantaarns door.

Sarina zag Asal buiten voor haar huis staan wachten en begroette haar.

'Kom mee, slome,' zei Asal.

'Ik heb toch zo'n hekel aan vroeg beginnen,' zei Sarina. 'Zie je hoe slecht het is voor m'n huid? Heb je de helikopters gehoord?'

'Ja!' zei Asal en ze sperde gefascineerd haar mooie ogen open. Het was het laatste woord dat Sarina haar ooit zou horen zeggen.

Alles leek tegelijkertijd te gebeuren. Er kwam een ander geluid uit de centrale verderop, een soort ratelen en schrapen, als een langs een schutting getrokken liniaal. Vanaf de kop van de colonne meisjes hoorden ze het geluid van automotoren en gegil. Achter hen, vanaf het open terrein, kwam weer het lawaai van de helikopters, nu oorverdovend hard. Sarina keek om. Ze zag meisjes in paniek in verschillende richtingen wegrennen en reusachtige zwarte gedaanten de grond naderen in wolken van stof. Een sirene begon te janken uit de richting van de centrale. Sarina draaide zich om, net op tijd om een reeks verblindend witte flitsen te zien, gevolgd door knallen die haar deden neerhurken met haar handen over haar hoofd. Toen ze weer opkeek, zag ze iets wat ze niet kon bevatten. Een colonne vrachtauto's reed de straat in, naar haar toe van de kant van de centrale. Soldaten met wapens hingen uit de ramen en door gaten in het dak en schreeuwden in een taal die ze dacht niet te kunnen verstaan maar die, besefte ze met een schok, Engels was, al kende ze niet alle woorden. De vrachtauto's moesten telkens stoppen omdat honderden krijsende, door paniek bevangen meisjes de weg versperden.

Zonder te weten waarom hurkte ze tegen de muur en haalde de geleende videocamera tevoorschijn. Ze begon te filmen. Alles nam ze op, onder de schelle lampen. De Amerikaanse soldaten die naar elkaar schreeuwden. Het stoppen en optrekken van de vrachtwagens. De kreet: 'Doorrijen! Dóórrijen met die kar godverdomme! Voddenkoppen die in de weg lopen, schiet je af, godver! Ríjen!' Het inrijden van de vrachtauto's op de massa schoolmeisjes. Hun gegil toen hun lichamen onder de wielen kwamen. Het schieten. Zelfs toen de kogels Sarina's lichaam doorboorden, bleef de camera opnemen, bewaarde de miljarden informatiebits, die later op die ochtend ongeschonden zouden worden aangetroffen in haar koude hand, tussen de opgestapelde lichamen der doden.

Adam Kellas staakte het vlotte voortsnellen van zijn pen over de lijnen van het schrijfblok, las de laatste paar zinnen over, streepte 'voddenkop' door en voegde 'lappenkop' in. Hij streepte 'lappenkop' en 'godver' door. Elke griet die in de weg loopt, knal je áf! De extra pejoratieven waren overbodig. Zonder die was de zin strak, doeltreffend vakwerk. Afhankelijk van het oogpunt van de lezer zou de zin woede wekken tegen de Amerikaanse troepen, of tegen hem, Kellas, de auteur. De richting deed er niet toe, de emotie wel. Die had de toegevoegde waarde dat zij de aandacht afleidde van de fletsheid van het tengere modelkind Sarina, wier enige functie vanaf het begin, dat moest duidelijk zijn, die van onschuld en martelaarschap was. Zeshonderd oude Iraanse geitenhoeders in hun beslikte jurken zouden niet zo'n veelbelovende opening vormen.

Kellas legde de pen op het ruwe oppervlak van de tafel, vouwde zijn handen in zijn nek en kromde zijn rug naar achteren zover als hij kon. Het verbaasde hem, zo makkelijk als het schrijven van het begin van de roman was gebleken. Hij had in twee uur vier bladzijden met de hand volgepend, zonder veel doorhalingen. Het bemachtigen van een tafel en stoel had geholpen; nu hoefde hij niet langer met het schrift op zijn knieën te schrijven, of op de grond. Misschien zou er tijd zijn om hem te schuren en te lakken, als Mohamed hier aan schuurpapier en vernis kon komen.

Kellas draaide zich om. Mark zat op zijn matras met zijn schrijfblok in de holte van zijn handloze rechterarm terwijl zijn linkerhand bladzijden omsloeg en zijn laptop hanteerde. De kamer had witgekalkte muren en ramen aan twee kanten. Er was een muurkast die Mark en zijn fotografe zich hadden toegeëigend voordat Kellas bij hen ingetrokken was; de drie kamergenoten hadden ieder een goedkope blikken hutkoffer met geelkoperen sloten, naast hun rugzakken. De vloer was belegd met rood vast tapijt en op elke vierkante centimeter die niet door hun matrassen werd bedekt, lagen kabels, contactdozen en opladers in een wirwar door elkaar. 's Nachts, als de grote lampen uitgingen en de generator nog aan stond, glom het in de ruimte van de rode en groene puntjes van opladende batterijen. Het was tien uur in de avond. De laatste tijd waren er heel veel vliegtuigen in de lucht geweest, die donder uit de hemel korven. Vanavond was de generator het enige geluid.

Kellas mocht Mark graag, maar er waren drie redenen waarom hij hem niet mocht. Ja eigenlijk, hem wél mogen – dat was een vierde reden. Kellas wilde weten wat er met Marks hand was gebeurd, maar hij kon geen smoes verzinnen om hem te vragen of hij zo geboren was of dat de hand was afgerukt bij een ongeluk of een ontploffing. Of dat hij het voorwerp van een gerechtelijke amputatie was; dus vroeg hij er niet naar. Dat had hij niet moeten hoeven doen. Een man met een ontbrekende hand had een impliciete verplichting die aan zijn kamergenoten nader te verklaren. Dat was de eerste reden. Een tweede was dat Kellas Mark tegen een van de functionarissen van de Noordelijke Alliantie, wiens taak het was de chauffeurs over de verslaggevers te verdelen, had horen schreeuwen dat hij een Amerikaanse verslaggever was, dat hij niet voor 'een of ander Europees flutkrantje' werkte. Een tijdje hierna deed Kellas koel tegen Mark, totdat Mark erachter kwam wat hem dwarszat, en zei dat hij zich niet beledigd moest voelen, dat hij Engeland nooit als Europees had beschouwd. Wat Kellas hem nog het kwalijkst nam was dat Mark zo hard werkte. Hun redacteuren bevonden zich in verschillende tijdzones. Die van Kellas zaten in Londen en die van Mark en Sheryl zaten in Californië. Mark moest twaalf uur van zijn Afghaanse dag werken, en dan twaalf uur van zijn Californische dag, het hele etmaal rond zonder overlap. Kellas zag hem nooit slapen. Niet dat Kellas lui was, maar als er een dag voorbijging zonder dat hij iets schreef, dan maakte hij zich er niet druk om. Mark wel. Die was de godganse tijd mensen aan het interviewen om te ontdekken wat er gaande was. Hij besteedde te weinig tijd aan wachten tot er iets gebeurde.

Kellas vroeg Mark of hij een paar AA-batterijtjes kon lenen.

'Lenen?' zei Mark.

'Ik bezorg je nieuwe, eind van de week.'

'Waarvandaan? Ken je die Ierse jongen? Je weet wel, die fotograaf. Die kwam over land uit Pakistan, te paard en te voet. Kostte 'm tien dagen. Morgen vertrekt hij weer, want hij zit zonder AA-batterijen en niemand duikt in z'n kastje om hem uit de brand te helpen.'

'Ik heb er een paar nodig.'

'Ik heb niks. Ik gebruik ze niet. Die daar zijn van Sheryl. Vraag het haar.'

'Ze denkt dat ik haar koffie heb gepikt, maar ze moet wel weten dat ik 'm zelf heb gekocht. Die blikken zien er net eender uit.'

'Waarom zeg je het niet zelf?'

'Kun jij doen als ik hier niet ben.'

'Wat nou, ben je bang dat je voor gek staat?'

'Ik mag haar niet.'

'Je mag haar niet? Je hoeft haar toch niet te mogen.'

Kellas draaide zijn stoel om naar de kamer toe. 'Je werkt te hard.'

'Jij ook. Je was de hele dag weg, je kwam terug en verstuurde een verhaal, en nu zit je al twee uur in dat schrift te krabbelen.'

Kellas sloot het schrift en legde het onder zijn laptop.

'Wat is het, een dagboek?'

'Ja.'

Mark schoot in de lach en sloeg een bladzij van zijn schrift om. Hij stak een potlood tussen zijn tanden en fronste zo dat zijn dikke zwarte wenkbrauwen elkaar raakten. Kellas zag aan het schokken van zijn schouders dat hij nog lachte. Schaduwen bewogen langs het raam en van buiten klonken onverstaanbare stemmen. Het kamp zat mudvol. Kellas had nog geluk met maar een derde van de kamer.

'Wat is er zo grappig?'

Mark schudde zijn hoofd. Zijn wenkbrauwen rimpelden nu omhoog.

'Wat?'

Mark spuugde het potlood uit, dat van zijn laptopscherm stuiterde. '"Lief dagboek! Sheryl wou vandaag niet tegen me praten! Zo'n kreng is ze! Ze zal het wel merken als ik 'r terugpak. En o mijn god, in Mazar-i-Sharif zijn twee verraders voor het heiligdom opgehangen! Jakkie!"' Hij keek op. 'Weet je wie er ook AA-batterijtjes heeft? Je vriendin Astrid Walsh. Van hiernaast.'

'Zijn we dan bevriend?'

'Ze kwam toch met jou over de bergen.'

'Alleen een stuk. We gingen ons weegs nadat we de Anjoman-pas over waren.'

'Nou, vraag haar dan.'

'Zou ik moeten doen,' zei Kellas, met zijn pen draaiend. 'Ik ben gisteravond met haar naar het ziekenhuis geweest.'

Mark snoof. Hij zat de berichten te lezen. 'Toch niet te geloven,' zei hij. 'De oorlog is amper begonnen of ze hebben het al weer over de de volgende.'

Mark en Sheryl waren die dag naar hun gewone stek geweest, het moedjahedienhuis bij de frontlinie. Vanaf het dak had je uitzicht. Het was meer een soort surveillancepost dan een gelegenheid voor verslaggevers. Sheryl kwam dan terug met foto's van ontploffingen op die ene bergrug in de verte waar B-52's bommen met tonnen naar beneden wierpen, en was het grootste deel van de nacht bezig met het redigeren en verzenden van de foto's aan haar krant in de VS. De Californiërs keken maar al te graag bij de koffie naar de precieze monumentale broccolivormen die hun bommen in de hemel aannamen nadat ze waren gedropt. Eén keer liet Sheryl aan Kellas een sterk vergroot detail zien van een van haar foto's op haar laptopscherm. Hij zag de uitgeloogde tanden van de bergkam, de rook en het stof van de explosies vervliegen in het blauw en misschien, onder Sheryls tikkende nagel, iets anders.

'Zie je 'm?' zei Sheryl. 'Zie je dat talibannetje?'

Ja, misschien. Er kón een zwarte verticaal zijn geweest van een paar pixels hoog, en iets horizontaals. Het beige stipje hád een gezicht kunnen wezen. Er had daar een talibanstrijder kunnen zijn, opstaand van onder zijn rotsblok, die verdoofd, jubelend en verstikt door de bommen, de armen wijd gespreid, Amerika toeschreeuwde dat hij nog geen martelaar was. Sheryl had lenzen zo groot als emmers, maar de bergkam bevond zich ver buiten de frontlijnen van de Alliantie. Die lag halverwege Kabul.

Mark was verdiept in zijn werk. Kellas trok zijn notitieboekje tevoorschijn en las de opening nog eens over. Hij had een jaar eerder besloten hem te schrijven, een roman, erop toegesneden om zo veel mogelijk exemplaren te verkopen in de kortst mogelijke tijd, om te worden verfilmd en tot videogame bewerkt, teneinde Kellas genoeg geld op te leveren om de rest van zijn leven te kunnen schrijven wat hij wilde, al was het misschien niets. Hij was zevenendertig. Tot op dat moment had hij twee romans geschreven in de tijd die hem van zijn werk als verslaggever overschoot. Hij had ze bedoeld als grote literatuur, maar ze waren groot noch slecht. Ook niet populair. Dat had hem ontmoedigd, hoewel niet klein gekregen. Hij verzekerde zichzelf dat elk boek een doel was, en geen middel tot een doel. Het zou moeilijk te geloven zijn geweest, als hij niet wist dat anderen zich hetzelfde voorhielden. De dichter Pat M'Gurgan zei tegen hem in 1981, toen ze bijna schoolverlaters waren, dat je als schrijver ervoor kon kiezen de goede oogst van het land te zijn, of het land zelf. Die typering sprak Kellas aan. Het werd een van de uitdrukkingen die hij voor wijs en oorspronkelijk hield toen hij nog jong was. Later had hij haar kunnen heroverwegen, maar in de tussentijd had haar waarde als wijsheid plaatsgemaakt voor haar waarde als souvenir, en het kwam niet in hem op eraan te tornen, vooral omdat M'Gurgan eraan vasthield, tot op een avond, toen Kellas, die inmiddels in Londen woonde, M'Gurgan opbelde, thuis in Dumfries.

Nadat ze een poosje hadden gepraat, deelde M'Gurgan mee dat hij was opgehouden met het werken aan gedichten en aan zijn autobiografische roman. Hij was halverwege het schrijven van een nieuw boek, het eerste deel van een fantasytrilogie voor tieners.

'En ik heb lak aan wat jij denkt,' zei M'Gurgan agressief, nog voor dat Kellas kon spreken. 'Ik ben de armoe zat. De enige mensen die ik ken die het soort boeken lezen die ik tot nu toe heb geschreven, zijn mijn vrouw en andere schrijvers zoals jij. Ik wil een beetje geld verdienen. Ik wil populair zijn voor ik doodga. Jij denkt nu dat ik mijn ziel heb verkocht. Heb jij mijn ziel gezien, de laatste tijd? Het is een ding dat de kinderen door de kamer trappen als er niks op de buis is. De oogjes hangen eruit.'

Kellas' huid leek te rekken en te krimpen over zijn lichaam. Zijn polsslag was verhoogd. 'Hoe weet je dat het een trilogie wordt als het eerste deel nog niet eens is verschenen?' zei hij.

'Hoe ik dat weet? Eénhonderdvijftigduizend van Harer Majesteits schattige pondjes, zo weet ik dat.'

Kellas' besluit viel die avond. Het viel vanzelf; hij nam het niet. Het viel terwijl hij door zijn spiegelbeeld naar de stekels en pluimen van zijn incorrect tierige tuin keek. Het viel, en zijn geweten zou een eindje moeten opschikken om er ruimte voor te maken. Hij was verslagen. De grote woorden waren niet binnen bereik en hij was liever populair dan ondoorgrondelijk wijs. Hij beeldde zich niet in dat het eenvoudig zou zijn een bestseller te schrijven, een roman waarvan het voornaamste kenmerk was dat hij het breedst mogelijke publiek zou aanspreken. Daarginds in Londen had je honderden schrijvers die geloofden dat ze moeiteloos commerciële romans konden schrijven als ze wilden, maar daar nu eenmaal niet voor kozen. Dit onjuiste idee was de enige barrière die hen scheidde van de aanrollende vloedgolven van de wanhoop. Kellas wist dat het zwaar zou worden. Het kon niet worden beschouwd als iets vernederends, of verruwends. Hij zou moeten leren tevreden te zijn in het nieuwe medium, het niet alleen maar bestuderen. De volgende dag kocht hij vijf dikke paperback thrillers met hun titels en auteursnamen in vijf centimeter hoge gouden reliëfletters op het voorplat.

In september 2001, nadat Kellas zijn aantekeningen had gemaakt en zijn verhaallijnen in diagrammen had uitgezet op grote vellen kardoespapier, met verschillend gekleurde pennen voor elke lijn, kaapte een groep jonge mannen vier lijnvliegtuigen en vlogen ermee tegen het Pentagon en het World Trade Center in New York, waarbij ze duizenden mensen doodden en grote verwoestingen veroorzaakten. Kellas had op zijn werk niet over zijn nieuwe boek gesproken en toen zijn collega's van *The Citizen* hem die dag naar de tv-monitoren zagen staren, op zijn lip bijten, handen verkrampt om de rug van een stoel, vuurbolletjes ploffend in zijn ogen, imponeerde het hen hoezeer hij het zich leek aan te trekken, alsof hij wist dat een vriend van hem gevangenzat in die hoge etages. Dat was niet zo. Hij keek naar een scenario dat vrijwel identiek was aan dat wat hij, in de eenzaamheid van zijn werkkamer, had gepland als de climax voor zijn roman.

Hij had geweten dat het dringen was op de thrillermarkt. Hij had rekening gehouden met het gevaar dat hij misschien zou moeten concurreren met een boek met net zo'n plot als het zijne. Maar hij had niet voorzien in hoeverre naïeve idealisten, zonder verstand van de menselijke natuur, zonder begrip voor de Ander en met een kinderlijk geloof in het gebruik van geweld om een gelukkige afloop te bewerkstelligen, echt bestaande mensen ertoe zouden kunnen bewegen hun armoeiïge plots in de echte wereld na te spelen. Kellas had hard gewerkt om van zijn terroristisch genie een eenzijdige figuur van het kwaad te maken, terwijl het personage waarnaar hij op zoek was geweest een gefnuikte romanschrijver was die dat van zichzelf niet wist. Het was niet in Kellas opgekomen dat mannen het makkelijker zouden kunnen vinden hun spannende, onwaarschijnlijke verhalen aan het grote publiek te slijten, door legers van gelovigen te vragen ze uit te beelden, dan hun fantasieën in de gangbare vorm uit te venten in boekwinkels op vliegvelden.

Een paar dagen later maakte de vrouw met wie hij al zes maanden sliep, Melissa Monk-Hopton, columniste bij *The Daily Express*, het met hem uit, omdat, zei ze, de terroristische aanvallen op New York en Washington haar tot een herwaardering van haar levenskeuzes hadden gebracht. Dat waren de woorden die ze gebruikte. Kellas vroeg hoeveel andere mensen volgens haar de acties van een groep suïcidale godsdienstfanatici hadden aangegrepen om die week hun relatie te verbreken. Ze reageerde de volgende dag in haar column, waarin ze het einde uitriep van haar 'beschamende verbroedering met de flauwhartige quislings van liberaal links'. Hij had haar begeerd op de vuigste gronden. Maar hoewel hij, terwijl zij hem betitelde als 'mijn vriend', buiten haar gehoorsafstand haar betitelde als 'een vrouw met wie ik iets had', was hij gekrenkt door de manier waarop ze vertrok. Hij vond het curieus dat hij zoveel waarde hechtte aan het kennen van vrouwen, het begrijpen van vrouwen, en tegen iedereen opsneed hoezeer hij genoot van het gezelschap van vrouwen, maar toch nooit langer dan een paar maanden met een vrouw gelukkig was geweest. Hij nam een dag of wat vrij van zijn werk en probeerde het met drank, maar kon zich niet tot meer brengen dan aan de whisky te ruiken voordat hij hem in de gootsteen liet lopen. Hij lag uren op de bank en zapte elke twee seconden langs de tv-kanalen, en bestelde kip korma en calzones bij het afhaalcentrum in de buurt. Zoute jus droop op zijn kleren en droogde op. Hij bestudeerde de gezichten van de bezorgers op zoek naar tekenen van verachting in hun ogen, maar zag alleen vrees, of niets.

Toen *The Citizen* hem een week later kwam vragen of hij naar Afghanistan wilde reizen, om ten noorden van Kabul een verslaggever af te lossen, deden de redacteuren het aanbod met stemmen vol gewichtigheid. Ze gedroegen zich heel plechtig, alsof ze een toon instudeerden om bij zijn naaste familie aan te slaan, en ze waren opgewonden. Ze wilden zich ervan verzekeren dat hij wist dat hij zowel dankbaar als ernstig diende te zijn. Het was niet voor het eerst dat ze Kellas hadden gevraagd voor de krant een oorlog te verslaan, maar wel de eerste keer dat hij zijn redacteuren zo zorgzaam had gezien voor elke plaats op het rooster. In andere oorlogen, die waren uitgevochten tussen saaie buitenlanders, hakten Kellas en zijns gelijken hun berichten uit en slingerden ze die huiswaarts, stukken en brokken verhaal die in een dag of twee leefden en stierven. Wat Kellas nu werd aangeboden was het voorrecht om met zijn verhalen in een groter verhaal te sluipen, in een twirlende, halfzatte optocht van een verhaal dat toebehoorde aan een machtige natie van leugenaars, mythomanen en stadsomroepers, Amerika, maar waar andere buitenlandse leugenaars zich bij zouden kunnen aansluiten. Het fantastische eraan was dat het niets zou uitmaken of hij dan wel een ander in die grote voortsnellende optocht iets als nuanceringen riep, of in een afwijkend accent riep dat gebeurtenissen op een totaal andere manier plaatsvonden. Amerika zou het eigen grote lawaaiige verhaal voortduwen, samen met hun kleine verhaaltjes, en Kellas' stem zou het algemene kabaal vergroten en het algemene kabaal zou zijn stem macht verlenen. Hij kon meelopen met de stoet, of zich in zijn eentje laten horen.

Kellas weigerde te gaan, en zijn redacteuren zeiden dat ze er begrip voor hadden, al gaf hij hun geen redenen op. Ze hadden zo'n vermoeden dat hij zwaar aan de drank was, en dat vermoeden werd tot handelwijze. Ze gunden hem de mengeling van respect, vrees, speelruimte en minachting die het schrijversvak gunt aan veronderstelde alcoholici. Ze wisten dat hij ondersteboven was van de gebeurtenissen, ook al wisten ze niet dat Osama bin Laden hem zijn idee voor een boek had ontstolen, dat zijn beste vriend op een zolder in afzondering over aardmannetjes zat te schrijven en dat hij niet had verwacht dat zijn minnares bij hem weg zou gaan. Weliswaar mocht hij Melissa niet, maar zij had hem te verstaan gegeven dat ze op hem gesteld was. Ze beantwoordde zijn verlangen met het hare, tot op de dag dat ze het introk en nooit meer gaf.

Wat Kellas van gedachten had doen veranderen over zijn gang naar Afghanistan, wat hem ertoe had gebracht terug te gaan naar zijn redacteuren en hen te bewegen hem uit te zenden nadat hij hen had afgewezen, was iets wat hij in de kroeg had gehoord.

'Groot gelijk, man, dat je die Afghaanse klus hebt afgeslagen,' zei de verslaggever. 'Ik had zeven kleuren gescheten van angst.' Hij hief zijn glas en liet het zakken en het bierschuim dreef van de rand omlaag. Kellas had langzaam geknikt, zijn glas leeggedronken en was op zoek gegaan naar de redacteur buitenland. Zoals velen vóór hem had Kellas gemerkt dat hem de moed ontbrak om laf te worden gevonden, en was hij naar de oorlog gevlogen.

Een herziene versie van zijn opportunistische thriller was in hem ontkiemd, als een gekoesterde wrok, al sinds hij in Jabal os Saraj was gearriveerd, tot vanavond, toen hij zich was gaan ontladen op papier, met behulp van de nieuwe meubels. Oorspronkelijk had het huis geen meubels gehad, alleen tapijten en matrassen: een Afghaans huis. Maaltijden werden geserveerd op een op de grond gelegde lap plastic. Geen van de Amerikanen, Europeanen of Oost-Aziaten die daar verbleven had deze regeling getrotseerd, totdat een Spanjaard, al eerder opgevallen om zijn voorkeur voor comfort en zijn afschuw van de ren van acht uur naar de bergen, die de ochtend liggend op zijn rug en wiebelend met zijn tenen doorbracht, terwijl hij met zijn ene hand een roman boven zijn gezicht hield en de andere onder zijn hoofd, die tegen lunchtijd voor een paar uur de compound uit kuierde en die je na zijn terugkeer voor zijn krant kon zien schrijven zonder aantekeningen te raadplegen, tikkend met zijn dikke zware vinger op de toetsen van de laptop alsof het een oude schrijfmachine was die makkelijk vastliep – totdat allen hadden gezien dat deze Spanjaard op een dag een diepe leunstoel had gekocht en een staande lamp die een voorstedelijk oranje licht schuin over zijn lange ronde lijf wierp als hij daar zat, sereen in rust. Het enige wat hem nog ontbrak, was een televisie. (Later wist hij ook die te bemachtigen.)

Tot op dat moment hadden de buitenlandse journalisten die in het huis woonden hun verzet tegen de plaatselijke omstandigheden uitgedrukt door te kankeren over de Afghaanse handelspraktijken, of te geuren met hun uitrusting, hun glimmende multitools in handgestikte hoezen, hun lichtgewicht broeken van ruimtepakstof of hun grotebandbreedteantennes die zich lieten openklappen als altaarstukken. Het tarten van de Spanjaard was van een ander slag. De aanblik die hij bood, gezeten in zijn luie stoel, waar tot dan toe niets was geweest dan rood en blauw tapijt en kussens, trof Kellas. Het gebrek aan verticaal meubilair had hem tot dan toe niet gehinderd. Na de reis in het hagediskleurige transportvliegtuig van Doesjanbe naar Faizabad, na de rit door de bergen met Astrid in Russische auto's, had het huis hem verrukt met zijn eenvoudige lichtheid en rust. Vier muren en een dak, een generator, zachte stromatrassen om 's nachts op te liggen, drie maaltijden per dag als je dat wilde, en stalen tonnen in de wasruimten, die elke ochtend en avond werden gevuld en op houtkachels verwarmd. Kellas zeurde niet over de Afghanen. Tweehonderd piek per dag voor een auto, een chauffeur en een tolk was makkelijk op te brengen. Hij gaf met alle plezier het geld van *The Citizen* uit. Elk vers briefje van honderd dollar, gewreven tussen zijn duim en wijsvinger en aan Mohamed overhandigd – die ernaar keek, lachte, het dubbelvouwde en in zijn zak stopte en afwoog tegen de duizenden dollars die hij schuldig was aan plaatselijke zakenlieden, die stuk voor stuk een automatisch wapen bezaten – was een briefje minder in de buidel die Kellas om zijn middel droeg. Bij zijn vertrek uit Londen had de buidel twaalfduizend dollar bevat. Het voelde alsof hij een paperback voor in zijn jeans had gepropt. Als hij 's morgens hurkte boven het gat van de buitenplee en zijn broek liet zakken, verbeeldde hij zich dat de buidelriem brak en dat hij hem zou moeten opvissen uit het Marslandschap van drek daarbeneden, waar de muizen rondscharrelden over de drollenheuvels.

Wat Kellas bewoog toen hij de Spanjaard in zijn luie stoel zag, was een verbeeldingsvolle stap, driester en eerlijker dan een van de andere buitenlanders in het huis had gezet. De Spanjaard had het lef gehad om de mogelijkheid onder ogen te zien dat hij voorgoed onder de Afghanen bleef wonen. Dat zou hij niet doen, en dat wist hij. Maar hij had de mogelijkheid toegelaten. Leven tussen de Afghanen, dat wilde zeggen: niet als Afghaan, niet door een baard te laten staan en een *sjalwar kamiez* te kopen en moslim te worden. De Spanjaard had de mogelijkheid tot zich toegelaten dat hij tussen de Afghanen zou blijven wonen, niet als kolonist, soldaat of hulpverlener, maar als de man die hij was, een vermoeide, belezen, geestige, seksueel makkelijke, godloze, twee keer getrouwde, wijnminnende, zeventigduizend-euro-per-jaar-schrijver van de rijke kant van de Middellandse Zee. Door zich het geriefelijk te maken en de oorlog te negeren (behalve tegen lunchtijd) die net achter de horizon ratelde, was de Spanjaard in dit vreemde land verder gekomen dan alle andere *farangs* in het logement.

Kellas stuurde Mohamed erop uit voor een schrijftafel en twee stoelen. Mohamed vond ze in de bazaar. Ze wiebelden, op poten van een mix van metaal en hout. In dit land had zelfs het meubilair prothesen. Net als alle buitenlanders in de compound speelde Kellas toneel, maar ditmaal had hij, geïnspireerd door de Spanjaard, besloten van rol te veranderen. In de kleren die ze droegen, de spullen die ze bij zich hadden en hun handelingen, waren de journalisten uitdrukkelijk passanten. De Britten speelden soldaat-ontdekkingsreiziger, de Amerikanen dubbelden als zendeling en prospector. De Fransen waren vrijbuitende wetenschappers, van het slag dat zou moorden om de sarcofaag of de bacillen eerder naar huis te halen dan een rivaal; de Duitsers zagen zichzelf als studenten in hun studiejaar buitenslands; de Japanners als astronauten die landden op een vreemde planeet. Iets van de Britse trant had Kellas ook, hoewel deze voor hem minder verkennend of militair kon zijn dan die van iemand die met een royale reistoelage was gestuurd om een arme verwant te bezoeken die hij nooit had ontmoet en wiens adres hij niet kende. Al die rollen hadden iets gemeen: omgaan met het leven in de barre landen, zoals Afghanistan of de Congo, maar hun saillante kenmerk was de manier waarop ze ertoe bijdroegen de reporters te scheiden van hun bourgeois tijdgenoten die veilig thuisbleven. Dat was het talent van de Spanjaard, en onbaatzuchtigheid. Niets zou zo makkelijk voor hem zijn geweest als naar huis gaan en zijn middenklassevrienden en tal van meisjes te epateren met verhalen over hoe hij mijnen en mortieren en wegversperringen van de taliban had overleefd. Hij kon door de stofwolken rijden met een *pakul*-muts op, zijn tanden op elkaar geklemd en zijn blik op de verte gericht, achter een vliegeniersbril. Het zou niemand in Spanje epateren te horen dat hij in Afghanistan voor zichzelf een prettige zitkamer had gecreëerd. Juist daarom was de zitkamer het grootste wapenfeit. Terugkomen met souvenirs van Afghanistan naar de wereld van de Europese bourgeois, was niets bijzonder. Brokstukken van de wereld van de Europese bourgeois overbrengen naar Afghanistan, al was het maar voor even, was een grandioos gebaar. De Spanjaard had een zitkamer gemaakt; Kellas zou een werkkamer maken. De schrijftafel en de stoel had hij al. Hij prikte een landkaart op de muur boven de tafel. Hij had de computer. Het laatste rekwisiet was de telefoon, en hoewel er in Jabal een landlijn noch mobiele dekking was, had hij er wel zo een op zijn schrijftafel, een satelliettelefoon, een vierkant zwart voorwerp, zo groot en zo zwaar als een broodrooster. Er hoorde een vierkant antennetje bij dat in de openlucht moest staan, gericht op een satelliet boven de Indische Oceaan, om te werken. Kellas had de antenne vanaf de telefoon naar buiten geleid aan een stuk bruine kabel die zich van zijn tafel af uitstrekte door een raampje naar de tweede stoel buiten. De antenne stond op de stoelzitting met zijn gezicht naar de zuidelijke sterren.

Marks *satphone* ging over. Het was nog ochtend in Amerika. Het was het vroege gesprek met de redacteuren. Kellas verwachtte een oproep van dezelfde aard uit Londen. Die had er al moeten zijn. Hij tikte op een van de toetsen op zijn telefoon. Geen streepjes.

Mark hing op. 'Krijg je geen signaal?' zei hij.

'Nee,' zei Kellas.

'Ik weet niet of het ermee te maken heeft,' zei Mark, 'maar je kent die jongen, die kleine die 's nachts af en toe de poort bewaakt? Hij zat zo blij en lekker op een stoel toen ik binnenkwam. Het leek me er een van jou.'

Een emotie rukte aan Kellas' ingewanden. De hormonen schoten eerst en stelden daarna pas vragen. Ze borrelden op en berichtten het brein uit de weg te gaan terwijl zij erop uit togen om hun werk te doen. Gedirigeerd door woede liep Kellas op zijn sokken de gang in. Voorbij de deur van het vertrek dat Astrid deelde met de vrouw van NPR en de oudere vent uit Zweden. Was het open en licht geweest, en was zij daar geweest, in kleermakerszit en met de kromming van haar lichaam boven de laptop, ogen opkijkend door haar blonde pony, dan zou de woede zijn geweken. Maar nee. Verder naar de ruime foyer, voorbij de bulten van slapende Koreanen naar de deur. Laarzen! Verboden in huis. In dat park van bemodderd suède en zand, stijve veters en ruimteweefsels, stonden Kellas' tankachtige Schotse laarzen. Hij moest er twee zien te vinden tussen een stuk of honderd stille laarzen voordat zijn woede inrukte. Maar die rukte niet in. Die was aan het rekruteren. Kellas vond zijn laarzen. Hij had te veel haast om de veters losser te maken en zijn voeten er helemaal in te schuiven, dus liep hij in het donker naar buiten met zijn tenen onder de tong van zijn laarzen gehaakt zodat zijn hielen de achterkanten platdrukten. Het maakte zijn tred hortend en huppelig, als een vertraagd opgenomen animatiemonster in een B-film uit de jaren zestig. De koude nacht legde zich om hem heen en de rij bomen langs de compoundmuur spreidde een vaag net van twijgen over de hemel uit. Kellas kwam bij de hoek van het gebouw en zag dat de stoel van onder zijn raam was gepakt en de antenne op de grond was gezet, de verkeerde kant op gericht. De vorige avond was hetzelfde gebeurd. Toen was hij kwaad geweest, maar nu was het heerlijker en benevelender, een vlaag van razernij die hem verkwikte en schoon en vrij maakte. Het verbijsterde hem zoveel van iets in zichzelf te vinden waarvan hij amper wist dat hij er zelfs een beetje van had. Hij stak met grote stappen over naar de poort van de compound. De schildwacht stond vlug op van de stoel. Het was een jongen van een jaar of vijftien, zestien, een kop kleiner dan Kellas, in een gerafelde sjalwar kamiez onder een oude wollen trui met een v-hals. Hij droeg plastic slippers aan zijn blote voeten. Zijn kalasjnikov hing schuin voor zijn borst, daar vastgehouden door een smerige canvasriem over zijn schouder. Het vernis was bijna van de kolf gesleten, als drijfhout, en elke gietmetalen ribbel was tot zilver gesleten van ouderdom. Waarschijnlijk was het het familiegeweer, het enige voorwerp dat geld waard was dat hij en zijn naasten bezaten, behalve schapen en dochters. Het brede gezicht van de jongen vertelde Kellas hoe woedend Kellas keek. Het hoofd van de jongen was onbedekt en zijn haar was kort en bijna blond, en hij vernauwde zijn ogen en perste zijn lippen op elkaar. Hij beefde een beetje en zijn gezicht was rood en tartend. Kellas zag dat de jongen zo zou kijken bij een pak slaag of een kleinering door een oudere, en dat hij, Kellas, nu die oudere was. De kwaadheid stroomde nog door hem heen, ongestuit, met de schrikwekkendheid van een vloedgolf die alle grenzen verhulde of vereenvoudigde. Kellas was zowel de vloedgolf als het lichaam dat erdoor werd meegesleurd. Kellas greep met zijn linkerhand de stoel vast en tilde hem op.

'Ik had het je gezegd!' tierde hij. 'Dat is godverdomme míjn stoel!' De nacht leek de woorden in een diepe steenharde groef op te slaan en ze vele keren terug te spelen naar Kellas. Het deel van Kellas dat was meegesleurd door de vloedgolf, kon niet spreken. De vloedgolf kwam opnieuw opzetten en Kellas riep dezelfde woorden tegen de jongen, die niet bewoog en geen kik gaf. Hij kende geen Engels. Kellas' woorden waren een razend gebrul. Met zijn rechterhand stompte Kellas de jongen tegen zijn borst. Zijn handpalm kwam een ogenblik in contact met het harde warme lichaampje van de tiener, tot de jongen een stap achteruit wankelde. Hij herstelde zich, kneep zijn lippen strakker op elkaar en staarde in Kellas' ogen. Kellas draaide zich om en kloste met de stoel naar het huis. De woede was weggeëbd en hij voelde zich kalm. De schaamte kwam erachteraan. Hij zette de antenne terug op de stoel.

Een geluid kwam uit de duisternis boven hun hoofd, alsof de hemel tot steen was geworden en er een plaat langs werd gesleept. Soms konden de motoren van een Amerikaans vliegtuig plotseling stilvallen of aan komen ronken. Kellas keek naar het zuiden. In de verte ving hij een zwakke flits op. Hij hoorde de jonge schildwacht achter zich prevelen. Hij vroeg zich af of het een schietgebed of een verwensing was. Kellas was teruggevallen op het slaan en het schreeuwen. Taal was het obstakel natuurlijk, maar sinds de breuk met Melissa was Kellas woorden en zijn vaardigheid in het gebruik ervan gaan wantrouwen, ook al had hij de taal gemeen. Zelfs in hun momenten van grootst mogelijke schijnbare eenheid waren hij en Melissa, en zijn ex-vrouw Fiona en Katerina in Praag ondoordringbaar alleen gebleven.

Buiten het stompen van de jonge schildwacht was hij het voelen van de warmte van een ander menselijk lichaam niet meer zo na gekomen sinds hij zijn hand had gelegd op Melissa's blote schouder om haar te wekken, op de ochtend dat ze hem verliet. Nee, dat was niet waar. Om de een of andere reden had hij gemerkt dat hij Astrids hand vasthield in de bus naar het ziekenhuis, de avond tevoren. Ze hadden gepraat. Ze hadden in elkaars ogen gekeken. Het was jammer dat hij geen vertrouwen meer had in praten of zien. Er was een tijd geweest dat Kellas dacht dat het ontmoeten van ogen, met die oneindige regressie van het kijken, van hem die naar haar keek die naar hem keek die naar haar keek, en zo eindeloos door, de zuiverste vorm van intimiteit was, wanneer zielen het ontmoeten naderden, als twee vogels die omlaagvlogen om uit dezelfde kleine diepe poel te drinken. Nu vroeg hij zich af of het ontmoeten van ogen, zelfs de ogen van minnaars, niets meer was dan een verfijndere vorm van blindheid.

Van kilometers ver weg klonk een allerzachtste dreun uit de

richting van de flits. Vreemd dat die zo ver droeg, een atmosferische gril. Het geluid van Amerika dat pookte in het oppervlak van de nachtzijde van de wereld.

Hij had zich voorgenomen Astrid uit de weg te gaan. Hij had afgezien van een oude hoop dat twee mensen een geheel zouden kunnen vormen. Hij herinnerde zich eens te hebben gedacht dat twee mensen samen een communie met de wereld konden ervaren die de eenzame ziel makkelijk afgaat. Hij kon het zich verbeelden. Dat had hij gedaan. De eerste keer dat hij verliefd was geworden, als jongen, was dat op een meisje geweest dat hij nooit had aangesproken. Hem lukte wat hij niet kon krijgen als ze samen waren geweest: hij had deel aan de extase van eenzaamheid. Daardoor, en omdat het de eerste keer was, werkte het op hem als een vergif, als een niet-dodelijke kanker. Hij genas, maar hij was wel veranderd. Beschadigd misschien. Waar het om liefde ging, was het onmogelijk onderscheid te maken tussen schade en gewone verandering.

Op weg naar zijn kamer passeerde hij Astrid, die de andere kant op liep met een open laptop. Ze had haar te grote anorak aan. Ze lachten tegen elkaar.

'Hoi,' zei Astrid. Door haar pony keken haar ogen hem aan, nieuwsgierig en onzeker. Ze passeerde hem en bleef staan en zei over haar schouder: 'Heb je je stoel terug?'

Kellas keek om. 'Het schreeuwen was niet cool,' zei hij.

'Tja,' zei Astrid. 'Jongetjes met geweren. Verder gaat hun trots niet.'

In Virginia was ze een jager.

'Hij zou het tegen mij niet gebruiken.'

'Daarom ben je een boeman.'

'Was ik een boeman?'

'Jawel. Als ongewapende mannen gewapende jongens een dreun verkopen omdat ze weten dat ze dat kunnen maken. Hoe vind jij dat dat klinkt?'

'Heb je niet gezien bij het bommendorp vandaag,' zei Kellas.

'Ik ben vroeg opgestaan. Ik was erheen en tegen tienen al terug. Die kerel, Jalaluddin. Hij was zo verslagen. Fuck.'

25

Kellas was de naam van de man al vergeten, hoewel hij die had opgeschreven. Hij herinnerde zich wel de verslagenheid van de man toen de journalisten hem daar lieten zitten op de puinhopen van zijn huis.

'Ik heb 'm geld gegeven,' zei Astrid, langs Kellas heen voor zich uit kijkend. 'Heb ik haast spijt van. Alsof ik probeerde iets te kopen. Een honderdje.'

'Het was niet jouw bom.'

'O ja, het was mijn bom,' zei Astrid verstrooid. 'Het zijn allemaal mijn bommen.' Ze keek hem aan. 'Heb jij 'm iets gegeven?'

'Ja. Zelfde bedrag.'

'Hier,' zei Astrid. Ze sloot de laptop, stopte hem onder haar arm en stak haar vrije hand in een van de zakken van haar anorak. Ze haalde er een paar Duracells uit en bood ze hem aan. 'Mark zei dat je er een paar nodig had.'

Kellas bedankte haar en lichtte de batterijtjes van haar hand. Zijn vingertoppen raakten haar handpalm. Hij voelde het spoor van vocht in de lijnen die de huid doorsneden en de warmte die de hitte van de computer er had achtergelaten.

'Bedankt. Ik weet niet wanneer ik ze kan teruggeven,' zei hij. Astrid klapte de laptop weer open. De manchetten van de anorak ritselden ertegen.

'Maar je doet het wel, hè?' zei ze.

'Zo gauw ik kan.'

'Niet vergeten!' zei ze over haar schouder. Ze lachte toen ze het zei. Kellas riep haar na of ze zin had om later een eindje te gaan wandelen, maar ze gaf geen antwoord.

December 2002

2

Toen de sneltrein van Paddington naar Heathrow vertrok, trilde Kellas' mobieltje in zijn zak. Hoewel hij niet van plan was op te nemen, haalde hij het tevoorschijn en keek naar het scherm telkens wanneer hij het voelde zoemen. Hij had achttien nieuwe boodschappen. Hij had twintig sms'jes en veertig gemiste gesprekken.

Had Kellas een jaar geleden in Afghanistan het soort mobieltje gehad waarmee je foto's kon maken, dan had hij nu een foto van Astrid gehad. Misschien maar beter dat het niet zo was. Ze zou niet ouder zijn geworden. Ze was toen vierendertig. Maar iemands aard toont zich in beweging en verandering, en dat maakte van de stilstand van elke portretfoto een soort leugen. Het geheugen was kneedbaarder. De gaping tussen hoe je je vrienden herinnerde en hoe ze waren wanneer je elkaar weer ontmoette, kon door het geheugen worden dichtgeknepen, aaneengevoegd en gladgestreken als er geen foto in de weg zat. Nu Kellas een cameratelefoon had, kende hij het spel waarin je net zo lang foto's van elkaar maakte tot je één beeldje overhield dat je allebei mooi vond. Als er maanden voorbijgingen zonder een nieuwe ontmoeting, werd de afgesproken waarheid van het moment het bidprentje van de bezitter. Je verloor je geloof erin, of je begon het je vertrouwen te schenken.

De cameratelefoon zoemde met een boodschap van Liam Cunnery. '*Psychotherapeut zegt Tara vertoont tekenen van posttraumatisch stressyndroom. Knap gedaan Adam.*'

De trein had het station om negen uur 's ochtends verlaten; Kellas nam een vlucht naar New York om elf uur. Was het mogelijk dat Cunnery met Tara een psychiater had kunnen berei-

ken die in staat was een posttraumatisch stresssyndroom te constateren bij een tienjarig kind, in de negen uur sinds middernacht? Ja, dat kon. Hij had een zelfverzekerde kostschoolstem
en een wakkere, gewiekste, glundere 'Volg mij!'-blik, die Londense geestgenezers beloofde dat ook zij een rol konden spelen
in de internationale strijd voor de rechten der verdrukten waarin Cunnery als toezichthouder optrad. Omgekeerd was er ook
sprake van begunstiging. Een opiniestuk van duizend woorden in
het weekblad waarvan Cunnery redacteur was, *Left Side*, was nog
steeds een opsteker voor een eerzuchtige zielknijper. De diagno-
se posttraumatisch stresssyndroom was twijfelachtiger. Moest je
niet wachten tot het trauma minstens een dag oud was voordat
de 'post'-fase actief werd? Cunnery's gebruik van 'psychotherapeut' voluit, in een sms-bericht, trof Kellas. Cunnery neigde
naar het frisse en vrolijke in zijn persoonlijke communicatie en
naar het apocalyptische en vertoornde in zijn tijdschrift. Lang,
grauw en goed in het pak, een ietsje gebogen, pendelde hij tussen
restaurants en burelen in Clerkenwell, Bloomsbury en Westmin-
ster met een strakke glimlach op zijn gezicht en een permanente
groef van concentratie in zijn voorhoofd, als de chirurg in een
soapserie. Vrouwen zeiden tegen elkaar dat ze zich grif door hem
zouden laten verleiden, maar hij had geen interesse in die richting. Als minnaar hield hij zich strikt bij zijn vrouw Margot. Het
ectoplasma van een hoger streven zweefde in zijn kielzog. Zelfs
binnenshuis leek hij een slipstream te doorklieven, alsof de wind
der verandering het niet kon laten met zijn zachte haar te spelen,
waar hij ook was. Trof je hem in een goede luim, dan betekende het dat er weer iets gruwelijks was begaan in een verafgele-
gen land waarvoor de Britse regering, de Amerikaanse regering,
het kapitalisme, het IMF, de Wereldbank, multinationals en het
Vaticaan verantwoordelijk gehouden moesten worden, ongeacht
de identiteit van slachtoffers en daders. De enige keer dat Kellas
hem bedrukt had gezien, was bij de ineenstorting van de Sovjet-
Unie. Cunnery's depressie duurde een dag of twee, tot hij besefte
dat het einde van de communistische supermacht betekende dat
de laatste beperking om de schuld aan alle barbarij bij Washing-

ton en het kapitalisme te leggen nu uit de weg was geruimd. Het streelde Kellas dat Cunnery, in de mening dat zijn eigen dochtertje bij een barbaarse daad betrokken was geraakt, ditmaal niet de schuld legde bij het Witte Huis of de Wereldbank. Hij legde de schuld bij Adam Kellas.

De trein versnelde zijn vaart door West-Londen. De decemberlucht was in turkooisblauwe wiggen te zien tussen taluds en pijlers, en de zon schroeide witte plekken op brandnetels en meidoorns en tweeliterciderflessen langs het spoor. Kellas hoorde Afghanistan genoemd worden in het BBC-bericht dat in de coupé werd herhaald. Het scherm tegenover hem liet een foto zien van Hamid Karzai. Er werd verslag gedaan van een nieuw moment van onnauwkeurigheid bij de luchtmacht van de Verenigde Staten. Kellas was niet meer in Afghanistan terug geweest sinds hij een plaats had gekocht in een helikopter vanuit het dal van de Panjsjir, een paar maanden nadat hij er was aangekomen. Met de brullende, van de grond stuiterende helikopter en de copiloot die over zijn schouder keek om te controleren of iedereen wel betaald had, met de vrachtmeester in een corduroybroek en een leren jack die vuistschuddend tegen Kellas en Astrid 'Zeshonderd! Zeshonderd!' schreeuwde boven de herrie van de machine uit, met de eenentwintig andere buitenlanders en Afghanen, op hun plaats bekneld tussen bagage en brandstoftanks, bestolen en nerveus en ongeduldig, had Kellas zijn geld aan de vrachtmeester gegeven en had Astrid het hare weer in de zak van haar jeans gestopt. Ze had in Kellas' oor geschreeuwd: 'Ik ga niet mee. Bel me niet', haar rugzak vastgepakt en was uit de open deur gesprongen. Kellas haalde de drempel achter haar aan, terwijl de vrachtmeester in zijn bovenarm kneep en tierde in het Dari, en zag haar al vijftien, twintig meter verder weg op het platgeslagen gras onder de opstijgende helikopter, languit waar ze was gevallen, toen opstaan, haar rugzak op haar schouder hijsen en teruglopen naar het kluitje chauffeurs en beambten zonder om te kijken, terwijl de slippen van haar hoofddoek kronkelden in de laatste valstroom van de helikopter. Toen waren ze spikkels van kleur op de strook groene en moerbeikleurige boomgaarden langs het schuine lemmet van de rivier, en drongen de bergen op rond het hijgende vliegtuig als de handen van blinde reuzen die op het zoemen naar een waterjuffer tastten, en duwde de vrachtmeester Kellas half naar een plaats verder weg van de deur. Dat was de laatste keer dat hij van Astrid iets had gezien of gehoord, tot een paar uur geleden, toen hij haar e-mail had opgepikt, die vroeg haar direct te komen opzoeken.

Ze was sterk geweest voor een vrouw met magere armen en schriele schenen, zoals ze met die rugzak sjouwde. Die stond overeind op de grond, van boven ingezakt, en dan boog ze vanuit haar middel om hem op te hijsen. Dan staken haar polsen dun en wit uit de mouwen van haar te grote anorak, haar pony hing omlaag en haar kaak kwam iets naar voren. En er kwam een geluid uit haar longen als ze de riem van de rugzak vastpakte en het gewicht opnam en op haar rug zwaaide. Eén keer had hij haar zijn hulp aangeboden en schudde ze haar hoofd. Ze merkte wel dat hij haar gadesloeg. Soms lachte ze en soms niet, maar ze zou hem nooit in de ogen kijken voordat de zak op haar rug hing met de riemen strak aangehaald. Meer dan eens in Afghanistan had Kellas zich betrapt op de gedachte aan dat geluid, het stemhebbende uitademen, dat onwillekeurig aan haar ontsnapte wanneer het gewicht op haar drukte. Hij dacht aan de lucht in haar borst, en het stromen ervan in haar strottehoofd, en aan de beenderen die deze omsloten, en het vlees eromheen. Hij had het iets herkend waarvan dit geluidje het centrum was: een fascinatie. Een fascinatie was wat zich voordeed wanneer een enkel leven niet genoeg was om de tegenwoordigheid van iemand anders in zijn binnenste te bevatten. Dan had hij twee of drie levens tegelijk moeten bijhouden. Zelfs woorden hadden niet de fascinatie gewekt, alleen het buigen van haar ledematen en het minieme geluidje als ze de last van haar pak opving. Enkel die dingen waren naar hem overgekomen, en hoe klein de kansen ook waren, hij wilde ze terugvolgen naar hun bron.

In de trein prikte Kellas' huid. Hij had geen idee waar zijn tas was. Hij wilde al opstaan van zijn plaats, en herinnerde zich toen dat hij geen bagage hád, alleen zijn paspoort, portefeuille en mobieltje en de kleren die hij aanhad, een zwartlinnen pak, een wit overhemd met een bloedbevlekte rechtermouw en een paar zwartleren laarzen, stadse laarzen met gladde zolen en ritsen opzij. Hij had zijn jas bij de Cunnery's laten hangen en de nacht in een hotel doorgebracht omdat hij bang was geweest om naar huis te gaan. Als hij was teruggegaan naar zijn flat in Bow en Astrids boodschap daar had opgepikt, had hij wel iets als een tas gepakt maar toch, de Atlantische Oceaan overvliegen zonder wat dan ook bij zich te hebben was iets wat hij nooit had gedaan. Hij had het zich zo verbeeld, dat hij alleen zou reizen, ingaan op een dringende oproep, alle lasten afschudden, weglopen van de zaken die hij zou moeten behartigen, als plicht de enige overweging was. Hij had zich verbeeld dat hij zich op reis niet om geld hoefde te bekreunen, en ook dat was uitgekomen. Een uitgever bood hem een voorschot van honderdduizend pond voor de wereldrechten op *Rogue Eagle Rising*, de thriller waaraan hij in Afghanistan was begonnen. Het boek was af.

Kort voordat Kellas naar Centraal-Azië vertrok, had hij een paar dagen bij M'Gurgan en zijn vrouw Sophie in Dumfries gelogeerd. Ze hadden een Victoriaans rijtjeshuis van twee verdiepingen, bekleed met rode steen, in het centrum van de stad. Kellas was opgegroeid in net zo'n huis, aan de andere kant van Schotland, in het noordoosten. Volwassen bezoekers moest het destijds zijn voorgekomen zoals M'Gurgans woning nu op hém overkwam, met dezelfde onevenwichtige, gezellige bende van met elkaar vloekende meubels, zelf opgeschilderde troep van veilingen, de ene mooie bank, kale muren met potloodstreepjes, een vermogen aan wrak speelgoed en elektronica in stoffige stapels boven op kasten. In elke kamer hing een gloeilamp die het deed, maar niet altijd met een lampenkap eromheen. Kleren in alle leeftijden en maten hingen in minstens twee kamers te drogen, en op elke plaats die niet direct bereikbaar was voor een eenvoudige stofzuiger bevond zich daarentegen een miniatuursteenstort van onopgezogen tarwevlokken en plastic soldaatjes. Vóór hun vertrek uit Duncairn hadden Kellas en M'Gurgan samen zes jaar lang op dezelfde school gezeten, en M'Gurgan, die in een nagenoeg

33

boekloze bungalow had gewoond in een van de nieuwe wijken langs de weg naar Aberdeen, was jaloers op de in de gangen uitgestrekte, onder zolderingen opgehangen en tussen schoorsteenmantels ingeklemde boekenplanken bij Kellas thuis. Hij streek met zijn hand heen en weer over de ruggen van een oude Dickens-editie die nog van Kellas' grootvader was geweest, vloekte toen hij zag dat Kellas' moeder een eerste editie van *Deaths and Entrances* met isolatieband had geplakt, en drukte zijn neus tegen de bladzijden van een vroege *Alice in Wonderland*. Hij streek met zijn neusvleugel over de kantlijn en ademde in, hief zijn gezicht, op zijn veertiende al groot en rozig, grijnsde kuiltjes in zijn wangen en zei tegen Kellas: 'Ik voel me of ik net heb gesnoven aan de eerwaarde Charles Dodgson z'n verzamelde meisjesonderbroeken.' Daar kon Kellas niet bij. Toen M'Gurgan naar huis was, nam hij het boek mee naar zijn kamer en snoof aan de bladzijden tot hij moest niezen, maar kon en wilde niet geloven dat meisjesondergoed naar vochtige kelders rook. In Dumfries had de patriarch M'Gurgan, naar hij zelf snoefde, de boekenschat van de familie Kellas willen evenaren en overtreffen en dat ook gedaan. Elke gang was versmald door boekenplanken, boeken liepen langs de bovenkanten van deuren, boeken rukten per tree op langs de muur naast de trap, bekleedden de vensterbanken en bezetten de platte deksels van wc-stortbakken. M'Gurgan schreef op de halfvertimmerde zolder in een minuscule cel, ommuurd door boeken en verlicht door een hemelbron boven een ruwbeglaasd, in het dak geslagen gat.

Het avondmaal verschilde van de Kellas-maaltijden uit zijn jeugd. De televisie stond niet aan het hoofd van de tafel; die was afwezig in de keuken waar de M'Gurgans aten. Aan tafel ging het lawaaiig, druk en vinnig toe, verlucht door gekibbel tussen de twee dochters M'Gurgan uit zijn eerste huwelijk en de zoon, en door behoorlijke wijn. M'Gurgan stond erop dat de kinderen, die in de leeftijd van elf tot zestien jaar waren, wijn dronken. Hij schonk hun ieder volle glazen in, met een vinger kraanwater erop. Sophie keek zonder iets te zeggen toe, wachtte tot de dwaasheid van haar man zijn natuurlijke straf kreeg. M'Gurgan toostte op Kellas en hief zijn glas. Kellas en Sophie hieven het hunne en de kinderen zaten, als van tevoren afgesproken, met hun armen over elkaar naar hun vader te staren.

'Kinderen, ik zou het zeer op prijs stellen als jullie ook je glas zouden heffen en drinken op onze vriend Adam, die helemaal uit Londen is gekomen om ons te zien, en die volgende week naar Afghanistan gaat,' zei M'Gurgan.

'Hij komt niet om ons te zien, hij komt om jou te zien, en Sophie,' zei Angela. 'Waarvoor zou hij mij komen zien? Ik ben een schoolmeisje van veertien en hij is een man van veertig.'

'Zevenendertig,' zei Kellas.

'Alsof dat verschil maakt,' zei Angela, en keek haar vader aan met vastberaden, dreigende blik. 'Ik ga op school vertellen dat jij me dronken voert en de pooier speelt voor ouwe kerels.' Carrie, het oudste meisje, keek naar Kellas en giechelde.

'Angela, ik wil niet hebben dat je die straattaal uitslaat,' zei Sophie.

'Wat is een pooier?' zei de jongen, Fergus.

M'Gurgan zei: 'Ik had graag dat jullie een beetje respect toonden voor mij, jullie vader, voor Adam, mijn vriend, en voor deze bordeaux uit 1996, waarvoor ik bij Haddows vijftien pond heb neergelegd.'

'Hij ruikt naar bushokjes,' zei Angela.

'Je hoort ons niet aan te moedigen. We zijn nog niet oud genoeg om ons lam te zuipen,' zei Carrie.

'Dit ís geen zuipen,' riep M'Gurgan en sloeg met zijn vuist op tafel. 'Het is godverdomme juist beschaafd-Europees-Jean-Paul Sartre-cultureel.'

'O, ik voel me zó beschaafd nu,' prevelde Angela. 'Als jij wilt dat we alcohol drinken, waarom mag ik dan geen blauwe margarita?'

M'Gurgans gezicht werd donker en hij strekte zijn arm uit naar Kellas. 'Besef je wel dat vandaag over een week Adam aan flarden kan worden geblazen door een landmijn? Sorry, Adam.'

'Goed hoor,' zei Kellas. 'Maar liever niet.' Hij grijnsde. 'Proost,' zei hij, en hij hief zijn glas en nam een slok.

35

'Aja, proost,' zei M'Gurgan. Het verschiet van Kellas' gewelddadige dood bracht allen tot bedaren en de dochters namen preutse slokjes wijn. Angela trok haar neus op en stak haar tong uit en Fergus, die zijn glas al geleegd had, hield het nog eens bij.

Terwijl de maaltijd ten einde liep, met de tweede fles bijna leeg en de kinderen weg, begon Kellas de schrik voor zijn bekentenis in zijn maag te voelen dansen. Hij wilde dezelfde luchtige liefdevolle boosheid ontvangen die M'Gurgan Carrie en Angela had bewezen. Oprechte teleurstelling was nog te dragen. Het ergst zou begrip zijn, de afwezigheid van verbazing. Wat hij vreesde was dat M'Gurgan aldoor al had verwacht dat hij voor het getal zou gaan. Hij stond op het punt M'Gurgan te vragen hoe zijn fantasytrilogie vorderde. Sophie sprak voor hij zijn mond open kon doen, om te vragen of hij Melissa nog zag.

'Dat was een vergissing,' zei Kellas.

'Wie is dat? Heb ik haar ontmoet?' zei M'Gurgan.

'Dat weet je best,' zei Sophie. 'Die deftige.'

'O, die staat me nog bij,' zei M'Gurgan lachend. Hij draaide met zijn lege glas en tikte met de rand tegen zijn bovenlip. Hij nam Kellas op. 'Ik weet nog hoe je dat verklaarde.'

'O ja?' zei Kellas.

'Jij zei dat je ideaal altijd was met een rechtse vrouw te slapen,' zei M'Gurgan. 'Dat die minder last van schuldgevoel zou hebben dan een linkse. Dat ze ervan uit zou gaan dat ze recht had op genot. Dat je hoopte dat ze iets van haar baatzucht met jou zou delen.'

'Ik herinner me niet dat ik zoiets heb gezegd,' zei Kellas. Een glimlach speelde om de rand van zijn mond.

'Voldeed ze niet aan je verwachtingen?' zei Sophie. Ze keek Kellas strak aan, nieuwsgierig, haar heel donkere bruine ogen oplettend onder haar kortgeknipte kastanjebruine haar. Alle drie waren ze in Duncairn naar dezelfde school gegaan, hoewel M'Gurgans lesrooster zodanig was geweest dat hij haar pas jaren later had leren kennen.

'Liam Cunnery kent haar,' zei Kellas. Hij merkte dat hij bloosde en naar zijn handen keek terwijl hij met de pepermolen klooide. Hij keek van M'Gurgan naar Sophie en terug, grijnsde wat en keek weer naar zijn handen. 'Hij gaf haar werk als tv-onderzoeker. Hij kan heel goed personen scheiden van hun ideeën. Hij kan Melissa's ideologieën eruit vissen en met Melissa opschieten zoals een vegetariër de snippertjes spek uit zijn slaatje vist en ze op de rand van zijn bord laat liggen. Maar zij is een snob en ze denkt echt dat rijkeluiskinderen snuggerder geboren worden. En het laatste wat ze zei toen ze wegging was: "Weet je Adam, als je pik maar ánderhalve centimeter groter was geweest." Ze hield haar vingers omhoog, zo. Die precisie, als een soort wetenschappelijk instrument. Ze kán denk ik een oog hebben dichtgeknepen toen ze het deed.'

Even later was hun gelach geluwd en M'Gurgan ging een nieuwe fles halen. Boven hoorden ze een van de meisjes een gil geven, een deur slaan, en Fergus het refrein van 'Hotel Yorba' zingen. Toen hij bij 'I'll be glad to see ya later' was beland, klonk er een reeks bonzen en een kreun.

'Ik ga wel,' zei Sophie. Ze ging naar boven onder het uiten van bezorgde dreigementen.

'Je zoon is dronken,' zei Kellas.

'Wij bedronken ons als jongens.'

'We zijn nu ook dronken.'

'Kom op,' zei M'Gurgan. 'Lopen.'

Fergus' hoofdwond was niet ernstig. Kellas en M'Gurgan liepen door de straten van Dumfries. Het was dinsdagavond en de pubs waren al lang dicht. Auto's sloegen alleen of met twee tegelijk af, met iets verdokens en steels in het donker. Een dikke, strak in synthetisch fleece geritste oude man sjokte achter een zwarte labrador aan. Zijn buik slingerde licht onder het lopen, als een aangestoten zij spek in de koelcel. Een dronken meisje jankte en vloekte een paar straten verderop. Bij het passeren van een verduisterde pub dachten ze het klikken van biljartballen te horen en M'Gurgan timmerde op de deur omdat hij vermoedde dat er na sluitingstijd nog werd getapt. Er kwam niemand. Ze kwamen bij het plein. De klokkentoren stond op middernacht. Ze leunden tegen de sokkel onder het standbeeld van Robert Burns en

37

M'Gurgan reikte Kellas een plastic fles Grouse aan.

'Hij was net zo oud als wij toen hij stierf,' zei Kellas, omhoog knikkend naar de dichter.

M'Gurgan zei: 'Zijn vrouw kreeg hun laatste kind op de dag dat hij begraven werd.' Hij lalde een beetje. 'Het was zo'n vruchtbare vrijer en volgens mij heeft de helft van alle jongens hier zijn genen. Je zou denken dat het condoom nooit uitgevonden was. Ik ben niet graag de argwanende vader maar als je dat gedoe ziet, zoals vanavond met Angela en Carrie, dan denk je: zitten ze me te stangen met dat niet-drinken of is er een zwanger? Kinderen zijn net boeken. Heb je ze eenmaal gemaakt, dan zijn ze niet meer van jou.'

Kellas wist dat het moment was gekomen dat hij M'Gurgan zou moeten vertellen wat hij aan het schrijven was. Hij vroeg M'Gurgan of hij het eerste deel van zijn fantasytrilogie al af had.

'Ik heb me bedacht,' zei M'Gurgan.

Kippenvel verscheen op Kellas' armen en hij rilde. 'Hoe bedoel je?' zei hij.

'Ik heb me bedacht.' Hij haalde zijn schouders op en schroefde de dop weer op de fles. 'Ik heb het geld teruggegeven. Ik doe het niet.' Hij keek Kellas aan, sperde zijn ogen open en schoot in een hoge lach. 'Ik heb het Sophie niet verteld. Ze zou bij me weg kunnen gaan. Ze was een vakantie in Egypte aan het plannen voor ons.'

'Die gaat niet weg.'

'Ja, misschien. Ah, ik kon het niet. Het was belachelijk. Ik zat daar op een avond en besefte dat ik al twee dagen namen voor kabouters zat te bedenken. Ik zei tegen mezelf: "Wat moet het zijn, Balinur of Balemar? Of Balagun?", en het drong tot me door dat ik stapelgek was geworden. Ik wou voor het geld gaan zodat we beter konden leven, maar ik kon niet naar Fergus kijken in een pak van Versace als ik wist dat het was gekocht door een man die op een zolder namen zat te verzinnen voor niet-bestaande wezentjes met puntoortjes. Misschien is er een andere manier. Ik ben nu weer bezig met *The Book of Form*.'

Kellas maakte goedkeurende geluiden. Hij kende *The Book of Form*. M'Gurgan was een dichter en het was de roman van een dichter. Hij werkte er al vijftien jaar aan. Het was verblindend, beeldschoon, als de subliem bewerkte, gestroomlijnde, glanzend gepolijste onderdelen van een vliegmachine die niet in elkaar gezet waren omdat ze nooit daarvoor bedoeld waren, niet pasten en nooit zouden vliegen.

M'Gurgan vroeg Kellas wat hij aan het schrijven was. Kellas gaf hem langzaam antwoord, door over een roman te beginnen. Terwijl hij sprak speurde zijn geest in de leegte naar een manier om voor een socialistische Schotse dichter die hij sinds zijn jongensjaren had gekend – die, ondanks het feit dat hij op zijn negentiende 'To Brooklyn Bridge' uit zijn hoofd had geleerd en een groot deel van de Amerikaanse folksongverzameling op het gehoor na kon spelen op zijn twaalfsnarige gitaar, Amerikanen toch 'die verdomde yanks' kon noemen – het schrijven te rechtvaardigen van een commerciële thriller die vanaf de eerste bladzij beoogde aan te slaan bij het publiek in megabioscopen in de staten van het Midden-Westen en bij jonge mannelijke liefhebbers van computerschietspelletjes. Hij kon alleen aan Robert Burns denken, en hoe M'Gurgan de vader zich stoorde aan de promiscuïteit van Burns' jonge afstammelingen, en hoe de knaap gebleven M'Gurgan als bekende Dumfries-dichter niet heel zeker loyaal was aan Sophie, en hoe de tijd dichters alle gradaties van ontrouw vergaf, niet aan alleen aan hun vrouwen maar aan hun idealen, zolang ze maar hartstochtelijk, lyrisch werden bezongen op het moment dát ze werden bezongen.

Burns de Schotse patriot en de Britse patriot, Burns de monarchist-revolutionair. Burns die zong van vreugde over de Franse Revolutie en zong van vreugde over de Amerikaanse Revolutie. Welk lied zou hij hebben geschreven als de Fransen hadden geprobeerd de Amerikaanse Revolutie voor de Amerikanen te maken voordat de Amerikanen er klaar voor waren? Een luchtstroom woei door Kellas' brein en verjoeg de dikke spiralen van wijn en whisky die daar rondwervelden. Kellas begon zijn nieuwe boek uit te leggen aan M'Gurgan alsof hij het altijd zo bedoeld had, maar het kwam ter plekke in hem op onder het spreken. Hij legde de dichter uit hoe hij van plan was een bestseller te schrijven die tegen de militaristische markt was gericht. Die zou het genre onderuithalen door van Amerika de vijand te maken – niet een groep in Amerika zelf, maar de Amerikaanse regering, de Amerikaanse meerderheid en de Amerikaanse levenswijze. Amerikaanse personages zouden worden afgeschilderd als geijkte, humorloze, tweedimensionale, gedegenereerde, onwetende karikaturen, terwijl hun Europese tegenhangers, de helden en heldinnen, gevatte, waarachtige, liefhebbende, dappere, door en door deugende types zouden zijn. Het boek zou inspelen op het reservoir aan antiamerikanisme en Europees patriottisme dat zo diep ging en zo zelden werd aangesproken. Lezers moesten gaan geloven in een beperkte oorlog om de beschaving te redden, met een bonte groep van Britse, Franse, Duitse en misschien zelfs Spaanse, Italiaanse en Russische strijders die een verraderlijk Amerikaans complot om het internationale recht te verkrachten verijdelden. Europeanen zouden het geweldig vinden. Het zou in de vs vanaf kansels en in praatprogramma's op de radio verketterd worden, en Amerikanen zouden het haten en het bij karrenvrachten aanschaffen om erachter te komen wát die verkettering zozeer verdiende. Kellas had het nog niet helemaal uitgestippeld, zei hij, maar er zou zeker een scène in voorkomen waarin de Europeanen een Amerikaans vliegveld in East Anglia zouden bestormen met een verzameling iconische oude voertuigen.

'Het wordt denk ik een Austin Allegro,' zei Kellas. 'Met een Britse pilote aan het stuur en een veteraan van het Vreemdelingenlegioen die een Amerikaanse bommenwerper neerhaalt met een raket door het schuifdak.'

M'Gurgan zei niets terwijl Kellas praatte, en keek hem niet aan, stond er gewoon met zijn rug tegen de sokkel, fronsend en knipperend met zijn ogen, het hoofd licht gebogen. Een politieauto remde aan de overkant, maakte weer vaart en verdween.

'Hoe gaat het heten?' zei M'Gurgan.

'Ik heb nog geen titel.'

'Wat dacht je van *The Antichrist Strikes Back*?'

Kellas lachte. M'Gurgan vroeg of het satire was. Kellas stond op het punt om ja te zeggen en aarzelde omdat het niet waar zou zijn. Hij schudde zijn hoofd. Het boek zou alleen zijn werk doen als het oprecht oppervlakkig leek. Als hij dat zou doen, zou liegen tegen de lezers niet nodig zijn; het enige wat van belang was was dat hij tegen zichzelf loog en zichzelf geloofde als hij van de wereld een simpeler, sulliger oord maakte dan hij dacht dat zij was. Hoewel hij weinig tijd had besteed aan prostituees, en tot nu toe had vermeden zichzelf te verkopen, begreep hij wat sommigen populairder dan anderen maakte. Het was het tegenovergestelde van satire. Ze betoverden zichzelf tot een schijn van oprechtheid zo volmaakt dat zij van oprechtheid niet te onderscheiden was.

'Je weet dat ik het meende toen ik zei dat ik je laatste boek goed vond,' zei M'Gurgan. 'Ik was weg van *The Maintenance of Fury*. Volgens mij had je daar iets te pakken.'

'Ik heb het nooit in een boekwinkel gezien.'

'Je kijkt zo ongelukkig. Denk je dat ik het je moeilijk ga maken hierover?'

'Misschien bedenk ik me nog, net als jij.'

'Dat denk ik niet. Maar zo'n boek zul je nu nooit verkopen. Iedereen ziet Amerika als het gewonde hondje sinds het instorten van de Twin Towers.'

'Hoe bedoel je, dat denk je niet?'

'Jij staat dichter bij soldaten dan ik bij aardmannetjes. Jij gaat volgende week naar Afghanistan. Ik ga niet naar het betoverde woud om te heksen met wat boze dwergen.' M'Gurgan zwaaide geïrriteerd met zijn hand alsof hij een wesp uit de kamer verjoeg. 'Iedereen doet water bij de wijn. Zuiver zijn is moeilijk.'

Kellas nam de volgende dag de trein terug naar Londen. Zijn Russische visum had hij al. Hij was naar Moskou gevlogen, had een visum gekregen voor Tadzjikistan, smeergeld betaald voor zijn ticket met Tadzjikistan Airlines, was naar Doesjanbe gevlogen, had een Afghaans visum bemachtigd en was naar Faizabad gevlogen in het hagediskleurige vliegtuig. M'Gurgan had het mis gehad. Tegen de tijd dat Kellas uit Afghanistan terugkeerde, was het Amerikaanse gevangenenkamp in Guantánamo Bay geopend en waren Kellas en zijn soortgenoten al gaan vragen om landkaarten van Irak. In Londen, Frankfurt en Parijs hoorden ze de steeds hogere toon van hondengegrauw. Zijn boek was niet moeilijk te verkopen geweest.

De trein naar Heathrow was nu in de tunnel onder het vliegveld, minderde vaart. Kellas rekte zich uit en sloeg zijn armen over elkaar. Er plakte iets daarbinnen. Hij zou een nieuwe zwachtel moeten kopen voordat hij aan boord ging. Hij zag de zakenlui met hun aktetassen op wielen een rij vormen in het gangpad.

Er was één boodschap die hij zou beantwoorden. Zijn duim bewerkte het toetsenbord, om zijn agent te zeggen dat hij het definitieve contract voor het boek naar het kantoor van zijn uitgever in New York moest faxen. Daar zou hij het ondertekenen. Hij stapte uit de trein in de onnatuurlijke schaduw van de zuiduitgang van het station. Hij was de enige die geen haast maakte. Kostuums en tassen op wieltjes stroomden om hem heen. Hij las M'Gurgans enige bijdrage aan de stroom van sms'jes van die ochtend. Er stond: 'Adam. Meer bloed en duisternis dan jij of wij verdienen. Bel me.'

Hij zette het mobieltje uit en liep naar de liften.

3

Kellas boekte een enkele reis eerste klas naar New York aan een van de airlinebalies. Hij had nog nooit eerste klas gevlogen.

De verkoopster was vriendelijk. Misschien waren ze vriendelijker als je eerst vierduizend pond had betaald voor een eersteklasstoel. Het was veel geld voor een extra vierkante meter ruimte, gratis champagne en metalen bestek. Hij zou een paar dagen met geld gaan smijten als een loterijwinnaar. Wie weet bleek hij wel goed in rijk zijn. Hij had erop gelet. Het was hem opgevallen dat ze luxe deden voorkomen als iets wat hun was opgedrongen, ongeacht hun wensen. Het was onmogelijk te zeggen of ze al dan niet genoten van champagne. Het was wat er werd geschonken, als water uit de kraan, en ze pikten het.

'U bent in de oorlog geweest,' zei de verkoopster toen ze hem zijn reisdocumenten aangaf. Ze had een Singalese naam. Ze droeg zware donkere lippenstift en had een gesternte van moedervlekjes als sproetjes op haar jukbeenderen. Ze keek naar zijn groezelig verband, dat een lus beschreef van onder zijn manchet over de muis van zijn duim en omhoog de mouw weer in.

'Ja, dat klopt,' zei Kellas. ''t Is een oorlogswond.'

De mond van de vrouw trok omlaag in de hoeken en haar ogen werden ronder. 'Van waar dan?' vroeg ze.

'Camden, gisteravond,' zei hij.

'U moet ernaar laten kijken voor u aan boord gaat. Prettige vlucht.' Ze lachte breed en hij bedankte haar en liep door. Ze had zich ervan vergewist dat hij zich niet ongepast zou gedragen, niet als het klootjesvolk bloed zou morsen op het gesteven tafellinnen van een 747 z'n koninklijke ruimte. Hij keek om zich heen en tegelijkertijd keek zij op van haar scherm en ving zijn blik op. Dit-

43

maal lachte ze niet. Ze keek bezorgd. Hij had zich niet moeten wagen aan dat halfgare oorlogswondgedoe, het bijdehandje spelen. De familie van de ticketjuffrouw kwam vermoedelijk uit Sri Lanka, een paar generaties terug. Wie wist welke echte oorlogsletsels zich hier in roze bochten kronkelden, gefronst door geheelde hechtgaatjes, onder chique jeans en rokken en t-shirts.

Na het inchecken en het passeren van de veiligheidscontrole ging Kellas naar Boots. Hij kocht een pakje AA-batterijtjes en vroeg of ze ook verbandmiddelen hadden. Dat bleek het geval, een uitgebreid klinisch assortiment, alsof er hele regimenten gewonden, in transit via Heathrow, regelmatig langskwamen om hun windsels te verschonen. Vier volgeladen schappen schreeuwden van de nalatenschap van heelmeesters van weleer, met dik opgelegde grootspraak als op de advertenties boven aan de voorpagina van oude kranten. 'Geavanceerde Eerste Hulp – Direct Bloedstelpend – Verbandmiddelen – Voor Grote Snij- en Schaafwonden – Bloedabsorberend – Hypoallergeen,' stond er op één doos. 'Geneeskrachtiger – Huiddichtend Pakket – Voor Diepere Snijwonden'. Daar nam Kellas er twee van, plus twee rolletjes elastisch verband ('Superkwaliteit – Rafelt niet – Houdt Wondgaas Stevig op zijn Plaats'). Hij zou er van elk een gebruiken, en de rest zou zijn bagage vormen voor de reis naar Amerika. Hij wilde de eersteklasalon niet betreden met gerafeld verband. Toen hij de toiletten bereikte, streepte er al een wellustige parel van vers bloed naar de rug van zijn hand. Kellas rukte een prop papieren handdoeken uit de houder maar er viel toch nog een druppel op de vloertegels voor hij hem kon opdeppen. Een schoonmaker in een groen polyester pak zette op enige afstand zijn emmer neer.

'Dat mag u hier niet doen,' zei hij, alsof er elders op het vliegveld voor dat doel een ruimte was gereserveerd, met zijn eigen pictogram. De bloedende man, zwart op geel.

'Sorry,' zei Kellas. Hij bukte en verwijderde de vlek met een dep en een veeg. 'Ik moet een verband vernieuwen.'

Hij trok zijn jasje uit, legde het naast de wastafel, rolde zijn bebloede mouw op en spoelde de verbonden arm af onder een straal koud water. Hij had er een troep van gemaakt, en hij zou er nu weer een troep van maken, omdat het lastig was een wond op je eigen onderarm te verbinden. Hij haalde de gerafelde lap eraf waarmee hij een paar uur daarvoor de snee had verbonden, met gebruik van zijn tanden als derde hand. Nu leek de lap wel honderd jaar oud. Eenmaal schoon, bleek de snee lang, niet diep te zijn, een plakkerige groef waar de klonter in tweeën was gespleten en weer was gaan bloeden. Een dokter had misschien hechtingen aangeraden, maar zonder ging het ook. Nog steeds was het moeilijk te begrijpen hóé hij het had gedaan, al had hij het huis van de Cunnery's in korte tijd volgestort met scherpe hoekige kanten. Hij was nogal grondig te werk gegaan en pas toen alle vrouwen, Melissa, Lucy, Sophie, Margot en Tara, tegelijk krijsten en gilden, was hij moe en onverschillig geworden. Ook alle mannen: een naadloos geloei en gehuil, als vee en wolven samen binnen de omheining, in hun gevecht tegen elkaar gestoord door een schrikwekkender gemeenschappelijke vijand van de vlakte daarbuiten. Het was misschien het zien van het bloed dat hen zo lang had belet hem te lijf te gaan dat hij het huis uit kon rennen.

Hij viste het genezingsbevorderende pakket en de zwachtels uit de plastic zak van Boots, haalde ze toen uit de doosjes en de doorzichtige plastic verpakking en legde ze aan weerskanten van de kraan. De mannen die aan beide kanten kwamen en gingen bij de wasbakken, keken allemaal naar zijn medische benodigdheden. Niemand vroeg iets en de vraagtekens gingen schuil in het geluid van doortrekken en het slaan van wc-deuren en dichtritsen en heteluchthandendrogers. Kellas pakte de zwachtel op en maakte aanstalten om zijn tanden te gebruiken. Hij voelde een hand op zijn schouder en de schoonmaker nam de zwachtel van hem over. Zonder iets te zeggen, zonder naar Kellas' gezicht te kijken tot het eind toe, bemoeide de schoonmaker zich met Kellas' wond. Hij had warme, zachte handen, een ietsje ruw, en behandelde Kellas met de vaderlijke, sceptische doortastendheid van een goedkope barbier. Hij had krullend grijs haar en een grijze snor en Noord-Afrikaanse gelaatstrekken. Hij moest in de vijftig zijn geweest. Een geur van eau de cologne kwam van de warmte van zijn hoofd en hals. Kellas was dankbaar voor de hulp en nog dankbaarder omdat de schoonmaker niets zei en niet verwachtte dat hij iets zei. Hij had zijn naam willen vragen en waar hij vandaan kwam, maar toen de schoonmaker klaar was met zijn vlugge, nette werk, een stap achteruit ging, de steel van zijn bezem vastpakte en Kellas toeknikte, zei Kellas alleen: 'sjoekran', één van het handjevol woorden die hij vanbuiten kende sinds hij een paar maanden daarvoor Arabisch was gaan leren, in afwachting van de invasie in Irak.

De schoonmaker lachte. 'Graag gedaan,' zei hij. 'Prettige vlucht.'

Toen hij terugkwam in de schel verlichte vertrekhal, voelde Kellas een onaangenaam prikken achter in zijn mond en begon hij te knipperen. De schoonmaker was vriendelijk voor hem geweest; vriendelijkheid was nu even niet zo goed voor Kellas. Het was beter geweest als de schoonmaker hem een dreun op zijn falie had gegeven. Vriendelijkheid op zichzelf was niet verkeerd, maar altijd sukkelde de schaamte er vlak achteraan en wilde meedoen. Zag je vriendelijkheid, dan wist je dat de schaamte om de hoek was, met al haar gegrien en gesnotter en spijt. Waarheen gaat uw vlucht vandaag, meneer? New York? Geweldig. En mag ik u vragen, waar vlucht u voor? Uw vijanden? Dat staat hier niet, meneer. Kijk, hier staat: 'Vrienden'.

Hij verlangde ernaar het vliegtuig te zien, een van die brede, zware, dikgevleugelde, viermotorige, schuddend over de startbaan en vrij opzwevend van de grond, als een weldaad, als een wonder, naar de oceaan. Als hij ze zag starten en opstijgen, zou alles goedkomen. Eén ervan zou hem meedragen tot in de wolken en naar het blauwe westen daarbuiten. Hij was geen vluchteling, al konden anderen dat denken. Voor het licht werd was hij teruggegaan en had een blanco cheque in Cunnery's brievenbus geduwd, met 'wat het ook kost' achterop geschreven, in hoofdletters, om onduidelijke reden. Ze mochten denken dat hij voor hén op de loop was, maar dat kwam doordat ze niet wisten dat hij zich naar iemand anders spoedde. Hij had haar al een jaar willen zien en nu had zij gevraagd hem te zien, en hij kwam eraan. Kellas zette koers naar de vertrekgate.

Hij passeerde een vrouw in een heupspijkerbroek en een ingekort groenwollen vestje dat haar buik en haar schouders bloot liet. Ze droeg een kapsel van gelakte krulletjes en had knalrode lippenstift op een diep gebronsde huid en een gouden knopje in haar navel, en ze liep langs op hakken, een rolkoffertje achter zich aan sleurend. Ze keek even naar hem en keek weer opzij. Hij had graag zeker geweten dat hij de Atlantische Oceaan niet overstak voor seks. Mensen deden dat. Zowel mannen als vrouwen vlogen tienduizenden kilometers, spendeerden honderden ponden en duizenden liters brandstof om seks te hebben, en niet alleen middelbare, rijke sekstoeristen in Bangkok of Zanzibar, maar kerngezonde, aantrekkelijke jonge mannen en vrouwen uit Londen of Brisbane of Buenos Aires, die verwikkeld waren geraakt in een relatie met iemand die aan de andere kant van de wereld woonde en die, al waren ze over en weer niet genoeg op elkaar gesteld om dichterbij te gaan wonen, het makkelijker vonden elk half jaar de oceanen over te steken om het naakte lichaam van hun tegenhanger aan te raken, dan in hun eigen woonplaats op zoek te gaan naar een nieuw iemand om hun bed te delen. Dat was het niet. Deel van de idee om zo licht te reizen was zijn hoop dat de vrouw om wie hij deze reis maakte, bij zijn aankomst minder gewicht nodig zou hebben om hem daar te houden. Hij wilde de moed niet verliezen. Natuurlijk was ze leuk om te zien, maar dat waren er al zoveel en je had niets aan hen; ze waren enkel de hoedsters van hun eigen schoonheid. Die konden ze je tonen, maar was de rondleiding voorbij, dan bleef er niets over. Astrid was een van die anderen, die was thuis in haar uiterlijk. Dat was haar eigen en daar woonde ze in.

Hij had haar ontmoet na het donker, in de tuin van het logement van de Noordelijke Alliantie in Faizabad, oktober 2001. De generatoren waren uit en het enige dat hij aanvankelijk van haar zag, was haar silhouet tegen de sterren. De sterren waren dichtgezaaid en duidelijk te onderscheiden en de rivier bulderde bij de bocht om de rotsen aan de voet van de uitloper waarop het logement stond. Het scheen Kellas toe dat hij en de andere buitenlanders zich verspreidden tussen de struiken en bomen, in hun satelliettelefoons prevelden, aan de kust van de kosmos zaten te luisteren naar het loeien van de tijd. Hij zat gehurkt op het gras met zijn hoofd achterover naar de Melkweg te staren, toen hij haar hoorde aankomen en ze naast hem stond.

Astrids *satphone*-batterijen waren allemaal opgebruikt. Ze vroeg of ze op Kellas' telefoon haar redacteur en haar vader mocht bellen. Hij had hetzelfde soort gesprekken al gevoerd en in dezelfde volgorde, en zei dat ze zo lang mocht praten als ze wilde. Hij ging wat verder weg staan. Er was een groene gloed van het telefoonschermpje. Die scheen op haar gezicht maar hij kon haar niet zien. Het was enkel haar donkere gestalte geweest, bewegend, als een vleugel over het sterrenveld, en haar stem die vroeg of ze zijn telefoon mocht gebruiken. Dus die eerste paar minuten kende hij haar alleen aan haar stem. Ze klonk in beslag genomen door zichzelf, maar toen ze sprak had ze een aarzeling, en een opengaan, een soort eerbiedige schuchterheid, alsof voor haar iedereen wijs was totdat hij zich als een dwaas had ontpopt, en ze niet wilde riskeren dat ze de bedachtzamen over het hoofd zou zien.

Toen Astrid klaar was met haar gesprekken, bleven ze in de tuin staan praten. Ze waren beiden die dag aangekomen, Kellas met een vlucht uit Tadzjikistan, Astrid over land in een van de konvooien uit Doesjanbe, over de Aroe Darja, van daar oostwaarts per vrachtauto. Geen van beiden was eerder in Afghanistan geweest.

'Ze hebben hier zo'n manier om naar ons te kijken. Naar ons, de buitenlanders,' zei Astrid. 'Het maakt dat ik me minder echt voel dan zij. Dat ik word gefilmd en geprojecteerd, alsof ik kan worden uitgeschakeld en niet bestaan, terwijl zij doorgaan met bestaan. Ik ga even zitten, ik voel me niet zo goed.'

Ze zaten op de grond. Kellas kon langzamerhand zien bij het licht van de sterren en zag dat Astrid een smal gezicht had, met hoge jukbeenderen en een brede, fijngetekende mond. Als ze fronste, wat ze vaak deed onder het spreken, als om anderen en zichzelf ervan te overtuigen dat ze ernstig nadacht, verscheen er een dicht patroon van vier horizontale lijnen op haar voorhoofd –

het maakte dat ze ouder leek en drukte pijn uit; als ze lachte verdwenen de lijnen en straalde haar gezicht meer blijheid uit dan ze ooit zelf kon opgebruiken. Er was genoeg voor iedereen.

Aan de vermoeide, ongeduldige manier waarop ze bewoog, zag hij dat ze misselijk en niet lekker was. Zijn overgang was scherper geweest dan die van Astrid. Die ochtend had hij niet geweten of de vlucht wel of niet doorging, en totdat het hagediskleurige transportvliegtuig van de luchthaven van Doesjanbe was opgestegen, had hij eraan getwijfeld. Hij en andere buitenlandse journalisten en Alliantie-Afghanen zaten op de canvasstoelen tegen de romp. Tussen hen in, het grootste deel van de vrachtruimte van het toestel in beslag nemend, stond twee ton water in flessen voor CNN. Veertig minuten na de start landden ze op een strook ruw geëffende aarde en stenen, verhard met de stalen strips die geniesoldaten leggen als ze haast hebben. Ze liepen het toestel uit over de achterste laadklep in een stofwolk van de propellers, en toen die optrok zagen ze een rij Afghanen staan wachten en toekijken terwijl ze het stof op zich lieten neerdalen. Voor de kinderen was de komst van het vliegtuig de sublieme finale, het kluchtigste staaltje toneeltechniek in het stuk van de dag, en ze sprongen en zongen in het Engels: '*How are you? How are you?*' De meesten van de anderen waren chauffeurs, maar niet opdringerig. Ze bleven op een afstand wachten tot de buitenlanders naar hen toe kwamen. Een van de wachtende Afghanen leek geen andere reden te hebben om daar te zijn dan naar binnenkomende vluchten te kijken. Hij keek naar Kellas, vlak en intens, met zijn handen op zijn rug. Het was een blik die Kellas niet eerder had gezien, en weer zou zien in Afghanistan, de blik van intelligente, nieuwsgierige en onontwikkelde mannen, hongerend naar een boodschapper. Hier zouden ze strijden en sterven voor hun religie, maar een stoutmoedig man kon in zulke ogen zijn eigen religie schrijven, als hij durfde en de religie genoeg glans had.

Kellas zette zijn spullen in een Uazik en werd voor vijfentwintig dollar over een autoweg vol kraters naar de stad gereden. Aan weerszijden van de weg staken handelaars al kerosinelampen aan in hun houten kramen. Er hing een geur van kookvuren. Het land was rijk aan duisternis en de lichten en vuren gloeiden er navenant in op, als edelstenen in bont. Kellas' twijfels in Londen behoorden bij iemand anders. Hij was blij dat hij naar deze andere wereld was gestuurd om opdrachten te volbrengen, verslag te doen. Er waren taken en sommige daarvan waren de zijne.

'Ik zou hier wel een hele tijd kunnen blijven,' zei Astrid. 'Het maakt mijn hoofd helder. Iets als... bevlogen. Wil je me even excuseren?' Ze begaf zich naar de rand van de tuin. Kellas hoorde haar kokhalzen en hoesten. Hij hoorde een voet slippen door gras, een kreet en het geluid van een brekende tak. Hij schoot toe en greep Astrids polsen vast toen ze van een steile kademuur weggleed naar de loodrechte rotsen boven de rivier. Hij hielp haar omhoogkrabbelen en ze bedankte hem. Haar polsen waren koud en klam en ze beefde licht. Hij legde zijn hand op haar voorhoofd. Het was koel en vochtig.

'Wat klunzig was dat,' zei Astrid, opgelucht lachend. 'Ik had niet moeten proberen in de rivier te spugen.'

'Dat drinken ze hier ook nog,' zei Kellas.

'Ja,' zei Astrid. 'Er is niks op mij beland, geloof ik.'

'Je moet warm blijven,' zei Kellas. Ze liepen terug naar het logement toen de generatoren opstartten en de lichten aangingen. Hij verzekerde zich ervan dat de Polen met wie ze een kamer deelde haar rillend in haar slaapzak kregen, en kwam later terug met wat schapenvlees en rijst dat de Afghanen hadden klaargemaakt, een glas thee en een paar tabletjes ibuprofen. Astrid had alles opgegeten. Een groep Zwitsers ging overmorgen met twee Uaziks naar Jabal os Saraj, zei ze, ze konden allebei meerijden. Kellas zei dat ze meer rust moest nemen.

'Dit is morgenavond wel over,' zei Astrid vlug. Ze sidderde van misselijkheid, draaide zich op haar zij en sloot haar ogen. Piekjes haar plakten tegen haar voorhoofd.

De volgende morgen zocht Kellas haar op. Zijn kamer lag aan het andere eind van de enige gang in het gebouw. Het was zeven uur en nog maar net dag. De Polen zeiden dat ze uit was gegaan. Haar spullen had ze achtergelaten. Kellas liep Faizabad in, de rokerige samenballing van leemsteen, kromgetrokken balken en donkere, smalle openingen die stevig op de dalbodem en tegen berghellingen plakte, als aangebrande schraapsels in een stoofpan. Hij wisselde dollars voor een vettig pak Afghaans geld en vond het gemeentebadhuis, waar hij zich tot op zijn pantalon uitkleedde voor de ogen van lachende mannen in kletsnatte pofbroeken, en zijn lijf dompelde in een dampend bassin. Later liep hij door de straatjes, langs wegen van stro en mest en modder, getekend door voet- en hoefafdrukken. Veel voertuigen waren er niet. Elke keer dat een Uazik of een Kamaz of een oude Toyota erdoor reed, kwam die eraan als een tijger aan een lijn, brullend en toeterend, jongens en ouderen en vrouwen in lichtblauwe boerka's uiteendrijvend alsof ze helemaal geen motor hadden gehoord. Het kwam bij Kellas op dat hij, als hij Dari sprak, Astrid met gemak zou kunnen vinden. Ze was de enige magere blanke in jeans en een te grote anorak, met blond haar onder een pakulmuts. Ze moesten haar allemaal hebben gezien. Hij voelde zich stom zonder de taal.

Hij kwam bij een marktplein waar oude mannen, die keken alsof ze te vaak het huilen van hun kinderen hadden horen wegebben en verstommen, ezels leidden met draagmanden vol knoestige, verzaagde boomwortels, als achter uit de kaken van ontboste heuvels getrokken verstandskiezen, om ze als brandhout te verkopen. Hij vond Astrid met haar hoofd gebogen over een kooi met een mollige, wondermooie grijze vogel erin.

'Die willen ze vast wel voor je klaarmaken,' zei Kellas, die honger had.

'Vast niet,' zei Astrid. 'Dit is een vechtpatrijs. Het gevecht is trouwens morgen. Dan moeten wij hier weg wezen. Ik had graag geld ingezet op deze jongen om elke patrijs in deze stad te verslaan. Zie je die ogen? Dit is een killer. Wat denk jij? Kan ik 'm meenemen naar Jabal?'

'Waarom niet?' zei Kellas. Er was geen koorts meer in haar. Ze leek jonger. Ze had nog wel fijne lijntjes onder haar ogen. Het gaf haar iets wijs. Ze probeerde Kellas te bewegen tot het kopen van nog een patrijs, zodat ze gevechten konden organiseren als ze over de bergen waren.

'Als je wilt,' zei Kellas. Een van de twee zou op die manier in de pan belanden.

Astrid keek hem aan op een manier die hem aansprak, intens en nieuwsgierig. 'Nee, je hebt gelijk,' zei ze kalm. 'Het was een stom idee.'

'Ik zei ja.'

'Maar dat was niet wat je dacht, toch,' zei Astrid.

Bij het eerste morgenlicht vonden ze een plaats in de twee door een Zwitserse televisieploeg gehuurde Uaziks om de driedaagse tocht door de bergen te maken naar Jabal os Saraj, waar troepen van de Alliantie een laatste stelling tegen de taliban hadden voorbereid, totdat de Amerikanen vanuit de lucht hun nieuwe gemeenschappelijke vijand zouden beginnen te bestoken, daar op de vlakte van Shomali, voor de poorten van Kabul. Met de Zwitserse verslaggever en de cameraman en zijn Sloweense regieassistent, hun Tadziekse tolk uit Doesjanbe, een Afghaanse begeleider en twee chauffeurs, waren ze inclusief hun spullen met hun negenen in de auto's toen ze het dal in reden. De begeleider was een gewezen lijfwacht van Ahmed Shah Massoud, mateloos trots op zijn betrekking tot de held van de Hindoe Koesj, een trots ongedeukt door zijn verzuim de door Al-Qaida op Massoud gepleegde moordaanslag te voorkomen, enkele dagen voor de aanvallen op New York en Washington. De lijfwacht praatte hen handig en brutaal door elke controlepost die ze passeerden, steevast drie jonge mannen met oude geweren en een eind over de weg gespannen touw. Voor hun vertrek wikkelden de westerlingen hun apparatuur in plasticfolie en wonden sjaals om hun gezicht. De Zwitserse reporter nodigde Astrid uit bij hem, de cameraman en de lijfwacht in te stappen, terwijl Kellas meereed met de tolk en de assistent.

'Die ouwe Zwitserse kerel, die gaat 'r neuken,' zei de tolk, Rustum, na een halfuurtje rijden. Hij zei het zonder nadruk, alsof hij al meer over het verleden sprak dan over de toekomst.

'En als ze nu niet wil?' zei Kellas. Hij wantrouwde de assistent, een gebruind, humeurig type, op zoek naar een kans om een Werner Herzog te worden zodra hij een goeie dag had met links en rechts van hen een barre woestenij.

'Waar moet ze dan naartoe?' vroeg de tolk, maar minder zeker, onthutst en toen chagrijnig na Kellas' verzekering dat Astrid goed in staat was voor zichzelf op te komen. Hij was vijfentwintig. Hij had al één lucratieve trip naar en van Afghanistan gemaakt sinds de grote westerse tv-netwerken het land hadden herontdekt. Hij streek zijn snor glad en legde zijn kin op de schouder van de Sloweense regieassistent op de voorbank.

'Alex, wat denk jij?' zei hij.

'Is vijftig oud?' zei Alex. 'Voor een Zwitser niet.'

In het begin was de weg een baan kleine, half losliggende stenen, ingebed in grond die was vergaan tot stof zo fijn als talkpoeder. Elke seconde hotste de oude sovjetlegerwagen en tilde de passagiers van hun stoelen. Het stof spatte zo vloeibaar als melk van de banden van de vooroprijdende Uazik, waarna het zich hoog en breed om hen heen verspreidde, zodat het lichtgeel werd en ze hun sjaals strakker om hun mond en neusgaten bonden. Het was half oktober en ze bevonden zich een paar duizend meter boven zeeniveau en klommen nog, en toch scheen de zon. Het was warm. In de hoogten werd het stof minder en werden de stenen van de weg nog grover, ronde keien zo groot als koeienkoppen, met gaten ertussen. Hoe hoog ze ook stegen, steeds rees er aan weerszijden een kolossale wand op van rode rots en los puin, een steile helling naar een bergkam onwaarschijnlijk dicht bij de hemel. Ze passeerden munitietrucks, waarin dozen gestempeld met 'Granaten' met elke hobbel in hun open trailers verschoven, en het water voor CNN, en konvooien van gemaltraiteerde ezels met manden gedroogde mest op hun rug. Ze reden om meren heen waarin het water de kleur van bloed had. Bij de eerste keer dat ze een rivier zouden oversteken, hielden ze halt en stapte iedereen uit behalve de chauffeurs. De brug was een rij kromme, spichtige boomstammetjes, van de ene oever naar de andere gelegd zonder te zijn vastgemaakt aan de oevers of aan elkaar. De chauffeurs reden er met gezwinde bravoure overheen en de anderen gingen te voet. Toen ze weer in de auto's klommen, verwisselde Astrid van plaats. Ze zette zich midden op de achterbank, tussen Rustum en Kellas. Kellas merkte op dat ze zich behoedzaam neerliet.

'Wacht,' zei ze. Ze stak haar hand op toen hij naast haar wilde komen zitten. Ze tastte in de band van haar jeans, onder haar anorak, en haalde er een pistool uit.

'Nog nooit een verslaggever met zo'n ding gezien,' zei Kellas.

'Heb ik net gekocht van de lijfwacht. Hij wou er vijfhonderd voor hebben maar ik heb afgepingeld tot honderdtwintig. Wees niet bang, de klik zit er niet in. Ga 's even opzij.'

Ze hield de logge L-vorm bij de greep, liet het mechaniek heen en terug lopen, tuurde in de loop, hief het wapen met beide handen omhoog, richtte het door de open deur op de rotswand, kneep één oog dicht, mikte en haalde de trekker over tot de pal viel met een scherpe tik, die weerklonk in de lege kamer. 'Wat een fluttige sovjettroep,' zei ze. 'Ze moeten die indertijd hebben gefabriceerd als blikken theeketels.' Ze ritste een zak open, haalde er een paar skihandschoenen uit, duwde het pistool erin en propte de handschoenen erop. 'Stap in, Adam, laten we opschieten. Kijk niet zo naar me. Je kan wel raden wat voor schijnheilige lulkoek ik van die Zwitsers te horen kreeg. En nu nog meer omdat ze weten dat ze me niet te grazen kunnen nemen. Wat je ziet in de auto daar vooraan is Nietzsche in actie. "Waarlijk, ik heb gelachen om hen die zich deugdzaam wanen omdat hun klauwen stomp zijn".'

'Ik hád het gezegd!' zei Rustum, en hij gaf een klap op zijn knie met zijn ene hand en kneep in zijn snor met de andere.

'Er is hier geen wet,' zei Astrid. 'Een meisje alleen moet zich beschermen.'

'Ik heb genoeg van wapens,' zei Kellas. 'Er zijn er te veel in dit land.'

'Da's er dan één uit de roulatie.' Ze lachte tegen hem en klopte op haar zak. Ze was opgekikkerd door de aanschaf. Kellas' geweten dreef hem ertoe haar te zeggen dat hij het afkeurde, terwijl een andere innerlijke kracht hem deed duizelen en knipperen met zijn ogen, alsof hij in het heldere licht van het heden was beland na lange tijd in een donkere ruimte. Naar zijn mening was het stom dat een journalist een wapen droeg. Wapens trokken wapens aan. Maar hij kon er geen morele verontwaardiging voor opbrengen. Het liet hem onverschillig. Hij vroeg Astrid of ze het als onkosten zou kunnen declareren.

'Ze hebben wel betaald voor een helm en een scherfvest, die ik thuis heb gelaten,' zei ze. 'Ze zijn minstens een duizendje per week kwijt aan verzekeringen. Ze kunnen best honderdtwintig dollar ophoesten voor zo'n zaterdagavondspecial van het Kremlin.'

'Het maakt jou tot combattant,' zei Kellas.

'O, en jij bent geen combattant?' Astrid schoot in de lach. 'Wat denk je dat je hier doet? Je kijkt waar de oorlog is. Je brengt de oorlog aan de man. Dat is al genoeg. Je bent erbij. Je doet eraan mee.'

'Jullie wapengekken, jullie zijn slechte komedianten,' zei Alex, de Sloweense assistent. Hij keek niet om. Hij hief zijn hoofd en ze zagen het onscherpe spoor van zijn ogen in de binnenspiegel terwijl de weg vol keien de Uazik deed schudden.

'Ik ben geen wapengek,' zei Astrid.

'Misschien niet,' zei Alex. Hij schreeuwde over de herrie van hun gehobbel. 'Jij bent geen man. Misschien dat dat verschil maakt. Vroeger dacht ik dat mannen van wapens hielden omdat je er zo serieus door leek. De dood in een buisje, en de dood is een ernstige zaak, nietwaar. Met de dood rondlopen, dat maakt een serieus iemand van je. Ik heb gezien wat vrienden van me overkwam die dienst namen in keurtroepen, je weet wel, dat speciale-eenhedengedonder. Ik heb gezien wat er gebeurde. Dat waren de jongens die eigenlijk mensen aan het lachen wilden kunnen maken, maar ze waren te stom, ze konden nog geen mop vertellen. Ze konden niet eens een gek verhaal vertellen. En alle moppen in de wereld zijn varianten van die ene mop: man loopt op straat, glijdt uit over bananenschil, valt plat, slaat pleefiguur. Dat is het enige wat de wapengek van komedie begrijpt. Ze snappen dat de dood de grootste bananenschilmop van allemaal is. Het is het állerbelachelijkste wat iemand kan overkomen. Het ene moment loop je te paraderen, hé hé hé, baas van de wereld, de grote meneer, middelpunt van het heelal. En dan – pang! – de komediant haalt de trekker over en de grote meneer is tachtig kilo vlees. Véél leuker dan een taart in je snufferd. De wapengekken zijn beroerde komedianten, en ze popelen altijd om die ene mop te vertellen die ze kennen. Het is een dodelijke, definitieve mop zonder weerwoord, ze willen hem zó graag vertellen en ze weten dat ze het niet kunnen.'

'Mooi zo. Hou je daaraan als de Indiërs daar over de bergrug komen,' zei Astrid. 'Hou je aan die filosofie van je want ík kom je niet te hulp.'

De volgende dag, nadat ze de nacht hadden doorgebracht in een dorp waar mannen in de plooien van hun kleren tastten en brokken lazuursteen tevoorschijn haalden om te verkopen, nam het konvooi een middagpauze op een marktplein buiten de muren van de vesting van een krijgsheer. Ze aten kebabs die naar benzine smaakten. Bewolking sneed de bergtoppen af en de lucht was waterkoud. Het rook naar winter. De weidegrond was dun en modderig. De kooplui en mannen die geen kooplui waren maar gehurkt toekeken, namen hen op alsof ze de waarde van hun spullen en de grootte van hun gezelschap berekenden. De muren van het fort waren zeven meter hoog, in één vlak met de loodrechte rotswand waaruit ze oprezen, en doorboord met sleuven.

Terwijl ze zaten te eten, arriveerde er een konvooi van drie auto's, op de terugweg naar Faizabad. Ze stopten dicht bij de Uazik van de Zwitserse ploeg en de inzittenden stapten uit. Kellas herkende Miriam Hersh van Reuters. Ze kwam naar hem en Astrid toe. Kellas zoende haar op beide wangen en Miriam vertelde hoe smerig het was in Jabal os Saraj, hoe overbevolkt, hoe weinig er gebeurde. Zij ging naar huis. Kellas vroeg waar ze nu gestationeerd was, en ze keek hem aan met vermoeide, tranende ogen.

'Dat is het, afgelopen,' zei ze. 'Als ik zeg naar huis, dan bedoel ik naar huis. Londen. Reuters roept me definitief terug.' De wind blies haar vlossige bruine haar over haar gezicht en ze gooide het opzij en trok de manchetten van haar fleecejack over haar handen. Ze begon te rillen. ''t Werd tijd. Ik ben lang genoeg onderweg geweest.' Ze snoof en wipte van de ene voet op de andere.

'Ik wil geen beroeps-expat worden als ik vijftig ben.'

'Miriam en ik hebben elkaar leren kennen toen ik in Warschau gestationeerd was,' zei Kellas tegen Astrid.

'Gestationeerd?' Miriam schoot in de lach. 'Wanneer was jij ooit ergens gestationeerd?'

Kellas kleurde. 'Dat was ik wél,' zei hij.

Miriam glimlachte tegen Kellas, hoewel haar schouders schokten van de kou, en wendde zich tot Astrid. 'Adam was in de jaren negentig beroemd in Oost-Europa omdat hij nooit langer dan een half jaar in één stad woonde. En daar was hij – hoe lang? Tien jaar?'

'Negen,' zei Kellas. 'Waarvan twee in Praag.'

'Maar dat waren geen aaneengesloten jaren in Praag, toch?' zei Miriam. 'Hij was een koning die zijn residentie door zijn domeinen liet rouleren. Zes maanden in Boedapest, vier maanden in Kiev...'

'Het klinkt als een goed leven, vind ik,' zei Astrid.

'Jullie weten hoe het is,' zei Kellas, van het ene gezicht naar het andere kijkend. 'Blijf je langer dan een paar maanden in één land, dan kom je er zoveel van te weten dat de redacteuren zich onzeker gaan voelen van datgene waarover je praat. Ze willen dat je iets van je onwetendheid terugkrijgt. Je bent te ver van de lezers af geraakt.'

'Wat hij bedoelt is dat ie nooit tevreden was,' zei Miriam tegen Astrid.

Kellas lachte en ontkende het.

'Je bent een goeie verslaggever maar je had te weinig zitvlees,' zei Miriam. 'Je was het tegendeel van die tv-reporters die denken dat als zíj ergens zijn, dát de plaats moet wezen waar het verhaal is. Waar je ook was, je wist zeker dat hét daar niet was. Wat dat hét ook was, dat was ergens anders.'

'En in ieder stadje een ander schatje?' zei Astrid.

'Die landen lagen niet aan zee,' zei Kellas.

Miriam sprong aldoor op en neer. Bij haar vertrek uit Jabal had ze een tas op de verkeerde truck gegooid en nu was ze haar winterspullen kwijt.

'Ik heb een extra paar handschoenen,' zei Astrid. 'Ik heb ze niet nodig.'

'Als je het zeker weet. Het zou mijn vingers kunnen redden.'

Astrid ritste de zak open. Een vinger van één handschoen was blijven haken in de trekker van haar pistool en toen ze de handschoenen eruit haalde, kwam het wapen mee. Het bonsde op het gras. Astrid gaf Miriam de handschoenen aan en pakte het pistool op en deed het terug in haar zak. Miriam volgde het wapen met haar ogen.

'Ik dacht dat je van de pers was,' zei ze, terwijl ze de handschoenen aantrok.

'Is er iets aan me wat je anders doet denken?'

'Het wapen? Met wie ben je, *Stars and Stripes*?'

'Hopelijk heb je wat aan die handschoenen, in de kou,' zei Astrid, en keek Miriam in de ogen. 'Je moet voorzichtiger zijn met je spullen.'

'Welbedankt,' zei Miriam flauwtjes, vastgehouden door Astrids blik. 'Ik stuur ze op als ik terug ben.'

'Hoeft niet,' zei Astrid. Ze liep naar de Uazik waarin ze had gereden, en reikte achterin naar haar rugzak. Kellas wachtte op het geluidje uit haar longen toen ze hem optilde maar op hetzelfde moment werd Miriam geroepen door haar reisgenoten en hun motoren werden gestart.

'Ik moet ervandoor,' zei Miriam. 'Reis je samen met haar?'

'Astrid. Astrid Walsh. Ze werkt voor de DC *Monthly*.'

'Je snapt toch zeker wat een risico ze is.'

'Ken je haar?'

'Ze laat goddomme net een wapen uit haar jack vallen. Voor zo'n overtreding vlieg je eruit bij elke toko die ik ken. Je ziet zo dat ze maf is. Een soldatengroupie. Ik ken dat soort. Ze is het type vrouw dat geen vriendinnen heeft. Je zou hier moeten wachten op een ander konvooi.'

'Ze is oké,' zei Kellas. 'Excentriek.'

Miriam kneep haar lippen op elkaar en keek Kellas strak aan, haar adem ingehouden. Ze ademde uit. 'Juist. Ik zou zeggen, bewaar je afstand, maar – juist ja.' Ze wensten elkaar het beste en

Miriam ging terug naar haar konvooi.

Die middag staken de auto's van Kellas en Astrid de Anjomanpas over. De weg was een haarspeldenspoor van zwarte rotsen en aangekoekte sneeuw. Aan weerskanten was de sneeuwlaag centimeters dik. Toen ze over het hoogste punt reden, stak er een sneeuwstorm op en moesten ze twee keer uitstappen om de Uaziks verder te helpen duwen. Kellas en Astrid stonden naast elkaar, Alex en Rustum ieder aan een kant, met hun handen tegen het achterportier van de Uazik gedrukt, en zetten hun volle gewicht ertegenaan. Hun longen deden zeer en hun hoofd tolde van de hoogte. De chauffeurs zeiden dat binnen een week alleen paarden er nog overheen zouden kunnen komen. Op weg naar beneden probeerde Astrid haar hoofd op Kellas' schouder te laten rusten en te dommelen, maar het hotsen van de weg schopte haar telkens wakker. Toen ze bij het vallen van de avond in hun slaapzakken lagen in een logement boven in het Panjsirdal, keek Kellas naar de slapende Astrid, en zag hoe de vier fronslijnen in haar voorhoofd zich scherper verdiepten en toen gladtrokken, en terugkwamen.

De volgende morgen, toen ze inpakten voor het vertrek, sloeg Astrids stemming om. Haar gezicht ging op slot en ze deelde hem kortaf mee dat ze achterbleef. Ze zou later naar Jabal komen.

Kellas lag op zijn knieën voor de muil van zijn rugzak, met om zich heen zijn spullen, de winterkleren, de fles whisky voor de correspondent van de *Citizen* die hij kwam aflossen, de boeken. Hij voelde een vreemde droogte op zijn tong en merkte dat zijn mond openhing. Hij schraapte zijn keel en vroeg wat er aan de hand was. Astrid keek hem aan als een roofdier waarvoor hij geen prooi was, koud, afstandelijk, trots in zichzelf, zonder de flauwste gloed van menselijke, sociale behoefte. Ze gaf hem geen antwoord en wendde zich af.

Kellas stapte zonder haar in de Uazik en ze reden weg. De rit schudde hem hard door elkaar, met twee in plaats van drie personen achter in de wagen, zonder Astrids lichaam om het zijne rechtop te houden. Hij was niet verontrust door de scherpe omslag in haar stemming, maar wel verrast. Hij bracht de ochtend door met denken aan Astrid, en waarom ze zo weinig voor hem betekende. Terwijl ze langs de Panjsjir omlaag ratelden verduisterden zijn gedachten. De bergen waren dichterbij en steiler en wierpen hardnekkiger schaduwen. Tegen de middag was hij vol van het gevoel van eenzame bekochtheid dat komt als alle favoriete personages in een drama dood zijn, maar het drama toch doorgaat. Toen hij zich Astrids gezicht te binnen trachtte te brengen, probeerde te begrijpen waarom het hem niets deed, wist hij niet precies of hij het zich wel goed herinnerde. Het zou makkelijker zijn als ze er was. Het enige wat hij zich met zekerheid goed herinnerde, was het geluidje dat uit haar binnenste kwam als ze een last op haar rug hees. Hij luisterde naar zijn herinnering aan het leven in haar, tot het donker werd en de koplampen van de Uazik eindelijk een steenslagweg op zwaaiden.

4

Een geautomatiseerde stem op Heathrow meldde dat men voor Kellas' vlucht aan boord moest gaan. Hij passeerde het laatste groepje winkels voor de wandeling naar de gate. Daar was een boekwinkel, en hij had niets te lezen. Hij bleef een eindje van de ingang staan staren naar de eerste tafel. Die was volgestapeld met exemplaren van een Amerikaanse onthullende verhandeling met de titel *Van Plato tot Nato*. Als hij nog dichterbij kwam, dreigde het gevaar dat hij exemplaren zou zien van een boek met een omslag in groen en rood dat hij sinds het verschijnen had gemeden, hoewel hij het twee keer gelezen had. Hij had het gisteravond nog gezien, bij de Cunnery's. Het was tevoorschijn gehaald; het was gesigneerd. Gesprekken waren gevolgd en gebeurtenissen hadden zich voorgedaan. Hij wendde zich af van de boekwinkel en liep met lege handen naar de vertrekgate, gekrenkt en verlangend naar champagne.

Hij liep door de loopbrug naar de elektrische geur van het vliegtuig en het gieren van de generator. Eén ogenblik was hij deel van het vermoeide geschuifel in de entree van het toestel, een processie die door de ontblote tanden van de bemanning strak werd ingeperkt, tot ze ontdekten dat hij een van de bevoorrechten was en hem linksaf stuurden naar de eersteklascabine. De daar reeds ingestapte passagiers hingen in opgezwollen fauteuils, weggezakt in de geplisseerde vouwen van geverfde koeienhuid, als kindkoningen. Hij vond zijn plaats bij het raam. Op de stoel aan het gangpad naast hem zat een lange, forse vrouw van in de twintig met parels en een duur getailleerd mantelpak in de kleur van witte waterlelieblaadjes. Hier, in de neus van de 747, was zoveel ruimte dat ze haar voeten niet hoefde te verplaatsen, laat staan overeind hoefde te komen, toen hij langs haar liep. Ze keek op van het boek dat ze zat te lezen. Hij zag dat het Chinees of Japans was. Ze lachte tegen hem en ze zeiden 'Hallo' tegen elkaar. Kellas maakte zijn veiligheidsgordel vast. Hij hanneste met de gesp en beet op zijn nagels en zweette. Hij was geen slechte luchtreiziger. Het was de grond die hem misselijk maakte. Hoe langer het toestel bij de gate stond, hoe meer rituelen, de warme handdoeken – waarom veegden de mensen er hun gezicht mee af, hadden ze vuile gezichten? – hoe meer bedaard gezwatel van de piloot, hoe onwaarschijnlijker het hem leek dat dit logge, dunhuidige metalen kruisbeeld, propvol reizigers, hem van het eiland vandaan en over de oceaan kon vliegen, weg van de schaamte die in hem groeide. Als gebedskralen door zijn vingers betastte en telde hij de dingen die hij bij de Cunnery's had gedaan en gezegd. Het was nog steeds mogelijk dat – als er een meneer Kellas aan boord was, kon hij zich dan bekendmaken? Hij voorvoelde de kou van de handboeien tegen de huid van zijn polsen, en het gewicht. Hij keek over zijn schouder. Door het gangpad naderden snelle voeten, bijna hollend, en donkere stof. Het was iemand van het cabinepersoneel. Hij keek naar Kellas, legde zijn hand op zijn mond en boog door zijn knieën, stak zijn hand uit en tikte hem op zijn schouder. 'Heb ik u laten schrikken? O, dat spijt me erg. Ik ben zo gehaast vandaag. Alles goed met u?'

'Ja, oké. Alles best,' zei Kellas met een gevoel of hij iets op zichzelf had gemorst. Hij zat de acht gasten om de tafel van de Cunnery's te schikken. Cunnery links van hem. Sophie M'Gurgan rechts. Lucy Flagg tegenover hem, Pat M'Gurgan naast haar, Joe Betchcott in de te strakke trui en Margot en Melissa aan het andere eind. Je eigen geest liet zich lastig manipuleren: die kende zoveel automatische processen. Waar hij hem wilde aantikken, was de vraag over Afghanistan waarop hij zo'n onomwonden antwoord had gegeven. Dat zou hij liever aanhouden als het beginpunt van dit doorhangende gewicht van schuldgevoel, zwaar op zijn maag. Liever had hij de andere details bewaard als een tweede categorie van herinnerde dingen, aan gene zijde van de rest. Maar de geest was democratisch, synthetiserend. Die legde verbanden. Hij herinnerde zich bijvoorbeeld dat Sophie had opgemerkt hoe hij naar Lucy's decolleté keek, scherp en jong in de diep uitgesneden blote hals voor in haar jurkje. Dat iedereen, en niet alleen Lucy, hem tegen haar had horen zeggen dat ze er sexy uitzag. Dat hij Joe Betchcott voor 'een vuile fascistische flapdrol' had uitgemaakt, lang voordat de oorlogskwestie ter sprake was gekomen, toen hij nog maar één glas op had gehad. Het ergste was dat hij op geen enkel moment dronken was geweest. Hij had nu behoefte aan drank, om de traagheid van de organiserende geest te dempen. Hij had behoefte aan beheersing. Hij moest het van zich afzetten, dat zijn antwoord op de oorlogsvraag iets te maken had met zijn entree in de eetkamer en het zien van de kilo's glanzend bestek daar, de veelsoortige vorken, en dat hij er één oppakte en neerlegde en tegen Cunnery iets zei over het verrassende ontbreken van zilveren slakkentangen, op een manier die sarcastisch klonk, jaloers en geniepig. Kon hij in alle redelijkheid het enig kind Cunnery beschimpen omdat hij het zilver van zijn overleden ouders uit de kast haalde voor gasten aan zijn tafel? Was het omdat van hem als erkende socialist werd verwacht het zilver te hebben verkocht en de opbrengst aan de strijd te hebben geschonken? Misschien. Toch zou Kellas, zolang Cunnery het tafelgerei bezat, zich dieper beledigd hebben gevoeld als de tafel met stalen messen en vorken was gedekt. Kellas' ziel was bij andere feestelijke gelegenheden niet op dezelfde manier geraakt. Het had iets van kwistige overdaad gehad toen Rab Balgillo zijn huwelijksreceptie hield op de boerderij van zijn schoonvader in Orkney, een paar jaar terug, en dat had niet erger dan royaal geleken. Balgillo had in de zak getast en zijn familie en die van de bruid hadden in de zak getast; iederéén had in de zak getast, ook Kellas, en dat hele lange weekend in Orkney was alleen maar vreugde geweest. De M'Gurgans zaten destijds diep in de schuld, terwijl Kellas goed verdiende als freelancer. Het had hem dagen van overreden gekost om Pat en Sophie ertoe te bewegen voor de reis zijn geld aan te nemen en te beloven dat ze nooit zouden proberen hem terug te betalen of er weer over te beginnen. De feestdagen waren uitgelopen om hen bijeen te brengen; Kel-

63

las en Katerina waren van Praag naar Edinburg gevlogen, hadden een auto gehuurd en waren naar Duncairn gereden om te logeren bij Kellas' ouders. Pat en Sophie waren naar hen toe gekomen en samen waren ze naar Thurso gereden en daar op de veerboot naar Stromness gestapt.

Het was midzomer in het noorden geweest en de zon ging nauwelijks onder. Ze hadden hun nachten doorgebracht in een waas van rood en goud. Hoewel Katerina in zekere zin de mooiste mens van de bruiloft was, was dit van geen betekenis in het avondlicht; in die stralenglans leken alle menselijke gestalten en huiden een bedoeling te verwezenlijken die innig gekoesterd werd en die in hun bestaan besloten lag. Pat, Sophie, Kellas, Katerina, Rab, zijn bruid Leslie en de schilderes Hephzibah Cooper lagen in het lange gras bij de menhirs, luisterden naar de insecten, kietelden elkaar met zeggesprieten en kraamden onzin uit over het universum en de eilanden. Als de wind woei was hij warm en bracht de geur van turf en zout water mee. Kellas lag lange tijd te staren naar het dunne gouden kettinkje om Katerina's nek terwijl Hephzibah vertelde dat de stenen tot drie meter onder de grond staken, en iemand vroeg hoe ze dat wist, en zij zei dat ze dat van Rab had gehoord, en Rab ontkende het. De stemmen en het gelach bereikten Kellas door de wuivende zaadbollen en hij luisterde, wachtend tot de volgende windvlaag Katerina's haar bewoog en zij het weer op zijn plaats streek.

Het feest werd gehouden in en om een schuur, versierd met het echte hooi van de boer-schoonvader en waar de pony's van de schoonvader stonden, gezadeld en gehalsterd voor de gasten. De gasten waren geïnstrueerd zich in westernstijl te verkleden. Kellas en Katerina droegen jeans en geruite hemden, met cowboyhoeden en sheriffsterren uit een speelgoedwinkel in Kirkwall. Sophie had handgemaakte laarzen gevonden, een geborduurd hemd, een veterdasje en een echte stetson, Pat zag er gevaarlijk uit als Pancho Villa met bandelieren en een sombrero en een plastic snor van vijftien centimeter breed. De band speelde tot twee uur en Katerina danste met een gast die als cactus was verkleed. Je zag alleen zijn gezicht, het kostuum was zo stijf als een plank en halverwege de Gay Gordons viel hij om en rolde over de grond, trappelend met zijn voeten als een omgeslagen tor.

Om vier uur 's morgens stond de zon een eind boven de horizon en zaten Kellas, Katerina, M'Gurgan, Sophie en Hephzibah, Rab en Leslie op de grond in de voorkamer van Leslies huis te drinken. Iemand had M'Gurgan gevraagd in wat voor soort huis Kellas' ouders woonden en M'Gurgan had gevraagd of ze al hadden gehoord van de kat. Hij had de lokkende glimlach van een verhalenverteller al over zich toen hij het zei, en toen hij tegen Kellas zei: 'Vertel jij het verhaal', zei Kellas: 'Nee, doe jij het maar.'

'We zijn terug van de pub,' zei M'Gurgan, 'en we zitten in de keuken. Alle vrouwen zijn al naar boven en Adam z'n pa komt binnen, op weg naar bed, wat een hele operatie is. Hij doet een uur over zijn ronde door het huis om zich ervan te vergewissen dat alles is uitgeschakeld, de deuren op het nachtslot zijn, de verwarming tot tropisch is opgedraaid. De lasers staan op scherp. Je weet wel, van die staken die uit de muur komen om indringers te spietsen. Nou, de controle is achter de rug, en daar staat ie in een Albanese kamerjas met een petje met een kwast uit Oezbekistan, dat ie alleen maar draagt als Adam er is, want die brengt Adam als cadeautje voor hem mee als hij terugkomt van een van zijn werkreizen naar gribussen. En Adam z'n pa zegt tegen ons: "Kunnen jullie ervoor zorgen, als de kat binnenkomt, dat ie er niet meer uit kan?" En hij wijst ons hoe je het kattenluikje vergrendelt, en daar gaat ie, naar bed. De ons toegewezen taak lijkt tamelijk eenvoudig, en wij praten verder. Paar whisky'tjes. Na een tijdje is er dat geluidje bij de achterdeur. Nu heb ik eerder katten door luikjes horen komen. Ik heb ervaring en ik weet, het zijn hele lenige beesten. Hoe groot ze ook lijken, ze glijden door dat gaatje met niet meer dan zo'n kleppertje, en dan zijn ze binnen. Maar dit geluid is anders. Het is geen klepper. We horen de "klep" en we wachten... en er komt geen "per". Dus wij gaan kijken. Die kat is gigantisch! Wel zo groot als een schaap. En hij zit halverwege vast in dat kattenluikje, met z'n kop en voorpoten erdoor en z'n achterpoten en z'n kont hangend uit de achterkant. Net een leeuw die door een werpring wou springen. Nou, ik vraag Adam wat deze Gargantua in godsnaam is, en hij zegt, zijn ouders hebben het beest nog maar net, dit is de eerste keer dat ie 'm ziet. Dus wij doen de deur open, en die kat zwaait gewoon mee. Dan gaat Adam naar buiten, we doen de deur dicht en hij zet z'n handen tegen die kat z'n kont en duwt. En ik pak de kat z'n voorpoten in mijn handen en begin te trekken. En Adam zegt aldoor: "Doe hem geen pijn!", en ik probeer heel zachtjes te trekken en die kat kijkt mij doodkalm aan en zet zijn klauwen in mijn handen. Diep. Ik spring achteruit en stoot mijn hoofd en begin die kat stijf te vloeken en Adam zegt: "Niet zo hard, mijn pa slaapt licht." Ik probeer het bloed uit mijn wonden te stelpen en dan zie ik dat het er slecht uitziet met de kat. Hij maakt van die hijggeluidjes, als twee neukende woelmuizen. Intussen wordt Adam behoorlijk zenuwachtig en ik heb een idee: we nemen een beetje boter om de kat mee in te smeren. Adam gaat op de snor en het enige wat ie vindt is een fles *extra vergine*-olijfolie. En dán weet ik wat voor stijl van leven hij erop na houdt, want hij begint de olijfolie over de kat te druppelen. Je weet wel – net of het rucola is. Nog even en hij begint de parmezaan te schaven. Nou, ik masseer die olijfolie in de kat z'n vacht en we nemen onze plaatsen weer in, en hij duwt, ik trek, en de kat krijst moord en brand en schiet zomaar door het luikje de keuken in. Het volgende moment komt Adams vader binnenstormen in zijn Libanese nachtgewaad en gaat tegen ons tekeer vanwege al het lawaai dat we maken. Wij leggen uit dat de kat was blijven steken in het kattenluikje. Adam z'n pa kijkt naar die enorme gemuteerde kat die ligt te hijgen op de grond, met mijn bloed op zijn poten en zijn pens ingesmeerd met extra vergine-olijfolie als een of ander avantgardistisch Noord-Londens voorafje, en die zegt: "Ik heb dit beest nog nooit van m'n leven gezien!" '

In het vliegtuig schoot Kellas hardop in de lach. M'Gurgan had de valse snor nog op gehad toen hij het verhaal vertelde. Een koude harde grendel schoot in Kellas' lach en hij voelde de spieren om zijn mond straktrekken en zijn lippen sloten zich. Na wat er was gebeurd, na wat hij had gedaan, leek het niet mogelijk dat hij zich ooit nog in één ruimte met de M'Gurgans zou kunnen bevinden.

De Boeing rolde achteruit van de startplaats af. Vanaf de stoel waar Kellas zat, helemaal voorin, klonk het steunen van de motoren die door de bemanning werden gestart ver weg. Toen het toestel eenmaal was gekeerd en op eigen kracht voorwaarts begon te bewegen, voelde Kellas de schaamte in zijn binnenste smelten. Ze sloten aan achter de rij toestellen die wachtten om de startbaan op te mogen. Hoge staartvinnen bewogen langs elkaar heen als zeilen door een drukke haven, en de smalle strips van cockpitraampjes verdonkerden en twinkelden in de zon als de frons van hardlopers voor de sprint. Toen de 747 met Kellas een draai maakte aan het begin van de startbaan, en het geluid van een plotse instroom van brandende kerosine in motoren zo groot als hoogovens zijn oren van ver en gedempt bereikte, als dondergerommel in het aangrenzende graafschap, was zijn schaamte over wat hij had gedaan bijna verdwenen. Toen het toestel vaart maakte en hij in zijn stoel werd gedrukt en het frame van de 747 licht schudde en de glazen in de kombuis tegen elkaar klapperden als kristallen tanden, verdween de schaamte, en toen het toestel de grond verliet, bleven de gezichten en geluiden van de vorige avond in Camden daar achter. Het oude eiland had hem afgeworpen naar de genade van de lucht zoals een knoestige boom een bloesemspikkel afwerpt, en hoewel hij nog steeds even gedoemd was als wie dan ook, had zijn doem een drager en een snelheid die hem verwijderden van de getuigen van wat hij had aangericht.

Het vliegtuig helde over tijdens het klimmen. Kellas keek door het raam achteruit naar de vleugels. Hij mocht ze graag zien doorbuigen, een beetje wapperen aan de vleugeltips, wanneer ze de belasting opvingen van het draaien van de grote lelijke jumbo door de dichte lucht en er dampslierten als rook van de voorrand schoten. Het was druk in de lucht, deelde de piloot hun mee, en ze zouden een poosje laag vliegen over de West-Country alvorens naar de hoge kou van de transatlantische vliegroute te klimmen.

Over de landerijen beneden lagen sjaals van rijp op de hellingen en strepen ongesmolten sneeuw van een week geleden in de schaduwen. Zelfs hartje winter behield Engeland een elementaire groenheid. Afstand verleende het mysterie, overal, waar dan ook. Van hieraf kon je niet zien dat het een eiland was; het had een eigen schaal, een verfronselde, wazige majesteit. Eén ding dat er op drieduizend meter gebeurde, was dat mensen alleen bestonden op de grond als je je ze verbeeldde. Kellas kon wel het half leesbare braille van dorpjes en boerderijen daarbeneden ontcijferen, maar zich geen voorstelling maken van de mensen erin. Vanaf deze hoogte was het makkelijker om koning Arthur te situeren in de mist die de Welsh Marshes omgaf, en Titania en Oberon overlommerd in al dat donzige struweel, dan de marktstadjes één voor één met de reële miljoenen te bevolken. Het beste waarop je kon hopen voor een vreemdeling die omlaagkeek, een Amerikaan of een Arabier of een Afrikaan die het eiland nooit had bezocht, was dat ze het zouden opvatten als meer dan Baan Eén; meer dan de lounge waar Elvis stuit op Kuifje terwijl ieder van hen naar elders op weg is. Dat ze een fatsoenlijk facsimile zouden construeren van het leven daarbeneden in het gras, tussen de baksteen en grauwe steen de menselijke ruigte zouden ontwaren waaruit het weefsel van het uitzicht zou bestaan. Wat zou het oog, als het van deze hoogte omlaagkeek op een vreemd land, anders kunnen zien dan geschiedenis in plaats van gisteren, profetie in plaats van morgen, en een heden dat ófwel uitzicht was, óf een doelwit.

Van deze hoogte ongeveer moesten de F-18-piloten hebben neergekeken op de vlakte van Shomali, tussen Kabul en Jabal os Saraj, aan de mond van de Panjsjir. Drieduizend meter was zo hoog als een Stinger kon stijgen om ze neer te halen, en geen was er ooit neergehaald. De piloten hadden de airconditioned hutten van hun vliegdekschepen verlaten, waren over Pakistan naar Afghanistan gevlogen, hadden de aarde met bommen getatoeëerd en waren naar huis gevlogen voor een maaltijd en een douche. Dat deden ze nu nog. Treffen was ook een soort aanraken. Maar als treffen het enige soort aanraken was dat je deed, zou je degene die je aanraakte zozeer beschadigen dat die, tegen de tijd dat je haar kwam omhelzen, van je zou terugdeinzen.

De piloten hadden van verre gezien wat ze deden. Ze konden niet landen. Altijd was er die afstand geweest. Amerika strekte zich uit over duizenden kilometers en zijn tastzin schoot een paar kilometer tekort. Het gooide de bommen en scheerde zich weg. Het was niet helemaal een kwestie van vergelding, hoe hevig het verlangen naar wraak destijds ook was. Er school nieuwsgierigheid in dat reiken, en iets als spijt. In elke handeling om pijn te doen bleef de geest van intimiteit aanwezig. Evenals de negentien martelaren wier zelfmoord hen naar Afghanistan had geroepen, bewezen de Amerikaanse piloten dat de macht die ze vertegenwoordigden groot was, en hun motief onweerstaanbaar. Ze waren niet bang om te doden of te sterven. Toch was er geen vervulling in de verwoesting zonder een moment van begrip, een ogenblik waarin alles wat de bommenwerper voor ogen stond van degenen die hij bombardeerde, al zijn wrok en zijn tarten van zijn verbeelde slachtoffers, samenkwamen met hun gedwongen omhelzing van de dood. Waarin de bommengooier begreep wie hij doodde, en de getroffenen begrepen door wie ze werden gedood, en ze één werden. In Afghanistan had Kellas zich afgevraagd wanneer dit moment van eenwording en vervulling kwam. Was het het moment dat de kapers zagen hoe het glas van de torens de cockpitramen vulde, en de kantooremployés hoe een golf van duisternis het licht opvrat? Het moment dat hun lichamen tegelijk verdampten in een laaiende bloesem van vliegtuigbrandstof, en hun bewustzijn net lang genoeg talmde om te begrijpen? Toen de taliban het stof proefden dat werd opgeworpen door de Amerikaanse bommen die rondom hen neerkwamen, of toen Amerika en Amerikaanse piloten de ontploffingen van die bommen op hun scherm zagen?

Kellas had de vliegtuigen zien wegduiken boven de lemen muren, de irrigatiekanalen en de moerbeibossen aan de noordkant van de vlakte. Eén keer had hij bijna op een mijn getrapt, toen hij het haaiachtige zwenken van het toestel tegen de blauwe lucht volgde en niet keek waar hij liep. Het geluid van de motoren van de F-18's had het geschreeuw overstemd van zijn collega's, die hem waarschuwden dat hij van het aangegeven pad afdwaalde.

Die F-18's waren behoorlijk precies, over het geheel genomen. Ze doodden en verminkten de taliban, wat ook de bedoeling was. Maar nu en dan verklootten ze het.

Er was een avond geweest dat ze hadden gehoord dat de Amerikanen per ongeluk een dorp van de Alliantie hadden gebombardeerd. De reporters en fotografen in Jabal waren balorig van verveling, omdat de oorlog overal en nergens was, net als God; tegen hun redacteuren zeiden ze dat ze er wel in geloofden maar hem zelden hoorden, laat staan zagen, afgezien van het geluid van vliegtuigen en de rookkolommen aan de horizon. Het was eind oktober. Allemaal verwachtten ze een patstelling vanaf Ramadan, Chanoeka en Kerstmis, tot het Jaar van het Paard zelfs. Het gerucht van doden in een bevriend dorp in de buurt, en van gewonden, overgebracht naar een Italiaans charitatief ziekenhuis in de Panjsjir, gaf hun hoop op een verhaal.

Kellas keek naar het lampje voor de gordels. Het brandde nog steeds. Ze klommen opnieuw, nu boven de Ierse Zee. Als hij zich niet elk woord en elke blik van Astrid kon herinneren, wat had deze reis naar Virginia dan voor waarde? Hij had haar geschreven, maar zij had hem geschreven noch opgebeld. Er was een jaar voorbijgegaan. Hij wist dat hij haar wilde zien, maar om te weten wat het in haar was dat hij wilde zien, kon hij alleen maar spitten in de weken destijds in Afghanistan en orde zoeken in de wirwar van haar luimen. Ze hadden samen gevreeën en ze hadden samen gedood en hij kende haar niet.

Op de avond na het bombardement had hij de plotselinge vreugde van leiderschap in haar gezien. Het soort leider dat naar boven kwam in uitzichtloze lokale opstanden, of partizanenbenden, of gecompliceerde kinderspelletjes, vlug, geestdriftig en op hun plaats. De reguliere chauffeurs van de journalisten waren vanwege het late uur al afgetaaid en het was Astrid die een Toyota-minibusje regelde om hen nog voor middernacht naar het ziekenhuis in de Panjsjir te brengen. Ze had zich tot Kellas gewend, die niet goed wist waar hij stond, en gezegd: 'Wil je mee?' Ze hield haar hoofd schuin en trok haar wenkbrauwen op en lachte en Kellas knikte. Hij herinnerde zich wat ze droeg: de rode wollen trui, een beetje gerafeld aan de zoom, met de zwarte sjaal en te grote anorak en jeans, en de zwarte suède laarzen met haast puntige neuzen. Als het voor haar onhandig was om haar hoofd onbedekt te hebben, droeg ze de sjaal eroverheen of stopte haar haar in een pakulmuts. Daar gleed het uit weg.

Kellas en Astrid zaten achter in de minibus. Voor hen praatten twee fotografen in het Frans. De maan was zo helder dat het silhouet van de bergen duidelijk afstak tegen de lucht. Er waren geen kunstmatige lichten op de vlakte of in de straten van de stad. De lemen gebouwen weerkaatsten de maan. De muren leken te gloeien van een flauwe fosforescentie alsof ze van maanstof waren gemaakt, en hun glasloze ramen waren zo donker als grotopeningen. De Toyota denderde langs de stille stroomloze huizen als de ogen van een atheïst die door de Koran bladert.

'Mijn krant geeft mij geen ruimte om te schrijven hoe mooi het hier is,' zei Kellas.

'De mensen die hem lezen, zouden niet blij zijn als de krant het deed,' zei Astrid. 'Ze zouden zich vreselijk zondig voelen als ze hoopten op de waarheid over oorlog in een van je artikelen en merkten dat je er een beetje schoonheid in gesmokkeld had.'

'Ze zouden moeten weten dat oorlog niet iets is wat in dit land zomaar uit de grond welt. Net zomin als in het onze.'

De vier groeven verschenen in Astrids voorhoofd terwijl ze nadacht over elk woord dat ze sprak. 'Poëzie kun je een andere keer schrijven,' zei ze, voorovergebogen, pratend tegen de stoel voor haar. Ze draaide zich om en keek hem aan. 'Jij mag je schoonheid hebben, maar dat is jóúw prijs, Adam Kellas, het is wat jíj ziet. Wat je krant moet hebben, is wat de Afghanen zien. Ik weet niet of het voor hén zo aantrekkelijk is. 't Lijkt gewoon armoe lijden.'

'Ik heb hier nooit willen komen,' zei Kellas.

'Waarom ben je er dan?'

'Gewoonte.'

Astrid lachte. Haar voorhoofd trok glad. Kellas vroeg zich af of ze hem had doorzien.

Ze vroeg: 'Waarom dacht je dat je met de gewoonte moest breken?'

'Een land stuurt reizigers over de grens als woorden die de ene mens tegen de andere spreekt,' zei Kellas. 'Zoals ik nu tegen jou praat. Het land ziet zijn reizigers vertrekken en ik hoor de woorden terwijl ze mijn mond verlaten en bij jou binnenkomen. Maar het land ziet niet wat er met de reiziger gebeurt als hij in die vreemde oorden belandt en ik kan niet weten hoe de woorden die ik uitspreek bij jou aankomen.'

'Ik zal het je zeggen, als je wilt,' zei Astrid lachend en draaide aan haar oor.

'Ik zal nooit weten wat er met de woorden is gebeurd,' zei Kellas. 'En de reiziger komt nooit terug. Hij wordt een ander mens, die een beetje thuis raakt op de plaats waarheen hij reist. Met elke dag dat hij daar blijft, hoort hij er meer bij. En dat is het juist, het erbij horen, ik kom er maar niet achter hoe ik dat aan de mensen thuis moet overbrengen. Misschien omdat het me niet goed lukt. Misschien omdat zij het niet willen weten.'

'Je wilt te veel,' zei Astrid. 'Ook de beste van ons is nog steeds maar een klein boodschappertje, met een korte, bescheiden boodschap. Eén van ons kan er niet voor zorgen dat het ene land het andere begrijpt. Er is een heel koor en een miljoen boodschappen voor nodig om maar het kleinste contact tot stand te brengen.'

'Wat zie jij als je door dat glas kijkt?' zei Kellas.

'O, duisternis is een ander land,' zei Astrid. 'De nacht is een andere wereld. Niet zozeer een verhuller van geheimen, meer als de schepper van raadsels. Ik kan niet anders dan geloven dat er daar dingen zijn die overdag niet bestaan. Je kunt altijd jezelf iets verschaffen om na te jagen als de maan schijnt.'

'Dus jij bent hier voor jezelf.'

'Ik zal schrijven wat ik schrijf. Ik stuur mijn boodschappen naar huis. Maar dat is het werk. Het is niet de beloning. Volgens mij zou jij ook een stuk gelukkiger zijn als je je werk en je beloningen gescheiden hield.' Ze zweeg en boog haar hoofd naar voren en plukte aan een losse draad in haar jeans. 'Als tiener was ik weg van Artemis de jachtgodin. Ik had een prentenboek met verhalen over de oude goden. Er was één pagina waar ik telkens weer naar keek, van Artemis die 's nachts door het woud snelt met haar boog in haar ene hand en de andere uitgestrekt naar mij, het meisje dat naar het plaatje kijkt. Het gezichtspunt van het hert. Maar ik voelde me geen hert. Ik voelde me alsof Artemis mij nazat omdat ze bij mij wilde zijn, en ik wilde bij haar zijn. Maar ik wilde dat zij mij eerst achtervolgde.'

Ze vertelde Kellas over waar ze woonde, op het eiland Chincoteague in Virginia, op de zuidelijke punt van het schiereiland Delmarva. Haar moeder was een lerares geschiedenis geweest die van het dak was gesprongen van de *highschool* waar ze werkte in Washington D C, vlak nadat ze haar achtste klas een taak had laten maken over Onmiskenbaar Noodlot. Bij verscheidene gelegenheden had de directeur later tegen de familie gezegd dat hij ervan overtuigd was dat de aard van de taak niets te maken had met de suïcidale voornemens van hun moeder. Astrid, haar moeder kennende, uit wie elke avond en elk najaar alle optimisme en zielenrust weglekten met de zekerheid van de getijden, geloofde dat dit aannemelijk was, maar ervoer het innerlijk als wrang dat de directeur zei dat het niet was omdat hij het gezin wilde beschermen maar omdat hij de geschiedenis wilde beschermen. Ze gingen weg uit Washington; Astrids broer Tom verhuisde naar Seattle en Astrid trok in bij haar vader, die uit de academische wereld was getreden, naar een huis in de dennenbossen op het schiereiland. Ze woonde nog steeds bij hem in, en grapte wat over pappa's kleine meid, maar ze was er niet vaak. Na *college*, de filmschool, een paar jaar als manager van een band, een paar jaar korte films maken en een paar jaar een galerie runnen, was ze naar Joegoslavië en Rwanda gegaan en had zich een naam verworven in de magazinejournalistiek.

Ze vertelde Kellas dat ze eens op een nacht in april, door hooikoorts uit de slaap gehouden, naar de keuken was gegaan en door het raam naar de maanverlichte tuin had gekeken en een hinde aan de jonge blaadjes van een perenboom had zien rukken. Ze bleef een poosje rustig naar het dier staan kijken, maar er was iets als een drang in haar, in die warme lentenacht, met de vollemaan op de witte keel van het hert. Ze dacht aan haar geweer, maar dat bracht de buren misschien naar buiten en het was trouwens ver voorbij het jachtseizoen, en ze had haar quotum al geschoten. Met gloeiende wangen en bonzend hart ging ze naar haar kamer, kleedde zich aan en ging terug naar de keuken. Het hert was er nog. Ze verliet het huis aan de andere kant en begon zich zo langzaam mogelijk om het gebouw heen te verplaatsen. Eenmaal net om de eerste hoek, hoorde ze de takken van de perenboom schudden toen het hert met lippen en tanden aan het gebladerte trok. Het geluid hield op. Astrid vermoedde dat het hert haar had geroken. Ze haalde een paar maal diep adem, rende toen naar voren en zag nog net de witte spiegel van de hinde en haar keurige hoefjes indrukwekkend in de struiken flitsen aan het eind van de tuin. Astrid ging het dier achterna, struikelde over een wortel en viel op de dennennaalden. Ze hoorde de hinde door de bomen voor haar uit breken, al honderden meters verder weg.

'Ik herinner me de harsgeur van de naalden,' zei Astrid. 'Ik rook alles. Ik dacht zelfs het hert te kunnen ruiken, de warmte en de muskus. Een seconde lang was ik een oermens. Ik weet niet wat ik had gedaan als ik haar gevangen had. Haar de strot uitgerukt met mijn tanden?' Ze schoot in de lach. 'Blij dat ik het niet in me had. Ze had wel drachtig kunnen zijn. Ik wilde mijn hand op haar leggen, maar haar niet bang maken.'

Het minibusje schokte en schudde op de slechte weg omhoog uit het dal, nu eens een smalle engte, alleen het ravijn en de rivier, dan weer zich verbredend naar groene weiden, boomgaarden en velden waar overdag boeren ruwe ploegen achter ossen voortdreven, als Europese lijfeigenen in een getijdenboek. Sommige van de hobbels waren de laatste resten van sovjettanks, twintig jaar terug verwoest door Massouds mannen en langzamerhand vergaan in het weefsel van de weg. De rivier was rijk aan forel. Uit het raam van de Toyota zag Kellas flikkeringen van zilver waar de maan op het ruwe snelle water scheen. Hij keek om, Astrid zat naar hem te kijken.

'Ik heb daar Afghanen zien vissen,' zei ze.

'Er is een tent verderop in het dal,' zei Kellas. 'Ze verkopen gebakken vis en aardappelen.'

'Fish-and-chips,' zei Astrid. Ze leunde tegen Kellas aan en

dempte haar stem. 'Ik vraag me af, zouden er in dit dal, daar in het donker, Afghanen liggen neuken? Wat denk jij?'

'Dat zou kunnen, dat weet ik, tussen de moerbeibomen. Het gebladerte en het donker om ze te verbergen, en het geluid van de rivier om de herrie te overstemmen.'

'De huizen zijn overbevolkt, en dan al die verboden,' zei Astrid.

'Als je erom kunt worden vermoord, en toch niemand je betrapt, moet dat het heel heftig maken.'

'Je zult je tijd moeten kiezen, en je plaats moeten kiezen, en plannen,' zei Astrid. 'Volgens mij zijn alle minnaars hier partizanen.'

'Sommige minnaars zijn met elkaar getrouwd,' zei Kellas.

'Dat is zo,' zei Astrid. 'Maar ik dacht aan degenen die dat niet zijn en ook niet kunnen trouwen.'

'Ik heb Mohamed ernaar gevraagd,' zei Kellas. 'Hij reageerde verlegen én lacherig. Een Europeaan komt er niet achter. Ze spreken met je af aan de rand van hun dorp en je komt er niet achter wat zich daar afspeelt. Ja, jij misschien. Sla een sluier om en ga hun huizen binnen.' Hij pakte Astrids hand op haar schoot zodat het niet te zien was, en zij sloeg de hare eromheen. Hij keek Astrid aan en kon haar nauwelijks zien in het donker. Hij zag alleen haar ogen wanneer ze bewogen.

Een van de Franse fotografen draaide zich om. Hij heette Louis-Bernard. Hij liet voor het eerst van zijn leven zijn baard staan en die groeide op sommige plaatsen uit, maar op andere niet. Astrid en Kellas lieten hun handen uit elkaar glijden.

'Daarom worden die moslims zo kwaad,' zei Louis-Bernard. 'Ze kunnen nergens heen om zich rustig af te trekken.'

De andere fotograaf, Zac, keek om en zei: 'Hij is grootgebracht op een kostschool van de jezuïeten, dus hij kan het weten.'

In het ziekenhuis, met zijn lampen op generatorstroom en de naam van de liefdadigheidsinstelling in meterhoge letters op de muur geschilderd, werden ze weggestuurd, ook al bleven ze hardnekkig doorvragen. De Engelse vrouw die de leiding had, verloor haar geduld, en de journalisten maakten de rit van een uur terug naar Jabal, met lege handen. Kellas en Astrid gingen alleen naar hun slaapplaatsen. 's Morgens ging Kellas kijken naar wat er in het gebombardeerde dorp was gebeurd.

De getroffen locatie was in de vlakte tussen Jabal en het vliegveld van Bagram, op enkele kilometers van de dichtstbijzijnde talibanstellingen, tussen pietluttig ingedeelde kavels van lemige akkers, zelf weer onderverdeeld door eendenvijvers, bevloeiingskanalen, groepjes populieren en wilgen en smalle modderdijkjes. De huizen waren groot en ruim en solide, maar bescheiden onder de bomen; de contouren ervan waren ontstaan door het snelle verweren van onbehandelde leemstenen. De journalisten uit Jabal moesten hun auto's parkeren op bijna een kilometer van de plaats waar de bom was gevallen en te voet een zigzagroute nemen tussen de slootjes door, terwijl hun tolken meermalen stilhielden om om nieuwe aanwijzingen te vragen. De rij slecht geparkeerde auto's, opeengepakt waar de weg ophield, deed Kellas niet zozeer aan een plattelandsbruiloft denken, als wel aan een uitvaart. Terwijl Kellas en Mohamed tussen de bomen door liepen zagen ze achter en voor hen andere journalisten en tolken samenkomen op de locatie, langs evenwijdige dijkjes, met notitieboekjes en camera's en zakken, als gasten met geschenken. De hemel was hetzelfde harde heldere blauw als elke morgen en het was het aangenaamste uur, wanneer de nachtkou weg was en de middagzon nog niet begon te branden. Het geluid van het van sloot naar sloot stromende water en de aanraking van wilgentakken op Kellas' schouder deden hem elk besef van verleden en toekomst vergeten en hij voelde zich content. Kronen van scherpe gele moeibeibladeren, wreed en schoon als de overwinning, staken af tegen de lucht.

Een blootsvoetse Afghaan in groezelige grijze kleren en een goudkleurig mutsje zat gehurkt op de grond voor het getroffen huis. Het was zijn huis. De ontploffing had zijn vrouw gedood terwijl zij kleren zat te naaien voor een bruiloft, en had zijn twee kinderen, zijn moeder en zijn broer verwond. Hij hurkte naast de puinhoop, met zijn lange, met klei bevlekte rode handen rustend op zijn knieën, en verslaggevers kwamen hem vragen stellen. Hij gaf antwoord, hoewel hij hun niet in de ogen kon kijken. Uren-lang had hij een steeds wisselend groepje van mensen voor zich staan, houdingloos in westerse kleren, die foto's van hem namen, zijn woorden opschreven en hem filmden. Dezelfde reeks vragen werden dan gesteld en dan antwoordde de Afghaanse man, wiens naam Jalaluddin was, en als die groep journalisten halverwege klaar was arriveerde er een ander groepje dat hem ertoe bracht weer van voren af aan te beginnen.

De meeste verslaggevers, onder wie Kellas, vroegen hem hoe hij tegenover de Amerikanen stond. Misschien zou hij iets on-verwachts zeggen. Aankomen met een theorie dat ze het expres hadden gedaan, of zijn schouders ophalen, aan zijn neus krab-ben en zeggen: 'Liever een verslagen taliban dan dat mijn vrouw blijft leven en mijn kinderen niet door granaatscherven gewond raken. Jammer van mijn gezin, maar dat is nu eenmaal oorlog. Al-les voor het hogere doel, per slot.' Maar Jalaluddin zei niets on-verwachts. Kellas had kunnen schrijven dat Afghanen o zo goed waren in ingetogen waardigheid, maar dat zou niet waar zijn ge-weest. Ze waren er niet goed in. Het was wat ze waren. Alles wat Jalaluddin zei, in de vertaling van Mohamed, was: 'Mijn vrouw is dood. De Amerikanen hebben ons gezin verwoest. Wat moet ik doen? Zij moeten de vijand bombarderen. Niet ons.'

De middag tevoren had hij zijn schapen gehoed toen hij de ex-plosie hoorde. Hij rende terug en begon met de andere dorpelin-gen zijn gezin met zijn blote handen uit het puin te trekken. Het leed geen twijfel dat het een Amerikaanse bom was. Kellas kon er nog iets van zien, hoekig afgescheurde repen dun, donkergroen geverfd staal, en de draaiende staartvinnen die hem hadden moe-ten richten. Er stonden met witte verf geschilderde getallen op. Je zag zo dat het een mooi en degelijk ding was. De fragmenten zaten vast in het puin dat de bom had gemaakt. Door de aard van het materiaal leek het niet op puin of afbraak. Het was alsof de grond zich spontaan tot brokstukken met een paar rechte kanten had gevormd en in de lucht had opgerispt. Een man van de BBC stond halverwege de helling van de verbrijzelde klei, en hield een verhaal voor de camera. Kellas klom omhoog naar waar een van de woonkamers stond, open naar de wereld, in doorsnee, half intact. De binnenwanden van het overgebleven deel waren witgekalkt. Een smal bobbelig bed was zorgvuldig opgemaakt, met de randen van de sprei heel recht en rimpelloos. Roze en groene, vele malen gebruikte plastic kommen stonden nog op stapels op een buffet. Het wandklokje met pijltjeswijzers was blijven stilstaan op half vijf. Aan de muur een foto van een lachende jongeman in een Amerikaans sporthemd, met moderne gebouwen ergens in het Midden-Oosten op de achtergrond. Kellas vernam van een buurman dat het een foto was van de neef van de dode vrouw in Iran, en van Mark dat de neef een San Francisco 49'ers-shirt droeg. Dat schreef hij op. Jalaluddins vrouw was al begraven op de overwoekerde begraafplaats van het dorp, onder een korte rechthoek van opgehoogde aarde. Dorpsbewoners hadden er doornige takken overheen getrokken om te beletten dat levende have erover liep of dat honden en jakhalzen het lichaam opgroeven. Een halfuur na Kellas' aankomst begon de herdenkingsplechtigheid. Een van de dorpsoudsten sprak een preek uit. Hij stond even binnen een kring die de mannen vormden. De vrouwen van het dorp stonden verder naar achteren, op een kluitje, onder de schaduw van het geboomte, en de buitenlanders vormden een losse buitencirkel, waarin de schrijvers overbogen om naar hun tolken te luisteren en de fotografen heen en weer zwierven voor goeie shots. Degene die de preek hield, had een witte baard en een hadjmutsje en een snoer kralen dat in zijn ineengeslagen handen slingerde. Hij sprak met zijn ogen gesloten. Zijn kleren waren niet rafelig of vuil, maar ze waren niet duur. Hij was ouder dan velen in de bijeenkomst, maar hij was niet oud. Sommigen van de ouderen daar waren krom en beverig. Hij was de voorganger, degene die het gebed leidde, degene met de beste kennis van het Boek en de geschriften van de geleerden die het hadden onderworpen aan dertienenhalve eeuw exegese. Hij was als de anderen; dat verleende hem gezag, niet zijn geleerdheid. Voor een voorganger schortte het hem aan ijdelheid. Hij stond daar en sprak als een man die niet geloofde dat hij een bijzonder ego had, en het was zijn gewoonheid die zijn woorden de melodie

van openbaring kon geven, mits zijn woorden goed genoeg waren. Kellas vertrouwde erop dat Mohamed de voorganger goed
vertaalde. Daar had Mohamed grote moeite mee. Hij was niet in-
geschoten op simultaan vertalen. Hij redde het net ongeveer om
de andere zin, of groepjes van zinnen. Alsof je naar een flipboek
keek van de preek. Het bewoog met schokken en de handeling
werd duidelijk in vijftig voorbijflitsende stills. De voorganger zei:
'Een vrouw is omgekomen. Ze had wensen in haar leven, maar
wij moeten denken aan God, en hoe wij onderworpen zijn aan
zijn wil.' Later zei hij: 'De Amerikanen komen hier, gooien hun
bommen op Afghanistan en doden onschuldige mensen. Wij praten dit niet goed. Maar is het niet onze eigen schuld? Wij hebben
ze hier gevraagd. Niets haalt adem zonder God. God gebruikt
Amerika om de schuldigen onder ons te treffen door diegenen
te straffen die geen kwaad hebben gedaan.' De dorpsbewoners
stonden zonder woorden of verwachtingen te luisteren en gingen
toen weer aan het werk.

Kellas vroeg een verslaggever die hij nog kende uit zijn Praag-
se jaren, of hij Astrid had gezien.

'Ze was hier al eerder,' zei de verslaggever. 'Ze vroeg naar jou.
Ze wilde weten over de jaren dat je zwierf. Ze leek teleurgesteld
toen ik vertelde dat je definitief terug was in Londen.'

'Teleurgesteld,' herhaalde Kellas. Hij zag Jalaluddin wegslen-
teren van de begraafplaats, met gebogen schouders en bevend
over zijn hele lichaam.

'Ik ben het zat,' zei de reporter. 'Ik ben naar te veel begrafenis-
sen van vreemde mensen geweest op plaatsen als deze. Ik wil verhalen waarbij ik op tijd thuis kan zijn voor het eten. Ik wil verhalen waarbij ik een trui kan dragen. Ik mis mijn kinderen.'

Ze zagen Jalaluddin praten met een groep mannen uit het
dorp, die hem een hand gaven en alleen lieten. Jalaluddin keek
op naar de bouwval van zijn huis, waar zijn buren waren begonnen de goede stenen van het puin te scheiden. Hij klom een eindje de berg op, langzaam en weifelend, wrikte wat lemen vormen
los, hield op, liet de brokken die hij vasthield vallen, en ging zitten. Hij boog zijn hoofd een beetje. Kellas liep naar hem toe, ge-

volgd door Mohamed. Kellas vroeg Mohamed of hij hem geld zou moeten geven. Mohamed zei dat dat een goed idee was. Kellas nam een miljoen van de plaatselijke munt uit zijn zak, ongeveer vijfentwintig dollar, en gaf het aan Mohamed om aan Jalaluddin te geven. Hij gaf Jalaluddin een hand en vroeg Mohamed hem te zeggen dat hij hoopte dat het leven weer goed zou worden. Mohamed zei iets en gaf Jalaluddin het geld en Jalaluddin nam het aan zonder ernaar te kijken en prevelde wat.

'Hij zegt: "God zij geprezen voor uw goedheid",' zei Mohamed.

'Zei hij echt: "God zij geprezen voor uw goedheid"?' zei Kellas toen ze wegliepen. 'Meende hij dat?' Hij vertrouwde Mohamed het minst wanneer hij de kleine beleefdheden van de armen vertaalde. Mohamed neigde naar snobisme als hij zich verveelde, wat vaak voorkwam. Zijn visie was, vermoedde Kellas, dat de armen zich niet konden veroorloven af te wijken van gemeenplaatsen, en deden ze het wel, dan corrigeerde hij hen door te vertalen wat ze hadden moeten zeggen. Kellas en Mohamed begonnen aan de wandeling terug naar de auto. Kellas keek één keer om en zag dat Jalaluddin zich niet verroerd had. Hij zat stil, met gebogen hoofd, nergens naar te kijken, het geld in zijn hand, terwijl zijn buren met overdreven energie de bouwstenen op hun stapel gooiden.

Kellas boog naar voren, haalde de amusementsgids van de luchtvaartmaatschappij tevoorschijn en bladerde door de aangeboden films. Hij nam een glas champagne van het blad dat de bediende hem voorhield. *Sweet Home Alabama*. Dat was aardig gerecenseerd, met Reese Witherspoon die een talent voor populaire romantische komedie bleek te hebben. Het was die avond geweest, de avond nadat hij het dorp had bezocht en Jalaluddin had gesproken, dat hij was uitgevaren tegen de jonge schildwacht en hem op zijn borst had gestompt en hem had toegeschreeuwd dat het godverdomme zíjn stoel was. Een van die momenten van een woede die schijnbaar uit het niets opkwamen, maar dat kon niet, omdat Kellas ze zo zelden beleefde. Hij kon nu nog zijn schreeuw nadoen, precies zoals die in het donker had geklonken, zo luid dat hij in zijn oren werd vervormd, en zich herinneren hoe het voelde toen zijn hand de warme, benige borstkas van de jongen trof. Als hij was ingegaan op het speculatieve aanbod van *The Citizen* van psychiatrische begeleiding, schuchter geopperd door de directeur, als een vader die een brochure over hulp aan drugsgebruikers onder de deur van zijn zoon schuift, had hij het gelikt en weekhartig kunnen laten klinken. De gevoelige, liberale Kellas gaat naar het dorp waar de onverschillige oorlogsbeul zijn fatale bevel heeft uitgevoerd. Kellas' hart begint te bloeden. Zijn geweten zwelt op tot enorme afmetingen, port rond in zijn brein en verandert het in vergiftigde puree. Ik ben afgeknapt, dokter. De oorlog is zo wreed en mijn kop is zo kwetsbaar. Ik weet niet wat me bezielde. Een snertdokter knikt begrijpend. Een slimme dokter zou tegen Kellas zeggen dat ie loog. 'Hoe komt het,' vraagt de slimme dokter, 'dat je jezelf wél in de hand had toen de taliban drie raketten loslieten op de markt in Charikar toen jij daar was en er overal lichaamsdelen lagen? Als je die middag zo aangeslagen was, hoe was je dan gis genoeg om tegen Astrid te liegen over het bedrag dat je Jalaluddin had gegeven? Als je zo kapot was van de wreedheid van de oorlog, hoe kon je dan die avond aan je manke tafel gaan zitten om je flutroman te schrijven?' Slimme psych heeft Kellas door. Slimme psych zegt: 'Ik ken jou. Dat weet je best. Ik zie jou niet door het lint gaan van een bom. De manier waarop jij die Afghaanse jongen te lijf ging, was heel wat anders. Dat was een man met een masker en helm en vliegbril die door een perspex dak kijkt naar iets in de verte wat hij niet begrijpt, en de enige manier waarop hij het kan begrijpen is door het te treffen.'

Kellas had zijn champagne opgedronken. Hij keek om op zoek naar een tweede glas. De vrouw naast hem kwam terug naar haar plaats nadat ze een verse laag karmijnrode lippenstift had aangebracht, die aantrekkelijk contrasteerde met haar bleke huid en het volmaakte wit van haar tailleur. Ze lachte tegen Kellas toen ze ging zitten en nam haar boek op.

'Niet bewegen,' zei Kellas.

'Hè?' De vrouw lachte weer, minder ontspannen.

'Ik herinner me,' zei Kellas met nadruk, 'dat ik als kind met de lippenstift van mijn moeder speelde – niet bewegen – niet om op te doen, bedoel ik, maar om het stiftje in en uit de huls te draaien, het leek op de tong van een robot, en soms vielen er hele kleine schilfertjes af. Het verbaast me nu, dertig jaar later, dat ze er niet toe zijn gekomen een lippenstift te maken die niet schilfert – zit stil, ik ben bijna klaar – er zit een schilfertje op de revers van uw jasje. Niet afslaan! U maakt een veeg.'

'Ik kan een nagel gebruiken.' Ze had een Amerikaans accent en Chinese gelaatstrekken.

'Nee. Ik weet een betere manier. Zo is de stofzuiger uitgevonden.'

'U gaat aan boord met een stófzuiger?'

'Wacht.' Kellas pakte een papieren servetje van zijn tafeltje, pelde één velletje van de dubbellaagse tissue af, ademde uit tot zijn longen bijna leeg waren en legde het tissue over zijn iets geopende mond. Hij begon zachtjes in te ademen en bracht zijn mond omlaag tot boven de revers van de vrouw waar de karmijnrode spikkel lag. Toen de tissue tegen de stijve stof fladderde, zoog hij scherp in, trok zich terug en vouwde de zakdoek in zijn rechterhand. Met zijn vingers peuterde hij de plooien los en wees toen het minieme spikkeltje lippenstift aan. De vrouw keek naar haar revers. Er zat geen vlek. Ze lachte en klapte een paar keer in haar handen.

'Nou, dank u wél, meneer,' zei ze. 'Dat ging gesmeerd. Doet u altijd een zakdoek voor uw mond als u dat doet?' Ze schoten in de lach en bloosden allebei.

'Geleerd van een oude vriendin,' zei Kellas. 'De enige andere keer dat ik het heb geprobeerd maakte ik er een troep van.'

'Hoe dan ook, het is een introductie, niet?' Ze heette Elizabeth Chang. Ze kwam uit Shanghai – 'CGC,' zei ze, 'Chinees geboren Chinese' – haar familie woonde in Boston, ze studeerde kunstgeschiedenis in Oxford. Er waren diamanten gezet in het goud van haar oorknopjes. Ze was groot, niet dik maar lang en breed en sterk. Ze had een diepe, gezellige lach, als die van een oudere vrouw, die Kellas prettig aandeed, en ze lachte vlug, bij het geringste vermoeden van een grap.

'O mijn god, en mijn vriendin is schrijfster!' zei Elizabeth nadat ze had gevraagd wat hij deed en hij het had verteld. 'Ze heeft net een fantastische deal gesloten met Karpaty Knox voor haar eerste roman.'

'Dat is mijn Amerikaanse uitgever,' zei Kellas. 'Vanmiddag ga ik daar het contract voor mijn boek tekenen.'

Elizabeth feliciteerde hem.

'Dank u. Karpaty Knox, weet u, en mijn Britse uitgevers, zijn eigendom van een oude Franse uitgeverij, Éditions Perombelon. De kerel die daar de tent runt, Didier, die heeft gezorgd dat de Engelstaligen het hebben gekocht. Hij vond de plot goed. Hij liet me overkomen naar Parijs om kennis te maken. Wat doet die deal van uw vriendin, als ik vragen mag?'

'Een miljoen dollar.'

'Dat is een smak geld,' zei Kellas na een ogenblik. 'Hoe oud is uw vriendin?'

Patricia Lee Heung, de vriendin, was even oud als Elizabeth en net als zij geboren in Shanghai en als tiener naar Amerika geëmigreerd. Haar roman heette *Red Hearth, White Crane*. Het was een vele generaties omspannende familiekroniek over een jonge vrouw wier Chinese moeder in het kraambed sterft, die door haar communistische minnaar wordt overgehaald tot het plegen van een moordaanslag op haar Amerikaanse vader, lijdt onder vervolging door Rode Gardisten tijdens de Culturele Revolutie, ontkomt naar Amerika, fortuin maakt als fabrikante van luxueus Chinees keukengerei, wordt versierd door een jonge Amerikaan die met haar trouwt en haar op slinkse wijze haar vermogen ontfutselt, terugkeert naar China wanneer het kapitalisme wordt gelegaliseerd, en daar haar gewezen communistische geliefde weer ontmoet, inmiddels een pas weduwnaar geworden softwaremiljardair. Hij smeekt haar om vergeving, en ze trouwen, met een bruiloft vol glitter en glans. Het boek eindigt met het samen afstuderen in Harvard van de kinderen uit de vorige huwelijken, als besten van hun jaar.

'Dat van dat vermogen ontfutselen, is flut,' zei Kellas.

'Kijk naar uw eigen, meneer eersteklasreiziger! U houdt niet van dat soort boeken, hè?'

'Is het een soort boek dan?'

'Jawel, het soort boek waarin dappere, aantrekkelijke mensen hun moeilijkheden overwinnen, rijk worden, verliefd worden, trouwen, kinderen krijgen en nog lang en gelukkig leven. Dat is het soort boek dat Amerikaanse en Chinese mensen willen lezen.'

'Dat is dan anderhalf miljard boekenleggers. Ik zou de commercie vast waarschuwen.'

'Misschien zouden ze het uwe moeten lezen. Waar gaat het over?' Ze was een beetje agressief geworden vanwege haar vriendin. Ze had er plezier in. Kellas keek uit het raam. Een rul, ononderbroken wolkendek strekte zich uit tot aan de horizon. De champagne begon warm te worden maar hij bleef doordrinken.

''t Is een thriller,' zei hij.

'Ah-ah.'

'Hij speelt in het heden. Over een oorlog tussen Europa en Amerika.'

'Dat gaat nooit gebeuren!' Elizabeth keek alsof hij iets godslasterlijks had gezegd. Haar uitdrukking gaf Kellas een beter gevoel over het boek dan hij ooit had gehad sinds het af was.

'Nee, misschien niet,' zei Kellas. 'Het is een roman. Het is een product van de verbeelding. Vergeet u niet, Amerika is ook een product van de verbeelding. Het bestaat nu echt. Maar in het begin was het verbeelding.'

'En wat gebeurt er dan? De Amerikanen beginnen Londen te bombarderen?'

'Nee,' zei Kellas. Op het moment dat hij het zei, hadden de woorden de vreemde kracht van het letterlijk mogelijke gecombineerd met het fantastische – het voornaamste kenmerk van pornografie – dat hem ertoe had gebracht met het idee te gaan spelen. 'Een Amerikaanse legereenheid komt in de problemen bij een interventie in het Midden-Oosten en begaat een verschrikkelijke gruweldaad bij een ontsnappingspoging. De troepen arriveren in Europa op de terugweg naar Amerika en de Europeanen concluderen dat ze moeten proberen ze aan te houden en te berechten. De Amerikaanse regering zegt dat de Europeanen ze moeten laten gaan.'

Elizabeth vroeg hoe het heette. Toen hij het haar zei, schoot ze in de lach. 'Het klinkt als zo'n dikke vette paperback met van die reuzegrote metalige letters op het omslag en een ontploffing voorop. Die hebben altijd al iets als *Rogue Eagle Rising* in de titel. De "Ultieme" dit en de "Laatste" dat.'

'Dat is het ook. Het is er zo een. En zo maak je ook de titel. Ik heb een rooster gemaakt. Adjectieven links, substantieven rechts.'

'Waarom wou u zo'n boek schrijven?'

'Om geld te verdienen. Gelezen te worden.'

'O.'

'U kijkt teleurgesteld.'

'Wat ik zei over het soort boek dat mensen willen lezen,' zei Elizabeth. 'Ik bedoel, ondanks wat ik zei. Ik denk graag dat er ergens mensen zijn die boeken schrijven die ik alleen kan lezen door mijn uiterste best te doen, ook al kom ik er nooit toe. Ook al doe ik er nooit mijn best voor, dan denk ik toch graag dat er schrijvers zijn wie dat geen moer uitmaakt, begrijpt u?' "Hier is mijn boek. Vindt u er niks aan, rot dan op, mij een zorg." Ik lijk op mijn pa denk ik, die zou het op een lopen zetten als hij een of andere boze boef met een knuppel op zich af zag komen. Maar hij wil graag denken dat ze er zijn. Hij kijkt naar de *Sopranos*. Hij wil denken dat er boeven zijn. Hij wil dat ze echt bestaan. Zo ben ik met moeilijke boeken. Ik zal ze misschien nooit lezen en de kerels die ze schrijven weten waarschijnlijk best dat de meeste mensen net zo zijn als ik, maar de manier waarop ze tóch van die moeilijke boeken blijven schrijven vind ik, zeg maar, aandoenlijk, hè.'

'Ik weet niet waarom u dacht dat ik zo'n soort schrijver was.'

'U kleedt zich niet zoals ik me voorstel dat een thrillerschrijver zich zou kleden. U hebt geen kouwe drukte. Ik wil niet onbeleefd zijn, maar u ziet eruit of u in uw kleren hebt geslapen en er zit bloed op uw manchet.'

De manchetten waren uit de mouwen van Kellas' jasje geschoven. Hij vertelde Elizabeth dat hij de avond tevoren een soort ongelukje had gehad, en zij vroeg of hij wilde vertellen wat er was gebeurd.

'Ik ben niet goed in hardop verhalen vertellen,' zei Kellas.

'En u bent schrijver!'

'Waarom moet ik dan ook kunnen praten? Ik zal proberen u te vertellen wat er is gebeurd. Maar ik zal aarzelen, ik zal mezelf herhalen. Ik zal u te veel vertellen over sommigen van de aanwezige mensen, en de namen gebruiken van anderen over wie ik heb vergeten te vertellen. Ik zal halverwege beginnen en doorgaan tot het eind en weer terug naar het begin, en in het midden eindigen. Alles is midden.'

Elizabeth boog voorover, legde haar hand op zijn onderarm en zei: 'Een heel verhaal over dat u schrijver bent geworden omdat u niet zo goed kunt praten. En toch hebt u tegen mij over uw boek en uw leven zitten ratelen sinds we zijn opgestegen.' Kellas lachte. 'Als u mij een verhaal gaat vertellen, vertel het dan. Anders kunt u evengoed niks zeggen. Ik heb het goed, ja?'

'Goed,' zei Kellas. Hij lachte nog steeds.

De bewegende landkaart voor hem toonde de noordelijke punt van Ierland en de Hebriden die de rand van het scherm af schoven. Woorden van inkt en woorden van lucht. Veertig mensenlevens en alle inkt van bijbels tot Google hadden het er niet uit verdreven, het uur dat de Kelten vernamen dat er een kunst bestond die schrijven heette, en een kunst die lezen heette. En nu nóg koesterden ze haar, daar in het westen, nu nóg hadden ze barden en druïden in de binnenste bol van hun uienhart. In hun manier van spreken, als het geluid van een uitstoot van gesmolten steen en as die nog rond de wereld cirkelt lang nadat de krater koud is, hoorde hij nog het verre gefluister van de toorn over de handeling van woorden opschrijven, van hun luchtwoorden drenken in inkt tot ze verzopen waren en zonken. Ze hadden de kunst geleerd en zich haar eigen gemaakt, jazeker, maar in hun pubs en bedden en bij hun dodenwaken en vrijages boden ze nog steeds verzet. Zelfs al waren ze zeker niet allemaal zo bekend als Behans en Thomassen en M'Gurgans. Of zelfs Kelten. Enkel en alleen om de idee aan te hangen dat taal een lied zou kunnen zijn, dat taal een lied zou mogen zijn.

'Ik was ergens te eten uitgenodigd,' zei Kellas. 'Gisteravond. Ik werd kwaad en er ging het een en ander aan scherven. Een van de gasten was een kerel, Pat M'Gurgan, een oude vriend van me. Samen op school gezeten. Zijn ouders waren Iers. Ze waren naar de oostkust van Schotland verhuisd toen hij nog klein was. Hij zou u het verhaal beter kunnen vertellen dan ik. Hij schrijft ook. Hij begon als dichter en hij heeft net een roman geschreven die het goed doet. Het heet *The Book of Form*. Heeft prijzen gewonnen.'

'Maar die is hier niet, dus...'

'Wat u moet weten over Pat M'Gurgan is dat hij een bard is. Het zit zo – wat ik wil zeggen is – er zijn twee soorten schrijvers, barden en priesters. Dat is vanaf het begin zo gebleven. De bard is degene die praat. Hij praat zo goed dat iedereen denkt dat hij een prachtige schrijver moet zijn, en soms is hij dat ook. Maar de woorden komen uit zijn mond met die geweldige liefde en vaardigheid voor de taal. Hij houdt je bezig. Hij vertelt verhalen. Hij kent moppen. Hij trekt aller aandacht in het café, hij chargeert, hij kan zo schitterend liegen dat zelfs mensen die weten dat ze bedonderd worden verrukt zijn. Hij lacht om zichzelf. Hij kan ook huilen en de hele nacht over de liefde praten. Hij maakt de doden tot helden en de levenden tot boeven en clowns. Hij herinnert zich de mensen die hij ontmoet en maakt geschiedenis van dingen die nog maar net gebeurd zijn. Begrijpt u wat ik bedoel? U kent die bard, nietwaar – u was erbij! U zag dezelfde dingen! Maar voor u waren het gewoon de dagelijkse momenten, en voor hem, daar kan hij een verhaal van maken. Hij is dol op kleine kringetjes. Hij is dol op aandacht. Hij is de leverancier van instantglorie voor wie hij maar mag. Hij betovert degenen die hij begeert, en als hij weg is, mist de hele kamer hem. Als hij alleen is, voelt hij zich doodongelukkig en denkt dat iedereen de pest aan hem heeft en vraagt zich af hij oppervlakkig is. Hij is zwak. Hij drinkt.'

'Ik hou wel van barden.'

'De priester daarentegen is er niet om verhalen te vertellen, en hij deugt niet voor moppen. Hij probeert ideeën aan je te slijten. Zoals de priester het ziet, is waarheid belangrijker dan geluk, zijn verleden en toekomst belangrijker dan het heden, en zijn grote ideeën belangrijker dan u of ik of aanstaande maandag. Mensen nemen de priester serieus, maar hebben moeite zich te te concentreren op wat hij zegt. Hij is lomp en onhandig in gezelschap en weet alleen raad met hartstochtelijke, te lang gerekte, pijnlijke persoonlijke relaties. Hij voelt zich prettiger als hij een miljoen mensen toespreekt dan tien, maar krijgt zelden de kans.'

'Dat bent u, niet?'

'Het trieste is, de meeste priesters willen o zo graag barden zijn en de meeste barden willen eigenlijk als priesters worden bejegend.'

'U vertelt mij dit verhaal niet zo heel goed. Hebt u misschien te veel champagne gehad?'

'Misschien.' Het was zijn derde glas. 'Laat ik er nog eens verder over nadenken.' Het kostte hem moeite zich te concentreren. Hij wilde de gebeurtenissen van de vorige avond onder woorden brengen, en die woorden weer in het hoofd brengen van een vreemde die hij nooit meer zou zien, het verhaal begraven, niet verspreiden. Hij probeerde het verhaal schoon en kaal en compact te maken, maar elk moment en elk personage kwam door tijd en ruimte uit op een tweesprong in andere verhalen, en elk pad voerde naar weer een andere tweesprong, en hoewel hij altijd de weg terug zou vinden, waren er zovéél tweesprongen. Op de weg in zijn hoofd van een etentje in Camden naar de dageraad van het lezen en schrijven in het Romeinse Engeland, was hij M'Gurgan gepasseerd, een herinnering aan de man toen ze zeventien waren. M'Gurgan stond bij de bushalte op een meisje in te praten, zachtjes in haar oor te praten, volhardend, onophoudelijk, terwijl zij recht voor zich uit keek, bewegingloos. Ze had droevig gekeken, trots, bezeerd. Kellas had nooit van haar gehoord en zag dat die twee samen al een klein leven hadden doorgemaakt. M'Gurgan had haar kunnen vertellen waarom hij van haar hield, waarom hij niet van haar hield, waarom ze moest vertrekken, waarom ze moest blijven, waarom hij naar Oxford ging, waarom ze een abortus moest ondergaan, waarom ze het kind zou moeten houden of waarom Pound beter was dan Eliot. Kellas had hem er nooit naar gevraagd omdat hij geen afbreuk wilde doen aan zijn verwondering over de manier waarop M'Gurgan praatte en praatte, en het meisje luisterde, terwijl Kellas toen niet kon praten tegen het meisje van wie hij dacht te houden. Hij schreef haar brieven.

5

Kellas was een halfuur te laat voor het eten bij de Cunnery's en had nog vijf minuten te gaan, toen Margot belde. Hij had een dure fles bordeaux bij zich van een winkel in Parijs. Margot deelde hem mee dat ze Melissa hadden uitgenodigd.

'Suf van ons,' zei Margot. 'Het spijt me erg. Ik bel je om... ik sta op straat. Ze is er al. We waren vergeten dat jullie tweeën een geschiedenis hadden. We kunnen niet van haar vragen dat ze weggaat. Ze weet dat je komt en zo te zien vindt ze het niet erg. Ze lachte toen ik het haar vertelde. Ik ben geen ervaren melissaloge dus ik weet niet wat voor soort lachje dat was. Maar we willen wel graag dat je komt, natuurlijk. Zeg jij het maar.'

Kellas vroeg of Melissa alleen gekomen was. Dat was zo. Kellas greep de fles in zijn plastic tas bij de hals en liep de straat van de Cunnery's in. De nacht spuugde regen. De huizen in de straat hadden geen gordijnen. De mensen die er woonden vonden het geen bezwaar dat voorbijgangers in hun keukens en huiskamers keken, die licht waren en gestoffeerd met hout en primaire kleuren, met piano's, boekenplanken en schilderijen.

De Cunnery's bezaten een vroegnegentiende-eeuws pand van vier etages, waarvan de voordeur was te bereiken via een paar stoeptreden. Die verdieping werd grotendeels in beslag genomen door een open woonkamer over de hele lengte van het huis, met aan het ene eind een raam dat uitkeek op de straat en aan het andere een raam naar de tuin. De keuken en de eettafel en de deur naar de tuin waren beneden in het souterrain.

Toen Kellas aankwam, zoende hij Margot op beide wangen, gaf haar de wijn en hing zijn jas op een rij haken aan de muur naast de deur. Hij had bloemen moeten meebrengen. Margot droeg een nauwsluitende jurk van glanzige stof, met een patroon van vierkantjes in roze, cerise, bruin en wit. Ze had een donkere huid en had de make-up die ze droeg niet nodig. Een geur van bradend vlees kwam van beneden en klein daarin was Margots wat drukke parfum. Hoewel ze door en door Engels was, had ze een rust over zich, een lome gratie die haar een schijn verleenden alsof ze al kuierend over de boulevards van een land met warme nachten was opgegroeid.

'Mooie jurk,' zei Kellas. 'Is het zijde?'

'Jawel. En kijk aan, jij in je nette pak. Helemaal op chic, hè? En we zijn maar met ons achten. Weet je zeker dat het in orde is? Het spijt me erg, 't was stom van ons.'

Margot was verstandiger dan haar man, met meer kennis van de sociale mens en aardiger. Ze miste Cunnery's politieke intuïtie en zijn ego. Soms, als haar man aan het woord was, had ze de ogen van een getuige. Ze was loyaal en trouw, zoals hij aan haar. Toch had ze iets weg van een van die vertrouwde raadslieden van de machtigen die erin slagen smekelingen te doen vergeten dat ze niet aan dezelfde kant staan. Mensen die iets van Cunnery gedaan wilden krijgen, konden zich tot Margot wenden met het oogmerk Cunnery een boodschap te sturen, en begonnen dan, als zij zich zo begripvol toonde, háár te vertellen wat het was in haar man dat hun niet aanstond. Ze konden het niet laten, ook al wisten ze dat Margot alles aan Cunnery zou doorvertellen. Misschien was dat de reden waarom dat soort mensen zo vaak hun zin kregen, dat het Cunnery voldoening gaf de bijzonderheden van andermans hekel zo duidelijk te horen te krijgen. En misschien was hun werkelijke oogmerk niet zozeer het ontvangen van Cunnery's gunsten, als wel dat hij ernaar moest luisteren. De volzin die Margot het vaakst te horen kreeg was: 'Waarom mag Liam mij niet?'

Kellas deed het ook. Hij kon het niet laten. Hij en Margot hielden in de gang hun stemmen gedempt. 'Eerlijk gezegd was ik verbaasd over de uitnodiging,' zei hij. 'Zo goed ken ik Liam helemaal niet.'

Margot keek hem een ogenblik aan met wijdopen ogen. Ze

schudde haar hoofd, pakte hem bij de hand en trok hem mee naar de huiskamer, met de woorden: 'Nu doe je dom.'

Toen Margot de deur naar de huiskamer opende, begon iemand piano te spelen. De muziek hield op, ging terug naar het begin, en werd hervat. Aan het andere eind van de kamer, zijwaarts naar de deur, zat Tara, de dochter van de Cunnery's, naast Melissa op de pianokruk. Tara speelde. Melissa had haar handen tussen haar knieën geklemd en keek naar Tara's vingers op de toetsen. Ze keek op naar Kellas toen hij binnenkwam en boog haar hoofd weer over het toetsenbord, fluisterend tegen Tara. Sophie en Pat M'Gurgan zaten samen op een sofa bij de lege schouw naar het recital te kijken. Ze zaten voorovergeleund, draaiden langzaam met de stelen van hun wijnglazen in hun handen, hun monden uitgerekt in dezelfde radeloze glimlach.

Cunnery stond bij een wandtafeltje met flessen drank erop. Hij draaide zich om en kwam op Kellas toe om hem een hand te geven. Zijn gezicht deed Kellas denken aan het masker van een Griekse komedie, de bleekheid en de demonische grijns, en in het masker de glinstering van echte ogen. Cunnery bood Kellas iets te drinken aan met die ingehouden fluistertoon die suppoosten aanslaan voor laatkomers. Kellas nam een vol glas rode wijn van hem aan. Tara wist niet van ophouden, hoewel ze telkens ophield. Melissa was vijfentwintig jaar ouder dan het meisje en toch leken ze getweeën wel zusjes. Kellas' ogen dwaalden weg van de piano. Hij zag een exemplaar van *The Book of Form* liggen op een laag tafeltje naast de M'Gurgans. Het rood en het groen ervan. Zelfs het omslag was een met hart en vakmanschap gemaakt werkstuk. Op de schoorsteenmantel stond een buste van Lenin. Als student in Oxford had M'Gurgan die in 1981 overgehouden van een reis naar Hongarije. Twee jaar later, toen hij en Cunnery afstudeerden, wonnen ze beurzen van de Oost-Duitse regering om in Oost-Berlijn een jaar in theaters te werken. M'Gurgan was gegaan; op het laatste moment was Cunnery van gedachten veranderd en naar New York gegaan. Hij had M'Gurgan uitgelegd op M'Gurgans kamer, terwijl hij een sterke lucht verspreidde naarmate zijn duffelse jas opdroogde bij het tweestaafs elektrische kacheltje, dat het socialisme, hoezeer ook gecompromitteerd, in Oost-Duitsland nog voor zeker twee generaties stevig in het zadel zat. De groef in zijn voorhoofd had zich verdiept toen hij tot zijn conclusie kwam. New York was de plaats waar alle krachtlijnen elkaar sneden – klasse, kapitalisme, ras, kunst. Hij was opgestaan, had de buste van Lenin gepakt en tegen M'Gurgan gezegd: 'En deze neem ik mee.' M'Gurgan hield hem niet tegen. Na negen maanden Oost-Duitsland was M'Gurgan anders over Lenin gaan denken en hoefde hij hem niet meer terug. Cunnery had een jaar in New York gezeten, voor radicale weekbladen geschreven, gedanst en van borrelhapjes geleefd, waarna hij koers zette naar Nicaragua om berichten voor *Left Side* te schrijven.

Tara beëindigde haar uitvoering met een gespierde dissonant, waarbij ze alle tien vingers en duimen gebruikte om twaalf toetsen te overspannen. Iedereen applaudisseerde, ook Tara, die boven haar hoofd in haar handen klapte als een voetballer die gewisseld wordt en de fans groet. Pat en Sophie stonden op en omhelsden Kellas.

'Goed was dat hè?' zei Sophie. 'Wat was het?'

'Volgens mij was het Mozart,' zei M'Gurgan. 'Of dat, of Van Halen.'

Er werd aangebeld. Cunnery ging opendoen en Melissa kwam met Tara naar hem toe. Margot stelde het meisje aan Kellas voor en ze gaven elkaar een hand.

'Het was Nick Cave,' zei Tara tegen M'Gurgan.

'Ach natuurlijk,' zei M'Gurgan. 'Prachtig was het.'

Margot schoof een rustige cd in de stereo, The Charlatans, en ging Tara naar bed brengen. Kellas en Melissa bleven achter en keken elkaar aan.

In de winter was ze gekleed voor de zomer, in een witte jurk met een losse rolkraag. Ze was bruin van de zon. Ze aaide met haar rechterhand over haar keel. Haar hand was niet vrij om de zijne te schudden. Kellas' ogen gingen een seconde naar haar vingers, die over de pezen in haar hals wreven. De laatste keer dat ze samen in bed waren geweest, hadden ze geen condoom gehad en was hij, op haar aandringen, op haar klaargekomen, en was het daar beland, op haar hals. Nu was het hem verboden haar te zoenen. Hij bedacht dat hij haar slecht behandeld had en dat ze als hij haar nog slechter had behandeld, misschien nog steeds bij elkaar zouden zijn.

'Je ziet er goed uit. Alsof je op vakantie bent geweest,' zei Kellas. Goud glansde aan haar oren tussen de donkerbruine krullen.

'Seychellen met mijn verloofde,' zei ze. 'Aparte chalets. Niet neuken tot de trouwerij en dan uit alle macht plat voor het grut. Het worden er vijf.'

'Weet ik,' zei Kellas. 'Ik heb gezien wat je schreef. Dat krijg je als je een columniste hebt als ex. Ik kan je gedachten lezen.' Op de gedenkdag van de aanslagen van 11 september had de *Express* Melissa een dubbele pagina gegeven om haar babybesluit bekend te maken. Ze vergeleek de zelfmoordbemanningen van de vliegtuigen met activisten die campagne voerden tegen beperkingen op abortus. 'Laten degenen die Engeland niet veranderd willen zien in een islamitische terreurstaat, daaraan denken,' had ze geschreven. 'Net als vroeger de IRA kennen de islamitische terroristen twee strategieën om ons te verpletteren – de kalasjnikov en de wieg. Of ze ons tot onderwerping bombarderen of ons overfokken, het resultaat zal hetzelfde zijn. Als vrouw, als patriot en christen weet ik waar mijn plicht ligt. Ik zal, hoop ik, een moeder zijn, niet alleen voor mezelf, mijn man en mijn kinderen, maar voor Engeland.'

'Vroeger beweerde hij altijd dat hij de kranten nooit las,' zei Melissa tegen de M'Gurgans. ' "Dat is de makke van journalisten," zei hij dan, "ze besteden al hun tijd aan elkaar lezen." '

'Is het liefde?' zei Kellas. 'Die man, de verloofde.'

'Liefde. O, Adam.' Melissa legde haar hand op zijn arm. 'Je bent gewoon niet bevoegd om dat woord te gebruiken, liefje.'

'Noem me niet "liefje". Ik ben ouder dan jij. Niet zo oud als je nieuwe flip. Wat is ie, vijfenvijftig?"

'Hij is negenenveertig,' zei Melissa. 'Het wordt nog een reuzetoer om je een uitnodiging te bezorgen voor de bruiloft. Het chateau kan er maar tweehonderd hebben. Trouwens Pat, dat wou ik nog zeggen, je boek is fantastisch.' Ze pakte hem bij zijn pols en keek Kellas aan. 'Dít is een vent die bevoegd is om over de liefde te praten. Dit is een vent die het leven kent. Een dichter én een man en vader.'

'Dank je,' zei M'Gurgan. 'Wat vond je van de scène met de kraaien?'

'Die was briljant. Word je al jaloers op hem, Adam? Geen van je boeken heeft zo'n succes gehad als dat van Pat, hè? Je hebt in geen tijden iets gepubliceerd.'

'Die laatste van Adam was een geweldige roman,' zei Pat. 'Het is niet onze taak van merk te veranderen.'

'Ik kwam wel tot pagina vier, herinner ik me,' zei Melissa. 'Toch maar blijven proberen hè?'

'Blij dat het je je aantrekt,' zei Kellas.

'Daarom leest ie mijn column! Hij wil zien of hij genoemd wordt. Adam, zo belangrijk was je niet.'

'Ik dacht toch dat ik daarstraks een schaaltje met zoutjes zag staan,' zei M'Gurgan.

Margot stak haar hoofd om de deur. Tara riep om Melissa. Ze ging weg om Tara een verhaaltje voor te lezen.

'Permissie om het woord "kreng" te gebruiken,' zei M'Gurgan.

'Verleend,' zei Sophie. 'Wat is Tara's verhaaltje? *Les liaisons dangereuses?*'

'Ik heb je boek twee keer gelezen,' zei Kellas, 'en ik herinner me geen kraaienscène.'

'Ze heeft het niet gelezen.'

Cunnery kwam binnen met Joe Betchcott en Lucy Flagg. Lucy was een kernfysicus van zesentwintig die een hoog salaris verdiende bij Goldman Sachs door een net van cijfers uit te werpen over de duistere wateren van de financiële markten. Wanneer haar computers het net ophaalden, zat het vol met winsten uit de diepzee. Niemand anders kon begrijpen waar die vandaan kwamen, maar het geld was even reëel als elke andere soort. Ze had een gladde witte huid, kort zwart haar, een zwart jurkje en een bril met een zwart rechthoekig montuur. Het enige aan haar wat niet zwart of wit was, waren haar felrode lippen en haar blauwe

95

ogen. Bij het handen geven hoorde Kellas zichzelf zeggen tegen Lucy, die hij nog maar één keer eerder had ontmoet, dat ze er sexy uitzag. Iedereen keek ervan op. Ze merkten het allemaal en verborgen het allemaal. Lucy glimlachte benepen en fronste en Cunnery lachte en Sophie zei rustig: 'Adam', en dat was alles. Maar bij allen gingen de oren plat achterover en kwamen de nekharen recht overeind. Het verbaasde Kellas dat hij de woorden hardop had gezegd. Alsof je merkte dat het gesteente tussen jou en de lava eronder oneindig veel dunner was dan je had gedacht, centimeters dun. Een broze korst was het enige wat lag tussen hem en onbeheersbare niet met gemoedsrust te verenigen activiteiten. De kamer groepeerde zich en Kellas ging op een sofa zitten met Sophie aan het andere eind en Lucy tussen hen in.

'Ik had dat niet moeten zeggen,' zei Kellas. 'Ook al is het zo.'

Lucy nam een slokje witte wijn op zo'n manier dat hij zag dat haar mond droog was en hij haar nerveus maakte. 'Fijn om te horen wat de mensen denken,' zei ze.

'Niet altijd,' zei Sophie. 'Er zijn te veel mensen die het verschil niet zien tussen gedachten en hormonen. Adam.'

Kellas keek naar Sophie. Zij keek hem aan. Ze had hem in het oog gehouden terwijl ze tot Lucy sprak, terwijl Kellas Lucy's lichaam had zitten bekijken, naar hij dacht dat een momentje was, maar er meer dan één werd.

'Je bent zeker wel blij over het boek van je man,' zei Lucy tegen Sophie. Kellas stond op en liep naar Betchcott toe, die alleen bij de dranktafel stond terwijl M'Gurgan een opdracht schreef in het exemplaar van de Cunnery's van zijn boek. Betchcott was fotograaf en deed een serie voor Cunnery, 's werelds paparazzi kieken terwijl die hun eigen werk deden. Hij liep erbij alsof hij dacht dat hij een jongere, fittere man was, in een strakke zwarte trui die zijn verzakkende tors omsloot. Hij droeg een Ray-Ban en had eczeem. Hij was voortdurend in beweging, gaf kleine rukjes met zijn hoofd, verplaatste zich van de ene voet op de andere, zwaaide heen en weer met zijn lijf, als een vogel die wacht tot er een graankorrel valt. Hij had geen kauwgum, maar zijn kaak wrikte alsof het wel zo was. Kellas vroeg of de paparazzi er geen bezwaar tegen hadden dat ze werden gefotografeerd.

'Kicken erop,' zei Betchcott. 'Moest laatst op Sunset Mel Bouzad ervan afhouden naar me te knipogen toen ik achter Russell Crowe aan zat. Spugen op het geld maar hebben de pest in als ik de sterren op mijn hand krijg. Leicester Square, paar weken terug, grote première, vent stapt op me af, of ik Jennifer kom helpen om te laten zien hoe die apen er van de andere kant uitzien. Eer ik 't weet zit ik in J-Lo's limo langs haar tieten die klerezooi te schieten die daar voor het raam staat te krijsen en te flitsen en met vijftig mille aan Nikons tegen de ruit te bonken, en zij maar lachen in haar diamanten. Gingen nog iets drinken en ze zegt: "Kom 's langs in LA", maar ik heb 't zo godvergeten druk gehad, hè?'

Kellas luisterde en keek ondertussen naar Lucy terwijl Betchcott praatte. Ze droeg geen sieraden. Haar handen rustten op haar knieën. Ze had een zwarte panty aan en ze knikte en lachte om wat Sophie haar vertelde.

'Ben je... zijn jij en Lucy met elkaar?' zei Kellas.

Betchcott blies en klakte ontkennend. Hij keek over zijn schouder en verplaatste zijn gewicht en keek in zijn glas. 'Ik heb een vriendin. Lucy is zo'n ongelofelijk gehoorzaam, gewillig dingetje. Ze doet alles. Ze zuigt je pik af als je 't vraagt. Een zielig geval. 't Is gênant.'

'Ik geloof je niet.'

'Ik zal het je laten zien.' Betchcott draaide zich om en knipte met zijn vingers naar Lucy. 'Hé. Kom eris. Effe hier komen.'

Lucy stond vlug op en kwam naar hem toe. Ze liet haar glas op de grond staan, ze keek op naar Betchcotts gezicht. 'Mmm?' zei ze.

'Vertel Adam wat je gisteravond hebt gezegd.' Lucy keek beduusd, wierp een blik naar Adam. 'Je weet wat ik bedoel.' Lucy stond op het punt iets te zeggen toen Sophie naar hen toe kwam met Lucy's glas. Lucy nam het aan en hield het met beide handen vast en keek erin. Toen legde ze een hand om Betchcotts arm en kwam dichter naar hem toe. Haar manier van bewegen veranderde. Haar ogen werden groter en haar schouders kromden zich

97

iets. Betchcott begon weer te praten, keek naar Kellas en Sophie alsof Lucy er niet was, en na een paar tellen schudde hij met zijn arm en liet Lucy haar hand langs haar zij vallen.

'Serie had in het magazine van de *Sunday Times* moeten staan, maar werd gewipt door al dat Irak-gedoe,' zei hij. 'Groot lulverhaal over die kut-Koerden. Paar mooie shots bij sterrenlicht. Ik had het beter voor ze kunnen doen maar die buitenlandse shit is niks voor mij, hè?'

Sophie schoot in de lach.

'Wat valt er te lachen?' zei Kellas.

'Jongens.'

'Ik zie er de lol niet van in. Is "buitenlandse shit" leuk?'

'Hij heeft het niet over jou, Adam.'

'Weet ik, hij heeft het over buitenlanders.'

'Ik heb geen moeite met buitenlanders,' zei Betchcott. ''t Zijn die verdomde losers en tijdverknoeiers en lapzwansen en zakkenwassers in dit land. Al dat vergaderen en debatteren en protesteren en stemmen.'

'Stemmen?'

'Ja, daar zie ik niks in. Wat wij moeten hebben is een dictatuur. Laten de succesvolle mensen hun gang gaan.'

'Ik heb er de pest aan mensen zo te horen praten,' zei Kellas. Hij merkte dat zijn stem omhoogging en dat hij niets kon doen om het tegen te houden. 'Daar sta jij met je donkere bril en je zwarte trui in een huiskamer in Camden Town en je spuugt op het graf van de voorouders, lul die je bent.' De laatste woorden klonken heel duidelijk en gemeend en zo luid dat de hele kamer stil werd. Betchcotts gezicht verschoot van kleur en hij draaide zich om en liep de deur uit, met Lucy een paar passen erachteraan. Cunnery kwam naar hem toe en legde een hand op zijn schouder. Hij grijnsde.

'Joe heeft vast iets stuitends gezegd waar ik het ook niet mee eens zou zijn,' zei hij, 'maar ik had graag dat er vandaag geen slaande ruzie van kwam in ons huis. Dit is niemandsland. Daar moet er een van zijn opdat we elkaar niet aldoor afmaken en tegen elkaar tekeergaan.'

'We maken elkaar nooit echt af. En wie zijn "wij"?'

'Wie wil je afmaken? Joe?'

'Nee. Maar hij is wel een fascist.'

'Hij is geen fascist, hij is fotograaf. Hij heeft z'n ideeën. Het verste wat hij ooit in zijn politieke denken is gegaan is dat hij mij een keer vertelde dat het niet-toestaan van een regering die mensenrechten zou afschaffen, een inbreuk was op zíjn mensenrechten. Ik geloof in verzet, dat weet je. Maar georganiseerd. Het begint niet domweg omdat je je kwaad maakt.'

'En ondertussen gaan de socialisten en de fascisten samen aan tafel in de socialist z'n mooie grote huis in Camden.'

Het Grieksekomediemasker van Cunnery's gezicht veranderde niet. Zijn ogen achter het masker leken donkerder en feller te worden, alsof de acteur in het masker iets had gehoord wat hem niet beviel en hij zich gefrustreerd voelde omdat hij het niet met zijn gezicht kon uitdrukken.

'Er zijn geen echte fascisten in Londen in 2002, Adam,' zei Cunnery. 'Het zou zoveel makkelijker zijn als het wel zo was. Het eten is klaar, geloof ik, dus laten we aan tafel gaan.' Hij ging hun voor naar buiten. Cunnery hield niet van zinspelingen op zijn bezit. Weliswaar viel hem niet te verwijten dat hij welgestelde ouders had, of dat een huis dat hij in de jaren tachtig voor 200.000 pond had gekocht, nu waarschijnlijk anderhalf miljoen waard was. Het wemelde in Londen van gegeneerde miljonairs. Socialisten met hypotheken: de hele geschiedenis van Europa sinds de Tweede Wereldoorlog was samengevat in die drie woorden.

De M'Gurgans gingen Kellas voor en bleven in de deur staan voordat Kellas Cunnery naar beneden kon volgen. M'Gurgan zag rozig. Hij had al een paar maal zijn wijnglas bijgevuld en leeggedronken. Eén ogenblik werden de bronnen van M'Gurgan voor Kellas onzichtbaar. Hij zag hem zoals hij zich zou voordoen aan iemand die hem géén dertig jaar had gekend, wijs, geestig, krachtig, gevaarlijk en kwetsbaar. De omvang en het scepticisme, het zilveren haar op zijn kruin, het nieuwe zwarte jasje en het overhemd van Paul Smith dat Sophie hem had laten aanschaffen met iets van het geld van de prijs. De man die diep in zichzelf op verkenning was gegaan en de woorden had gevonden om te beschrijven wat hij had gezien. De onbevangen bard van het ik. De grote boze Kelt in Londen. Zijn gebrek aan interesse om het uit te melken vergrootte zijn allure.

'Hoe voel je je?' vroeg Sophie.

'Minder dan de som van mijn ervaringen,' zei Kellas.

'Wou dat ík Betchcott zo had afgebekt,' zei M'Gurgan.

'Weet ik,' zei Sophie. 'Maar Adam, misschien moest je maar naar huis gaan.'

'Mis ik m'n eten.'

'Met Melissa hier en dan jij tierend tegen kapitein Klojo. Vind je ook niet, Pat?'

'Iedereen zit vol duisterheid,' zei M'Gurgan. 'Net zoals iedereen vol bloed zit. Je hebt het nodig en het moet aan de binnenkant blijven. Je probeert je huid uit de buurt van scherpe kanten te houden, je probeert je ziel uit de buurt te houden van de snijwonden waaruit je duisternis kan bloeden op andermans vloerkleed.' Hij lachte. 'Weet je nog die keer dat je echt bloedde voor een zeker meisje? Prikte in je duim onder Engels, liep naar haar tafeltje, smeerde je bloed op haar papier, trok er een hartje omheen met een pijltje erdoor en liep de klas uit.'

Sophie zei vlug: 'Ik weet dat je dat meisje leuk vindt, die Lucy, maar je moet niet roofziek worden, Adam. Ze is verbijsterend pienter maar ze heeft ook iets gewonds. Omdat het ernaar uitziet dat je blijft.'

'Ja,' zei Kellas. 'Niks aan de hand. Vanmorgen toen ik opstond heb ik besloten dat ik vandaag tegen iedereen aardig zou zijn. Moet je horen Pat, ik weet dat ik het al per e-mail en aan de telefoon heb gezegd maar ik wou het nu nog één keer zeggen, je boek is een wonder. Een mirakel. Alles is verdiend. Ik ben er trots op je te kennen.'

M'Gurgan lachte en werd nog roder dan anders en mompelde een dankjewel, met zijn ogen neergeslagen naar zijn draaiende vingers. Sophie vroeg hem alvast naar beneden te gaan en de anderen te zeggen dat ze eraan kwamen, en M'Gurgan ging. Ze wendde zich weer tot Kellas.

'Jij denkt dat ik je wil betuttelen,' zei ze. 'Je denkt dat ik typisch zo'n vrouwtje ben dat dingen gedaan krijgt.'

'Dat heb ik tien jaar geleden gezegd,' zei Kellas. 'Daar laat je me nu nog voor boeten. Het was niet mijn bedoeling dat je me dat ooit over jou zou horen zeggen. De taal die je over mensen achter hun rug gebruikt, is niet dezelfde taal als die je in hun gezicht gebruikt. Woorden betekenen niet hetzelfde. Dat weet je best.'

'Hoe klinkt het als je het me nu in mijn gezicht zegt?'

'Zo: "Sophie, je bent een van die uitzonderlijke vrouwen die dingen tot stand brengen.'

Sophie begon te lachen en hield op. 'Dank je wel dat je niet jaloers bent op Pat. Binnenkort ben jij waar hij nu is.'

Kellas slikte. 'Zijn werk is een inspiratiebron geweest voor het boek dat ik net heb geschreven,' zei hij. 'Heeft Pat je verteld wat het was?'

'Nee, jullie zijn er erg zwijgzaam over geweest. We moeten naar beneden. Je weet dat iedereen weg is van Pats boek, het is zo bijzonder en tragisch en grappig over zijn leven. Het staat er allemaal in. Jij staat erin. Van alles en iedereen staat erin behalve ik. Er is geen spoor van een vrouw in en geen spoor van mij.'

'Niemand moet met een schrijver trouwen,' zei Kellas. 'Die verbeelden zich altijd een nog beter iemand.' Sophie beet haar lippen dicht en begon te knipperen en streek onhandig met een knokkel langs de rand van een oog. Kellas sloeg zijn armen om haar heen en pakte haar even.

'En jij?' vroeg Sophie. Ze ging een stap achteruit, sloeg haar handen ineen voor zich en keek naar hem op. Ze snufte. 'Ben je met iemand? En die vrouw die je in Afghanistan hebt ontmoet?'

'Die heeft niet teruggeschreven.'

'En dat had je wel gewild.'

'Ik had niet over haar moeten beginnen,' zei Kellas. 'We moeten aan tafel beneden.'

Het souterrain was met leisteen betegeld en de keuken had granieten werkbladen en koperen pannen in alle soorten en maten. Van waar de eiken eettafel stond, kon Kellas zien dat er een andere vrouw in de keuken was, die Margot hielp. De tafel blonk van zilver en glas. Op de schoorsteenmantel boven de granieten schouw stonden familiefoto's in hardhouten lijsten, wat kleine sporttrofeeën, een paar van Cunnery's prijzen en enkele witte lelies in een hoge vierkante glazen vaas. De groene stelen van de lelies gaven hun kleur aan het dikke, onregelmatige glas. De muren waren behangen met korrelige foto's in zwart-wit A3 van Margot, over blank arbeidersvolk in Engeland in de jaren negentig. Twee staande lampen, doorschijnende glazen bollen op slanke verchroomde stelen, verlichtten de tafel. Kellas nam zijn plaats in onder een foto van een jong meisje dat vooroverboog en probeerde een ander meisje op te porren dat in de goot lag met haar ogen dicht. Kellas zat tussen Cunnery, aan het hoofd van de tafel, en Sophie rechts van hem. Lucy en M'Gurgan zaten tegenover hem. Hij was degelijk afgeschermd van Melissa en Betchcott aan het andere eind van de tafel.

M'Gurgan praatte zo zachtjes tegen Lucy dat Kellas het niet kon horen. M'Gurgans ogen verwijdden en vernauwden zich, zijn glimlach kwam en ging, zijn handen grepen en openden zich. Lucy knikte telkens en begon te lachen en hield dan op en knikte weer. Hij had haar volle aandacht. Sophie sprak tegen Betchcott en Melissa. Margot en haar hulp, die een simpele zwarte japon droeg en eruitzag alsof ze uit Zuid-Amerika kwam, deelden kommen kastanjesoep rond. Het gezicht van de hulp had een vreemd onthechte uitdrukking, alsof ze eigenlijk ergens anders was, alsof ze het diner droomde terwijl ze in een bed sliep aan de andere kant van de wereld. Kellas had gehoopt de wijn te kunnen proeven die hij uit Frankrijk had meegebracht, maar de Cunnery's leken een kist Chileense rode te hebben gekocht en die dronken ze nu. Kellas nam een teug en staarde naar Melissa's profiel. Die volle mond krulde omhoog in de hoeken. Soms was het fijn geweest om te luisteren en soms had hij haar gekust, alleen om te proberen een eind te maken aan haar spitse, snelle, vinnige gepraat. Ze was zo drammerig en scherp en cru geweest in haar karakteriseringen van iedereen om haar heen dat hij zich steeds naakter was gaan voelen in zijn eigen immuniteit. En jawel, die was geëindigd.

Melissa kon uitstekend perifeer zien. Dat was hij vergeten. Ze merkte dat hij naar haar zat te staren en keek om. Ze wendde zich af, leunde voorover op tafel op haar onderarmen en begon tegen Betchcott te praten.

'Heerlijke soep,' zei Kellas tegen Cunnery.

'Dank je. Iemand zei dat hij je zag leren hoe je je in zo'n pak voor chemische oorlogvoering moet hijsen, in een buitenhuis ergens in Surrey, paar weken terug.'

'Had ik de vorige keer al geleerd,' zei Kellas. '*The Citizen* wou dat ik die cursus nog eens deed. Zo krijgen zij korting op de oorlogsverzekering. Je zit er een week en wordt bijgepraat door afgezwaaide soldaten over indirect vuur en, je weet wel, slagaderlijke bloedingen.'

M'Gurgan wendde zich van Lucy af en boog over naar Kellas en Cunnery. 'Adam heeft me verteld over die jongens,' zei hij tegen Cunnery. 'Blijkbaar staan ze daar en zeggen: "Nou. Kijk. Het dringt net tot je door dat je in een mijnenveld bent beland. Wat is het eerste wat je doet? Wie?" En aan het eind van de dag gaan ze naar huis, naar eenpersoonskamers en keurig opgemaakte bedden en brieven van dochters die ze eens in de twee weken zien en je vraagt je af of ze misschien zelf niet een cursus kunnen gebruiken. "Nou. Kijk. Het dringt net tot je door dat je in een relatie met een vrouw bent beland. Wat is het eerste wat je doet? Wie?"'

'Voor jou is het ook geen makkie geweest,' zei Cunnery tegen Kellas.

'Ik probeer niemand te beleren,' zei Kellas.

'Spijt me, Melissa uitnodigen.'

'O ja?'

'Vanwege jou, bedoel ik.' Cunnery vroeg of hij dacht dat Irak chemische wapens had.

'Weet ik niet,' zei Kellas. 'Maar als ik dacht dat er enige kans was dat Saddam ze gebruikte, zou ik er nooit in hebben toegestemd te gaan. Het is theoretisch nu, ik ga niet. Ik ben weg bij *The Citizen*.'

Kellas had de woorden niet luid of duidelijk willen zeggen,

maar toch bereikten ze terstond het eind van de tafel. In de stilte nadat de vragen waren opgehelderd, zei hij dat hij een boek had verkocht voor een heel behoorlijk bedrag en dat hij ontslag had genomen bij *The Citizen*. Cunnery hief zijn glas en wilde proosten.

'Nee, alsjeblieft,' zei Kellas.

'Valse bescheidenheid!' riep Melissa en hief haar glas en dronk. 'Sorry, ik bedoel gepaste bescheidenheid.'

Sophie wreef over zijn schouder en zei goed zo, goed zo. Lucy keek naar hem en lachte en hij stootte het glas aan met haar en lachte en dronk.

'Is het dat wat ik denk dat het is?' zei M'Gurgan. Hij keek alsof hij hoopte van niet.

'Heb jij het gelezen?' zei Lucy tegen M'Gurgan, terwijl ze met haar linkerhand op de rand van haar stoel naar hem overboog. 'Waar gaat het over?'

M'Gurgan zei niets. Hij knikte enkel naar Kellas en trok zijn wenkbrauwen op.

''t Is een thriller,' zei Kellas. 'Over een denkbeeldige oorlog tussen Europa en Amerika.'

'Aan welke kant staan wij?' vroeg Cunnery.

'Die van Europa.'

'Flauwekul!' riep Melissa van het andere eind van de tafel. 'Politiek corrrect én goedkoop!'

'Ik ben benieuwd,' zei Cunnery. 'We zouden er een stuk over moeten maken. Je laatste was meer literair, toch?'

'Ja,' zei Kellas met een blik naar M'Gurgan. 'Maar de enige mensen die ik ken die de boeken lezen die ik tot nu toe heb geschreven, zijn mijn vriendinnen en andere schrijvers zoals Pat. Ik wil een beetje geld verdienen. Ik wil populair zijn voor ik sterf. Jullie denken nu dat ik mijn ziel heb verkocht. Hebben jullie mijn ziel nog gezien, de laatste tijd?'

'Ik heb z'n ziel nóóit gezien!' riep Melissa grijnzend. 'Verramsjt!'

'Als het populair is, hoeft het nog niet slecht te zijn,' zei Cunnery; hij brak een stuk brood doormidden en maakte precieze gebaartjes met de stukjes. Zijn frons verdiepte zich, en ook zijn stem. 'Pats boek verkoopt goed, en hij heeft niet geprobeerd achter het geld aan te gaan, hè? Het is nog steeds een groot literair werk.'

'Dat weet ik zo niet,' zei M'Gurgan.

'O, accepteer de lof, in vredesnaam,' zei Kellas.

'Je kunt niet achter het geld aan,' zei M'Gurgan. 'Het loopt altijd sneller dan jij het kunt grijpen. Je moet gewoon gaan waar je wilt gaan, en als je het geld achter je hoort ritselen, kijk je niet om. Wacht tot het je inhaalt.'

'Dat is nu je filosofie, hè?' zei Kellas. 'Een jaar geleden zei je heel iets anders.' Hij voelde dat er een hand op zijn onderarm lag en dat iedereen naar hém keek. Hij had zeker zijn stem iets verheven. Het was moeilijk te zeggen. Het beste zou zijn met de drank te kappen. Het rare was dat hij helemaal niet zoveel had gedronken.

'Adam,' zei Sophie, wier hand op zijn arm lag. Waarom was ze zo ontdaan geweest van die beschrijving als 'typisch zo'n vrouwtje'? Dingen gedaan krijgen, dat was een compliment. Als radioproducente hield ze haar station bij elkaar. Lucy staarde hem aan met een afkeer die hem verbijsterde. Margot riep Cunnery toe haar te komen helpen met het afruimen van de soepkommen. Cunnery stond op. Toen stond M'Gurgan op.

'Heb ik tijd voor een peukje vóór de volgende gang?' zei hij.

'Ik sluit me bij je aan,' zei Lucy. Getweeën gingen ze op weg naar de tuin, namen hun wijnglazen mee. Melissa vroeg iets aan Sophie, en Sophie wendde zich af van Kellas. Alleen overgebleven pakte Kellas zijn broodbordje op, woog het in zijn handen en keerde het om. Het vaatwerk behoorde tot een aantrekkelijk service van wit porselein, geglazuurd met zwarte lijntekeningetjes door een postsovjetkarikaturist. Kellas klikte met zijn tongpunt een deuntje tegen zijn verhemelte. *Er was eris een oude man, die heette Michael Finnegan/en had bakkebaarden op zijn kinnegan.* Cunnery had het servies overgenomen van een befaamd sovjetkitschrestaurant in Moskou in de late jaren negentig. Het instorten van de Sovjet-Unie had de cartoonist in staat gesteld het bestaan van de Sovjet-Unie te verheerlijken én er geld mee te verdienen. Kellas was in het restaurant geweest; het servies was duur. Hij stond op en liep naar de keuken, vroeg of hij kon helpen, maar de soepkommen stonden al in de vaatwasser en Margot en haar helpster begonnen ragout op dinerborden te scheppen uit een gietijzeren stoofpan.

'Ik zal de rokers gaan roepen,' zei Kellas. De ragout geurde krachtig en vruchtbaar, als iemands gelukkige afloop. Kellas opende de achterdeur en belandde in een portiekje, voornamelijk van glas, donkerder dan de keuken en lichter dan de nacht. Hij kon de gedaanten van Lucy en M'Gurgan zien op de patio, in hun rokershouding, M'Gurgan met zijn ene hand om het metaal van de brandladder en breed heen en weer zwaaiend met de punt van zijn sigaret terwijl hij zijn verhaal afstak, Lucy iets verder weg, linkerarm dwars over haar borst onder haar rechterelleboog gestopt, met haar gewicht op één been, hoofd achterover gelegd om een rookpluim in de lucht te blazen.

'Hé, tabakslobby,' riep Kellas. 'Tijd om te eten.' Hij wachtte tot Lucy en M'Gurgan hun sigaretten hadden uitgemaakt en voor hem langs het huis in waren gelopen, voor hij zelf naar binnen ging en de deur achter zich sloot.

Kellas hoorde Betchcott en Melissa de stoofschotel prijzen tegen Margot. Het was een wildragout. De enige reden waarom Kellas zich bij de onderneming in Irak had willen aansluiten, was in de hoop daar Astrid tegen te komen. Hij had de DC *Monthly* gebeld om erachter te komen of ze haar uitzonden, en waar hij de beste kans had om haar tegen het lijf te lopen, in Bagdad, Koerdistan of Koeweit, maar het enige wat ze zeiden was dat ze niet meer voor hen werkte.

'Ik heb een modeserie gedaan van een hertenjacht in Schotland, jaar of wat terug,' zei Betchcott. 'Bendes van dat pokketweed. Alle modellen een geladen geweer gegeven. Blik in hun ogen, was nog erger dan coke geven, hé? Daar was ook zat van. Eén schoot zo'n rothond in z'n poot. Goeie serie. Met zúlke naaldhakken op het karkas, klassiek hoor. Eentje heeft me nog gepijpt, achter in een Range Rover op de terugweg van de berg.' Margot, Melissa en Sophie barstten in lachen uit. 'Wél!' M'Gurgan en Lucy wendden zich om van hun gesprek en keken toe. Sophie, Melissa en Margot kreunden en lachten en schudden met hun hoofd en wilden dat Betchcott de naam van de vrouw gaf, en hij zat daar, hun gezichten weerspiegeld in zijn donkere bril, met zijn drieste, braverende grijns.

'Ergste was, kon d'r neusje tegen mijn been voelen duwen toen ze me afzoog,' zei Betchcott. 'Voelde dat ze geen tussenschot meer had, klapte bijna plat. Heb er niks van gezegd. Zonde, zo'n lekker zacht mondje.'

'Niet te geloven dat je dat zomaar zegt,' zei Sophie.

'O Soph,' zei Melissa door haar lachen heen. Margot en Sophie waren opgehouden. ''t Zijn enkel maar pikante grapjes. Precies wat de Engelsen zo sterk maakte in de dagen van Boswell en Johnson, voordat de klad erin kwam.'

'Is dat voor je volgende column?' zei Kellas. 'De heiligheid van het gezinsleven en de lichtere kant van losse seks met de sterren?'

'Wat? Ik versta je niet goed, Adam. Je spreekt niet heel duidelijk.'

'Ik had niet gemerkt dat we al terug naar de achttiende eeuw waren. Dat is driehonderd jaar in twee gangen. We raken in de Middeleeuwen tegen de tijd dat de koffie komt.'

'Je vindt het vervelend als de mensen inconsequent zijn hè? Daarom kom je niet los van het midden van de middenklasse. Je wilt er alle pieken en dalen uit strijken en alles afplatten tot op jouw niveau.'

'Jongens,' zei Cunnery.

Melissa negeerde hem. 'Het breekt je gewoon op hè, dat ik hier bij Liam Cunnery aan tafel zit en plezier heb. Je kunt het niet hébben dat ik overweg kan met een volksdichter als Pat, en mannelijke mannen als Joe, en marxisten als Margot en Liam, en rijkelui als mijn verloofde z'n familie. Karakter gaat boven klasse, Adam. De enige mensen die ík niet verdraag, zijn van die verongelijkte, schijnheilige, burgerlijke openbareschoolgastjes zoals jij.'

'Jongens!' zei Cunnery, en verhief zijn stem en zijn hand. 'Toe.'

'Er is meer ragout, als iemand nog wat wil,' zei Margot.

Met een brede glimlach stond Melissa op en verliet de kamer naar de trap, Kellas passerend. Toen ze voorbijkwam, zei Kellas zonder om te kijken: 'Zet je spoken maar voor mijn deur, ik kan ze allemaal aan.' Melissa zei niets en ze hoorden haar voeten naar boven gaan.

Kellas wierp een blik op M'Gurgan en Lucy. Nu zat Lucy rustig tegen Pat te praten, terwijl hij at en naar zijn eten keek.

'Ik vraag het me toch af,' zei Kellas tegen Cunnery. Cunnery trok zijn wenkbrauwen op. 'Waarom je Melissa hier hebt, en Joe.'

'Ze zijn bevriend. Het is...'

'Ja, weet ik. Wéét ik. Alleen, wat het is... het doet me denken aan toen ik een jonge rechtbankverslaggever was. Daar staat zo'n gast, de verdachte, handen op zijn rug, buigt door z'n knieën, met van die littekens op zijn wang en tatoeages in zijn nek, kijkt recht voor zich uit, en vlak voor hem zitten twee advocaten. Daar zit zíjn man, de advocaat die wordt geacht hem te verdedigen. En de officier voor het rijk, degene die hem in de bak wil hebben en niet wil dat ie voorlopige vrijlating krijgt. Ze worden geacht aan twee tegenovergestelde kanten te staan. De ene staat aan zijn kant, en de andere is zijn vijand. En daar staan ze, allemaal te wachten tot de rechters binnenkomen. En de kerel voor het hekje ziet de twee advocaten, de ene die tegen hem is en de andere die voor hem is, met elkaar praten. Hij ziet dat ze elkaar vrij goed kennen. Dan ziet hij ze grappen maken. Ze lachen. Ze zijn maatjes. Ze menen niets van wat ze tegen de rechters zeggen als ze vragen om voorlopige vrijlating of dat vrijlating wordt geweigerd. Het is ze een rotzorg of hij wel of geen vrijlating krijgt. Ze malen niet om hem. Het is een spelletje.'

'Jij staat niet terecht, Adam,' zei Cunnery.

'Het gaat om je lezers. Ze lezen jou in *Left Side*, en ze lezen Melissa in de *Express*, of hebben op zijn minst van haar gehoord, en het klinkt alsof jullie het echt geloven, alsof het ertoe doet, alsof er een uitkomst moet zijn. Een strijd tussen goed en fout, tussen recht en slecht, en jullie staan aan verschillende kanten. Ze weten niet dat jullie aan jouw tafel samen gaan zitten eten. Alsof het een sport is. Twee teams in dezelfde club.'

'Jullie zijn toch samen geweest? Hebben het bed gedeeld?'

'Ja.'

'En je bent het oneens met wat ze schrijft?"

''t Is vullis.'

'Dus wie is er nu hypocriet?'

Kellas bloosde. 'Ik kon me niet inhouden. Die van rechts zijn ook zo plat.' Melissa kwam weer binnen en ging zitten zonder in Kellas' richting te kijken. Sophie leunde voor Kellas langs en vroeg Cunnery naar Tara's school. Kellas keek naar Lucy en M'Gurgan. Beiden zaten nu zonder iets te zeggen, en keken naar hun bord terwijl ze voedsel naar hun mond brachten, als twee oude mensen in een restaurant die elkaar niets meer te zeggen hebben. Kellas stond op het punt Lucy naar haar werk te vragen toen hij besefte dat dat zwijgen van Lucy en M'Gurgan één en gedeeld was, een bevend, gevaarlijk zwijgen. Lucy legde opeens haar mes en vork neer, alsof haar iets te binnen was geschoten, en vroeg Cunnery waar de wc was. Ze was een beetje buiten adem. Er was er een op de eerste verdieping, zei hij, maar kon ze die boven in het huis gebruiken om Tara niet wakker te maken? Lucy ging de kamer uit en een ogenblik later kreeg M'Gurgan een sms om zijn agent te bellen en verontschuldigde zich en liep naar de tuin.

Kellas gaf een wens te kennen om over te gaan op witte wijn en zei dat hij in de keuken een schoon glas ging zoeken. Hij zei hallo tegen de hulp toen hij haar passeerde. Ze was aan het opruimen. Ze zei niets terug. Kellas liep naar de portiek. Hij kon nog net M'Gurgan de brandtrap zien beklimmen naar de eerste verdieping. Kellas liep terug naar de eetkamer, langs de tafel naar buiten en ging op weg naar boven. Toen hij op de overloop van de eerste verdieping was stond hij stil en luisterde. Hij hoorde wat het omvallen kon zijn van een plastic bekertje met tandenborstels, en M'Gurgan die proestte en grinnikte. Hij hoorde voeten op een krakende vloer. Tara's slaapkamerdeur lag donker en open een paar meter verder. Er hing de vreemde geur van andermans schoonmaakmiddelen. Kellas klom de laatste trap op naar de bovenste verdieping. Alle deuren stonden open, op één na. Zo zacht mogelijk lopend liep hij erop af. Hij hoorde een klein geluidje dat het geluid had kunnen zijn dat Lucy maakte tegen M'Gurgan die haar kuste terwijl hij haar betastte. Toen hoorde hij Lucy in een traag murmelen zeggen: 'Je vrouw kon nu weleens aan de deur staan luisteren.'

'Kijk me aan,' kwam M'Gurgans stem. 'Leg je hand maar hier. Vind je dat lekker?'

'Vreselijk,' zei Lucy en schoot in de lach.

'Je wilt toch niet dat ik ophou?'

Lucy haalde diep adem. 'Nee.'

'Ben je buiten de stad opgegroeid?'

'In Hampshire. O. Mm. Hoezo?'

'Ik moest denken aan wat het deerntje zegt in een gedicht van Burns.' Ze spraken nu heel zacht.

Iets deed Lucy naar adem happen en ze zei: ''t Is nu een beetje laat voor poëzie.'

''t Is waar het deerntje zegt dat negen duim een dame zal plezieren. En dan zegt ze: "Maar voor m'n boerenmik, nee, doen we niet zo sjiek; we nemen van de negen twee, en da's een beste pik."'

Kellas verwijderde zich van de badkamerdeur, ging naar beneden en gebruikte de wc daar. Toen hij naar buiten kwam, stond Tara in haar nachtpon met knipperende ogen voor hem.

'Sorry dat ik je wakker heb gemaakt,' zei hij.

'Dat was jij niet,' zei Tara knorrig. 'Het was die mevrouw boven die zo krijste.'

'O ja? Ik heb niks gehoord.'

'Er was een mevrouw en die krijste. Vond je dat ik mooi piano heb gespeeld?'

'Ja, het was prachtig.'

'Melissa vindt dat ik mijn eigen band zou moeten hebben.'

'Hoe oud ben je ook alweer?'

'Tien.'

'Je hoeft alleen maar meer te oefenen.'

Tara's gezicht verkreukelde als papier en ze liet een teugelloos gejammer los.

'Zie je wel?' zei Kellas, en hij hurkte met zijn handen op haar schouders. 'Zie je wat ervan komt als de mensen de waarheid spreken? Het is nare medicijn. Kom maar.' Hij stond op en pakte haar hand. 'We gaan naar beneden. Alle grote mensen daar spreken de waarheid en ik voelde me net als jij.' Hij hoorde boven de badkamerdeur opengaan en hij voerde de schreiende Tara mee naar beneden.

'Neem me niet kwalijk,' zei hij toen ze in het souterrain waren. 'Lucy was in de badkamer boven en ik moest ook.' Tara holde langs de tafel in de armen van Margot. Kellas ging zitten net toen Lucy binnenkwam.

'Hij zei dat ik niet mooi piano speelde!' jammerde Tara.

'Niet in die woorden,' zei Kellas. 'Het spijt me echt dat ik haar wakker heb gemaakt.'

'Dat was híj niet! Dat was de mevrouw die boven zo krijste.'

Sophie keek naar Kellas en naar Lucy, die beduusd en ademloos scheen, en niet zo bleek als eerst. Sophie boog dicht naar Adam over en fluisterde: 'Jullie hadden tenmínste een paar minuten na elkaar kunnen terugkomen.'

'Ik neem haar wel over, liefje,' riep Cunnery. 'Ga jij het toetje maar halen.'

M'Gurgan kwam binnen uit de tuin en ging zitten.

'Alles oké?' zei Sophie. 'Dat was een lang gesprek.'

'Ik vond hem nog snel,' zei Kellas.

'Lang genoeg voor jou,' zei Sophie. Ze keek kwaad.

'Zei hij iets over mij?' zei Lucy tegen Sophie, met een knikje naar Kellas.

'Het was de agent over de filmdeal,' zei M'Gurgan.

'Is er sprake van een filmdeal?' zei Kellas. Er waren te veel mensen tegelijk aan het praten en in zijn binnenste verzakte een moeilijke, zeldzame cocktail van emoties. Zijn ziel werd omlaaggedreven naar een diepere plaats dan waarvan hij weet had gehad, terwijl zijn lichaam tintelde en sterk en licht en koud voelde.

'Een of andere grote baas in Hollywood heeft een optie genomen, maar je weet hoe het gaat, hij wordt waarschijnlijk nooit gemaakt,' zei M'Gurgan.

'Het zit me dwars dat je niet het geduld had om haar mee naar huis te nemen en het daar te doen, waar dat kind het niet kon horen,' fluisterde Sophie in Kellas' oor.

'Moest je Tara nu zo nodig vertellen wat je van haar pianospel vond?' zei Margot, toen ze een stuk chocoladetaart voor Kellas neerlegde. 'Ze is nog pas tien.' Ze klonk moe, allang-moe, alsof ze de hele avond niet-moe had geacteerd en het nu net had opgegeven.

'Wat heb je tegen haar over mij gezegd?' zei Lucy tegen Kellas. Ze beefde licht. Misschien stond ze op het punt van huilen.

'Niets,' zei Kellas. M'Gurgan groef grote happen uit de taart en schoof ze in zijn mond.

Melissa kwam langs de tafel met Tara aan haar hand. Tara klom bij Cunnery op schoot en rolde zich op. Hij sloeg zijn armen om haar heen. Melissa keek naar Kellas, opende en sloot haar mond, schudde haar hoofd en zei: 'God verhoede dat jij ooit kinderen krijgt.'

Kellas keek over de tafel naar Betchcott. Betchcott staarde terug, grijnzend. Het drong tot Kellas door dat hij tot nu toe Betchcott niet had zien lachen. Betchcott grijnsde niet óm hem maar mét hem. Je bent net als ik. Kellas legde zijn hand neer om een lepel te pakken. Er gebeurde iets raars. Allebei zijn handen kwamen in actie, en in plaats van de lepel op te nemen namen ze het bord met de taart op. Enkele centimeters maar, waarna hij het weer neerzette en zijn vuisten op de tafel liet rusten en zijn zintuigen afstompten en hij een opzettelijk soort droom begon te volgen waarin hij opstond en door het huis liep en ver weg in een kamertje op Astrid stuitte, aan het werk, en zij wendde zich af van haar werk en keek hem lachend aan.

Kellas werd afgeleid door een stem. Hij merkte dat Cunnery tegen hem praatte, terwijl hij Tara op en neer liet dansen op zijn schoot, over de vraag of Amerika en Engeland Irak zouden binnenvallen, en wat er zou gebeuren als ze dat deden. Hij praatte over olie, en imperialisme, en Israël en hoe wreed Engeland zich had gedragen toen het de baas was in Mesopotamië. Hij sprak met zelfvertrouwen, kennis en precisie over de geschiedenis van de regio. Na een poosje, toen Kellas niets zei, vroeg Cunnery wat hij ervan dacht.

Kellas haalde zijn schouders op. 'Weet ik niet,' zei hij.

'Ach kom,' zei Cunnery, 'Je bent verslaggever. Je was in Afghanistan. Je moet toch een mening hebben.'

'Ik probeer geen meningen te hebben,' zei Kellas. 'Die zitten in de weg van het "iets" van het "iets".'

'Het wat?'

'Het "iets" van het "iets". Zoals in: "Er gebeurt 'iets' reëels en ik doe er niets reëels aan." '

'Je bedoelt de waarheid?'

'Dat heb ik niet gezegd.' Kellas luisterde naar zijn eigen stem. Die had een toon gekregen die hem niet beviel. 'Jij geeft om de Irakezen, niet? En om de Palestijnen en de Afghanen en de hele rest? Je hebt Arabische vrienden, zo noem je ze tenminste als je erover schrijft in je magazine. Je wilt niet dat de Amerikanen en de Britten en de Israëli's bommen op ze gooien. Goed zo. Dat maakt je een goed mens. Het toont dat je betrokken bent.'

'Ik weet niet van "goed", maar met betrokkenheid is toch niks mis? Ik snap niet wat je precies wilt zeggen. Wil je zeggen dat je voor het gooien van bommen op mensen bent?'

'Kon ik net zo goed zijn,' zei Kellas. 'Ik betaal mijn belasting. Ik was op een persconferentie met de premier een paar maanden geleden en ik heb hem geen oplawaai gegeven en niet geprobeerd hem in zijn gezicht te schoppen.'

'Niemand verwacht dat ook van je.'

'Dat komt doordat de prijs van betrokkenheid laag is. Je hoeft alleen maar te zeggen dat je het je aantrekt en je hebt al betaald. Je hoeft er niets voor op te geven.'

'Ik geef een stem aan mensen die dat doen. In het magazine. Op het internet.'

'Maar dat ben jij. Jij. Je kunt zo radicaal praten als je wilt hier op dit eiland, en je kunt zo'n, zo'n genoeglijk leven leiden en de mensen zullen je nog steeds een marxist noemen. Terwijl je zo veilig bent. Je huis is veilig, je geld is veilig, je gezin is veilig. Je reputatie is veilig, en je gezondheid ook. Je Britse paspoort is veilig. Zelfs je vrije tijd is veilig. Hoe kun je over zoveel bedreigde mensen zo hovaardig schrijven, terwijl je zelf zo onbedreigd bent? Wanneer is het gebeurd dat mensen die opkomen voor de verliezers zo bang zijn geworden om zelf ook maar iets te verliezen? Je bent een tijdje opgetrokken met de sandinisten, maar je bent er zelf nooit een geweest. Jij kwam naar huis. Je spreekt geen Arabisch. Je woont niet in Bagdad. Je hebt nooit ondergedoken geleefd. Je hebt nooit geprobeerd te leven als een eerlijke, onkerkelijke, linkse, intellectuele journalist, met een eigen huis, een dochtertje en een werkende, feministische vrouw, in een autoritair islamitisch land. Dat had gekund, maar dat heb je nooit gedaan.'

Cunnery keek omlaag naar de slapende Tara op zijn schoot. Hij streelde haar haar. Hij sloeg zijn ogen op naar Kellas. Zijn stem was koel. 'Is dit wat je in Afghanistan hebt geleerd?' zei hij.

'Ik heb niets geleerd in Afghanistan. Ik heb er een werkplek gemaakt.'

'Ik neem aan dat het moeilijk is,' zei Cunnery langzaam, 'om te weten, echt te weten hoe het is voor hen. Voor mensen als de Afghanen. Ik bedoel, die stukken die je voor mij schreef van daaruit... die konden de realiteit niet echt overbrengen, hè. Misschien is weten onmogelijk.'

'Mis. Het is heel eenvoudig. Maar ik denk dat je dat niet wílt weten. Dat zeg ik aldoor al.' Kellas' hart was nu heel hard aan het bonzen en hij had enige moeite met regelmatig ademhalen.

'Nee, ik wil het wel weten.'

'Heel zeker? Hoe het is?'

'Ja.'

'Oké.' Kellas stond op, duwde zijn stoel achteruit. De mensen in de kamer waren heel onscherp. Hij zag dat ze van elkaar verschilden, maar ze hadden iets schemerigs, wat het moeilijk maakte hen direct aan te kijken. De voorwerpen, de stofferingen van de kamer waren duidelijker. De plaats waar ze waren, en hun vernietigbaarheid. Om te beginnen zijn bord. Hij pakte het op, hief het tot schouderhoogte en liet het vallen op de leien vloer, waar het in meerdere stukken brak, die wegschoten over de plavuizen. Hij greep de borden voor Sophie en Cunnery, zette ze op elkaar en slingerde ze tegen de grond, harder ditmaal. De wijnglazen! Ze gingen met een maai van zijn onderarm en in wat heel korte tijd moest zijn geweest stonden zijn voeten in de knerperigheid die je krijgt na een ontploffing of een ongeluk. De mensen om hem heen werden in beslag genomen door vormen van achteruitdeinzen en terugtrekken, maar hun stemmen werden nu luid. Kellas nam de vaas van de schoorsteenmantel, gooide de bloemen eruit en smeet hem kapot tegen de open haard. Op de een of andere manier kaatste een van de scherven terug van de grond en schampte langs zijn rechterarm. Het was een verkwikkend gevoel, maar het kon een bloeding hebben veroorzaakt. Het geluid van brekend glas en porselein moedigde hem aan, maar er was een deel van hem dat zich geneerde omdat hij niets kon bedenken om te zeggen terwijl hij zoveel schade aanrichtte. Hij schoof de resterende rommel van de schoorsteen af, merkte op dat het glas op de gezinsfoto barstte maar niet brak, rukte toen de dichtstbijzijnde van Margots foto's van de muur en sloeg hem met een klap op de rand van de tafel. Hij had in tweeën moeten breken maar de lijst verboog alleen maar. Hij voelde handen aan hem klauwen en het werd onmogelijk het feit te negeren dat zijn naam werd geroepen. Bloed op de grond. Een ogenblik aarzelde hij, nu er in de buurt geen voorwerpen te vernietigen meer waren. Was hij werkelijk zo zwak, en waren deze tweehonderd jaar oude muren zo sterk dat hij er niet doorheen kon trappen als gipsplaat of gedroogde leem? Hij haalde diep adem en zette zich schrap tegen de rand van de tafel. Nu vond hij zijn eigen stem. Met een schreeuw en een stekend gevoel in zijn spieren duwde hij de tafel omver en veroordeelde zo het overgebleven glas- en vaatwerk tot de ondergang. Hij greep en vernielde nog een van Margots foto's. Voor zijn ogen kreeg een gezicht duidelijke contouren en geluiden. Een klein kind blèrde. Hij wilde iets zeggen, iets bedaards en afgemetens, maar het enige register dat hij vond toen hij de woorden vormde, was schel.

'DAT IS HOE HET IS!' krijste hij in Tara's gezicht. Iedereen schreeuwde, behalve de hulp die uit de keuken was gekomen om te kijken. Ze keek naar Kellas met haar mond strak. Hij liep weg, rende de trap op, pakte Lenin mee, verliet het huis en keilde de Grote Leider door het voorkamerraam van de Cunnery's. Nadat de ruit in scherven was gegaan, zijn eigen gelui afgelopen, hoorde Kellas flauw het snikken van een kind binnen in het huis. Hij keek naar zijn pols. Zijn mouw kleefde van het bloed. Hij zette het op een lopen, de straat uit. Op de hoek kwam hij langs een brievenbus. Hij bleef staan en haalde zijn portefeuille tevoorschijn. Er zaten postzegels in, en een kwitantie voor een boekenkast. Hij vond een pen in zijn zak, hurkte neer, streek de blanco kant van de kwitantie glad op zijn dij en schreef: 'Lieve Sophie, het was Pat die seks had met Lucy bij de Cunnery's. Hij ging de brandtrap op. Groeten, Adam.' Hij vouwde de kwitantie dubbel, plakte de helften dicht met een postzegel en deed een andere postzegel op de voorkant, priegelde Sophies naam en het adres van de M'Gurgans tussen de drukletters en postte het papiertje in de donkere mond van de bus. Toen holde hij verder en verzwond als een steen in de diepe put van de Londense nacht.

6

Het geluid van bestek dat zachtjes tikte tegen geglazuurd aarde-
werk wekte Kellas. Elizabeth was bezig een biefstukje in blok-
jes te snijden. Ze legde haar mes en vork neer, pakte een asperge
op, doopte hem in de hollandaisesaus en hapte het kopje eraf. Ze
keek Kellas aan.

'U deed zomaar uw ogen dicht en hield op,' zei ze, kauwend
terwijl ze sprak. Ze stak de rest van de asperge in haar mond.
'Alsof iemand uw snaren had doorgeknipt.'

Kellas' tafel was gedekt met een wijnglas, een opgevouwen lin-
nen servet, een menu en een roze bloem in een duimgroot vaasje.
In deze klasse was de tafel tweemaal zo groot en zwenkte uit naar
opzij. Hij keek uit het raam. Twaalfduizend meter lager lag een
ijsmozaïek op de oceaan als gestold vet op de ragout van gisteravond. Hij draaide zich om om Elizabeth te vragen hoe laat het
was. Op het scherm dat ze van haar armleuning had uitgedraaid
was het stilgezette beeld van *Spiderman* te zien.

'Pardon,' zei hij. 'U kijkt naar uw film.'

'Ik hou van Toby Maguire,' zei Elizabeth. 'Ik had zeker de
hoop opgegeven uw verhaal nog te horen.' Ze keek Kellas aan
met een achteloze genegenheid die hij eerder had gezien, een afstandelijk soort bezorgdheid, iets tussen het spottende geduld
van een moeder met een slampamper van een zoon, en de geamu-
seerde maar korte momenten van genegenheid van een dochter
voor haar misantropische vader. Ze glimlachte, deed haar kopte-
lefoon weer op en zette Toby Maguire in beweging.

Zo toeval het wilde, dan zou een van de motoren uitvallen en
zouden ze moeten uitwijken naar Groenland of Goose Bay. Een
nacht in Arctica, afgeschermd van de gebeurtenissen. Alleen het

toeval kon zo tijd stelen. Anders was het vermijden. Het verschijnen van zee-ijs betekende dat ze de Canadese kust naderden. Over twee uur zou hij in New York landen en zouden de gebeurtenissen weer beginnen. Kellas stak zijn hand in zijn jaszak en haalde er een in vieren gevouwen velletje gelinieerd papier uit. Het droeg het adres van de Cunnery's en in een andere kleur, met de hotelpen geschreven, de tekst van de e-mail van Astrid die hij van het internetscherm had gekopieerd, liggend op de zware poepkleurige hotelsprei, de toetsen van de afstandsbediening besmeurend met bloed. '*Adam Kellas*,' begon het. Op een aparte regel, geen leestekens. Het feit dat ze allebei zijn namen had gebruikt ,was vreemd. Misschien benadrukte ze haar ernst. '*Ik wil je nu zien. Ik wil dat je naar me toe komt, kan niet schelen hoe laat het is, en me precies vertelt wat je van me wilt.*' Hij verwonderde zich over het gedeelte 'kan niet schelen hoe laat het is'. Alsof ze dacht dat hij al in Amerika was. Ook de laatste zin vond hij raadselig. Die leek terug te grijpen op een gesprek dat zij tweeën onlangs nog hadden gehad, en toch hadden ze geen woord gewisseld sinds de dag in december 2001 toen ze in de Panjsjir uit de helikopter was gesprongen. De drie 'willen' in de boodschap wonden hem op en gaven hem moed. Als ze in plaats van 'wil dat' had geschreven 'kon ik maar', had hij geen vliegtuig genomen! Hij telde de woorden. Negenentwintig slechts! Met negenentwintig woorden had ze hem opgepakt en van de ene kant van de Atlantische Oceaan naar de andere geslingerd met zevenhonderd kilometer per uur. Het ontmoedigende woord was 'precies'. Astrid meende beslist wat ze zei: een mondelinge test op liefde. Op de avond van deze dag, omdat hij binnen die tijd in Chincoteague kon zijn, zou hij ergens aanbellen en de vrouw zien die het hele jaar al in zijn gedachten was geweest, en zou er niets te ontwijken meer zijn. Ze zou niet tolereren dat hij haar zei wat hij wilde door het domweg te nemen. Hij zou haar niet kunnen aanraken, totdat hij haar uitsluitend middels het gesproken woord ervan had kunnen overtuigen dat wat hij daar had gevonden werkelijk een zijnstoestand was die weigerde zich als iets anders te laten benoemen dan liefde. En dat waar liefde een woord was dat geen van hen zou mogen uitspreken tot ieder er zeker van was dat het codeerde voor dezelfde toestand. Het was een onredelijk stel voorwaarden en het was verrassend dat zoveel mensen ze onderschreven. Het was alsof je een beul om je leven smeekte zonder te weten welke taal die beul sprak, en zonder enige manier om erachter te komen tot ze de kap afzette en je omhelsde, of het valluik opende onder je voeten.

Hij vouwde het papiertje open. Het was een pagina gescheurd uit een van de schriften waarin hij *Rogue Eagle Rising* had geschreven, met de hand, alvorens het over te brengen op zijn laptop. De regels waren danig onderbroken door doorhalingen en tussenvoegsels. Het was een van de passages die hij het moeilijkst had gevonden. De taak had in dat stadium van het boek zowel helder als simpel geleken: een opzettelijk verdraaide voorstelling van zaken te geven. Om een bestaand, gecompliceerd land te kiezen, in dit geval de Verenigde Staten, en het te vereenvoudigen tot een stel karikaturen zo opzichtig en zo grof dat weinig lezers aan zijn oprechtheid zouden twijfelen. Een naïeve maar oprechte entertainer. Het vereenvoudigde land was een elementaire oefening. Het werd bevolkt door een homogene massa van misleide, sappelende sukkels, fatsoenlijk maar makkelijk te sturen, en een handjevol bedriegers en boeven die hen op een dwaalspoor hadden gebracht en nu onder het juk hielden. Wat de boeven en de sukkels gemeen hadden, was hun taal en hun gebrek aan gevoel voor humor. De kenmerkende eigenschap van het verdraaid voorgestelde land was dat het niet de mogelijkheid van zijn eigen redding in zich borg.

De minister van Defensie – *geef de schurken niet hun vereenvoudigde landsnamen, alleen hun positie* – was een lange, bikkelharde oude man die tien presidenten had zien komen en gaan en de helft van hen had gediend. Het was niet de eerste keer dat hij had gedaan wat hij nu deed, een stapel zwarte mappen uit een aktetas halen en ze ~~toegooien aan de acht andere mensen die om de tafel zaten, als een gever~~ alsof hij de kaarten voor een potje poker gaf. Het was niet de eerste keer dat hij ervaren mannen en vrouwen op het toppunt van de macht, wier carrière hun had geleerd zich door niets te laten verbazen, had verbaasd met de ver vooruitziende blik van het Pentagon. Maar hij wist wel dat ~~deze keer~~ bij deze gelegenheid verbazing een te zwak woord zou zijn. Dit werd ontzetting. Hij leunde achterover in zijn stoel en luisterde naar het geluid van omgeslagen bladzijden.

De minister van Buitenlandse Zaken was de eerste die sprak. 'Bedoelt u te zeggen dat u werkelijk een plan gereed had om Duitsland aan te vallen?'

~~Defensie gnuifde. 'We hebben heel wat plannen!'~~ *Te menselijk!*
~~'Zit er een plan in om daar Buitenlandse Zaken aan te vallen?'~~
Te veel humor! Te democratisch!

Defensie zette voor zich op de tafel zijn vingertoppen tegen elkaar. ~~Het dikke glas en het montuur van zijn bril verborgen zijn ogen.~~ *Te echt!* 'Dat is correct,' zei hij. 'Deze eventualiteit is door onze planners voorzien. We kunnen binnen vierentwintig uur klaarstaan voor actie.'

~~'Eindstand?' vroeg de president.~~

'Wilt u het waarschijnlijke succes van deze operatie samenvatten,' zei de president.

'We hebben het vermogen om de tactische en satellietverbindingen te immobiliseren van al onze NAVO-bondgenoten, afgezien van de Franse,' zei Defensie. 'Dit is een chirurgische operatie met weinig slachtoffers. We ~~halen onze jongens daar weg~~ brengen onze troepen terug naar het vasteland van de Verenigde Staten ~~eer dat je Nieuwe Wereldorde kunt zeggen~~ voordat enige Europese politicus of generaal bij z'n positieven is weet wat er is gebeurd.'

~~'We kunnen ons niet veroorloven dit keer te verliezen~~, heren. We kunnen ons geen gezichtsverlies veroorloven!' zei de vicepresident.

~~'De Britten binnen boord?' vroeg de president.~~
~~'Die klojo's in Downing Street doen toch wel mee hè,' zei de president.~~

'Staan de Britten aan onze kant?' vroeg de president.

'Hun regering heeft geleerd dat hun buitenlandse politiek maar één dimensie heeft – de onze.'

Kellas hoorde kwaadaardig gelach rond de tafel in de film van het boek. De rest van zijn leven zou hij de karmische gevolgen van deze 110.000 woorden tellende leugen moeten verwerken. Hij stopte het papiertje weer in zijn zak. De steward kwam voedsel aanbieden, en nog meer champagne. Kellas schudde zijn hoofd, dat pijn deed. Zelfs als alle vier motoren het nu begaven, zouden ze naar een veilige landing in Canada kunnen zweven. Hij kon naar DC vliegen, een auto huren en van daar naar Chincoteague rijden. Zijn buik danste van gespannen verwachting. Hij was er bijna.

Astrid had een stempel op hem nagelaten in Afghanistan, maar als nabijheid, afhankelijkheid en tijd de basis vormden van intimiteit, dan had Kellas wel met Mohamed kunnen trouwen. Wekenlang had de tolk Kellas elke dag na het ontbijt opgehaald van de compound in Jabal os Saraj. Ze waren door de provincie Parvan gereden en uiteengegaan in de loop van de avond, wanneer Kellas de compound inging om te eten en te schrijven, en Mohamed naar het logies dat hij huurde in de stad. De villa's van de Afghaanse legerleiders en mannen van de macht lagen verspreid en ze namen zelden hun satelliettelefoons op. Kellas en Mohamed gingen op bezoek in de hoop hen te vinden, in de hoop als gasten te worden ontvangen. Middagmalen duurden uren rond de schotel van in-rijst-verstopt-schapenvlees. De legerleiders en ministers grijnsden en sloegen maar een slag naar de toekomst, alsof ze geen middel hadden om die te beïnvloeden. De publieke leugen was geen leugen. Om hen heen, hoog boven de witte gebouwen en met bastachtige roest beklede tanks, en de kleine, graatmagere Alliantie-soldaten in half dichtgeknoopte nieuwe uniformen en knellend nieuwe Europese laarzen zoals ze nooit hadden gedragen, sommigen van hen met eyeliner en sommigen dope rokend, verhieven zich de kale rode bergen. Ze verpletterden het menselijk handelen met hun grootte, ouderdom en stilheid, als een fysieke manifestatie van het lot. De witte krijtstreep, door de B-52's over de altijd blauwe hemel getrokken, leek tot die wereld van het lot te behoren. Er waren geen mensen daar aan de punt van het krijt. Ze konden jou niet zien of kennen. De streep wit in het blauw en de rode toppen waren deel van de eeu-wigheid, waarvoor mensenvlees even vergankelijk en ijl was als licht. Kellas merkte dat hij er niet langer van opkeek wanneer hij met Mohamed over de korte stukken weg van de Alliantie zwierf. Hij verdiepte zich in het gele moerbeiloof, en de koperen ketels, de van het glas opkringelende damp en de rondtollende blaad-jes in de goudbruine thee, het verstrakken van vishengels boven de rivier, de vrouwen op de weg die in het voorbijgaan hun ge-zicht bedekten, en de mannen die bij harde wind de punten van hun sjaals in hun mond namen. Soms ontmoette hij hun ogen. Hij rook brandend hout, kardamom, kerosine, schapenkeutels en spijsolie. Hij en Mohamed zaten op de veranda van het theehuis in Gulbahar en in het kebabrestaurant op het kruispunt in Cha-rikar, een holle lege ruimte waar met de oorlog ook de handel uit-gestorven was, en sponnen hun lunches uit. Ze zochten inter-views met vluchtelingen en bandieten en mensensmokkelaars en heroïnedealers en artsen. Kellas had geen muziek meegebracht. Hij raakte gewend aan de riffs van de verschillende muezzins. Eenmaal vroeg hij Mohamed musici voor hem te zoeken en zat hij op een middag als een impresario in de tuin van het politie-bureau van Charikar, terwijl vier groepen voor hem speelden, de een na de ander, op luiten en fluiten en houten kistjes met schroe-ven en snaren erop. Om beurten vervloekten ze de taliban om-dat die al hun bruiloftswerk had afgenomen. Terwijl ze na afloop aan het inpakken waren, wees een gillend geluid vanuit de he-mel naar hen en ze bukten en strompelden naar dekking als boos-wichten die spitsroeden lopen. Toen de talibanraketten nog geen kilometer verderop ontploften op het marktplein, nam de politie-chef Kellas grijnzend bij zijn elleboog, en bracht hem naar zijn kantoor om hem suikeramandelen te offreren terwijl hij luisterde naar de slachtoffermeldingen op zijn walkietalkie. Kellas en Mo-hamed gingen naar de markt en zagen de kippen loslopen met mensenbloed op hun veren en de donkere vlekken op gekraakte meloenen en de in vodden gewikkelde doden. Ze verwonderden zich over de overtolligheid van degenen die het leven hadden ge-laten. Die nacht verstuurde Kellas een lang verhaal over de musici en de volgende dag vroegen zijn redacteuren of hij iets had gehoord van een raketaanval op Charikar, die die ochtend in de concurrerende kranten had gestaan.

Wanneer de dagen een rit inhielden langs de Panjsjir omhoog door de bergengte, waar auto's elkaar liever schampten bij het passeren dan over de rand te vallen of in te houden, langs de residentie van Yunus Qanuni, vluchtelingenkampen, het onvoltooide gedenkteken voor Massoud, naar de hoge groene weiden, waar de Panjsjiri's boerden en langeafstandsraketten verstopten en waar hun grote kapotte zwaarbewapende sovjethelikopters in de moerbeiboomgaarden lagen, als oude afgeleefde jachthonden ineengezakt in de schaduw, eindigden deze dagen op de weg van Gulbahar naar Jabal, tegen de schemering. De weg keek van honderden meters hoog uit over de vlakte van Shomali en de avondzon werd driemaal verdund, eenmaal wanneer hij aan de rand van de vlakte achter de bergen zonk, door de atmosfeer, en door het van de wegen en velden opstijgende stof. De vlakte was rijk aan geboomte en gewassen, maar voornamelijk aan geboomte; van boven de weg bij zonsondergang leek het een woud. Het gekrinkelde oppervlak van de boomtoppen leek te zwellen in het heiige licht, en te verdwijnen in de veelbelovende gele verte.

Mohamed was een man van krommen en cirkels, als een vrolijk heidens afgodsbeeld, met een lange knolneus, een rond gezicht en een bedaarde, gezellige pens. Hij had een dikke zwarte baard en wenkbrauwen en verplaatste zich tussen de stadjes en dalen van de Alliantie in een zwartleren jack over een bruine sjalwar kamiez. Hij deed zijn best om zijn vijf gebeden per dag te doen. Hij vergat het geregeld. Tijdens de ramadan, wanneer laat in de middag het gemeenschappelijk besef van het aanstaande einde van de vasten opkwam, de kramen druk doende waren met voedsel bereiden, de lucht zwanger was van heet vet en de Afghanen hun kaken op elkaar klemden om niet te kwijlen, had Mohamed het zwaar. Dan kocht hij aan de weg zakken versgefrituurde donuts die hij op de achterbank stouwde, zat zwijgend te wiebelen met zijn voet, en trekkende spieren in zijn gezicht, tot het voorgeschreven tijdstip van het einde van de vasten aanbrak en hij met slecht geveinsde nonchalance achter zich reikte en begon te kauwen. Hij bezat geen gezag, land of geld, alleen een huis in de Salang-pas en een huis in Kabul dat hij sinds de komst van de taliban niet meer had gezien, maar de plaatselijke legerleiders en machthebbers kenden hem, en leken hem, dacht Kellas, te respecteren. Hij had zijn schulden, geldschulden. Het was niet zo dat men hem veel gunsten verplicht was. De souplesse waarmee hij over het sociale terrein van Parvan navigeerde, was een gevolg van de manier waarop hij zich door een generatielange burgeroorlog had bewogen zonder deel te hebben aan de schande, schaamte en oneer die evenzeer een parasitische bijkomstigheid waren als buizerds en handelaars in schroot. Mohamed leek aanvankelijk zo goeiig in zijn gewiekstheid, zo lichtzinnig optimistisch over elk project, zo feilbaar en gemoedelijk inzake dollars en eten, dat Kellas hem ten onrechte voor een malloot had gehouden. Dat was hij niet, en hij had zich moeten schikken. Hij had de sovjetbezetters gediend als artillerie-instructeur voor Afghaanse troepen, daarna Massoud gediend. Op het marktplein van Jabal zagen zijn ogen in elk gezicht alle lagen van collaboratie en verzet op elkaar gestapeld, en anderen zagen het in hem. Hier was het vrijwel onmogelijk verschil te zien tussen trouw aan een zaak en waanzin. Als je je eer wilde bewaren, dan moest je aanvaarden dat die eer een kromme vorm zou hebben. Wat Mohamed had gedaan was wisselen van uniform en wisselen van partij. Hij was erbij geweest terwijl strijdmakkers huizen en scholen en moskeeen, de oorden van leven, licht en stemmen, herschiepen tot bergen van brokken leem met mensenvlees in lappen uitgespreid ernaast. Wie weet had hij zelfs geholpen, maar niet direct. Voor degenen die gruwelen begaan, zijn gruwelen gewoon zaken, maar ze weten wel degelijk wat ze gedaan hebben, en met mannen als Mohamed in de buurt, die een zeldzaam punt vinden tussen hen veroordelen en meedoen, bevinden zij die de gruwelen begaan zich in een tweespalt. Ze willen dat de Mohameds erin betrokken raken. Ze willen dat de Mohameds hun vingers in het bloed dopen en op zichzelf smeren, om de schuld wat dunner over meer gewetens uit te strijken. Maar ook hebben ze de Mohameds graag schoon. Of ze nu trots zijn op hun slechtheid of nog steeds geloven dat er een weg is naar verlossing, ze moeten wat extra eer in hun voorraad meedragen, bij wijze van richtpunt, om te weten hoe ver ze van deugdzaamheid zijn afgedwaald, en hoe ver de weg terug zou zijn. Toch had Mohamed, na al die jaren van laveren door de oorlog zonder dat deze hem volledig corrumpeerde, het moeilijk gevonden een goed mens te blijven zonder dat hij, al was het maar als scherm, iets van de kenmerken van een schertsfiguur kreeg. Hij leek nooit op zijn gemak in de sjalwar kamiez, als een Schot die 's maandags op kantoor komt in een bruiloftskilt. Toen in november Mazar-i-Sharif onverwacht viel voor de Alliantie, en het duidelijk werd dat de dagen van de taliban in Kabul waren geteld, vroeg Mohamed vrij om een kleermaker te bezoeken en twee nieuwe pakken te bestellen voor zijn terugkeer naar de grote stad. Zodra ze klaar waren, begon hij ze te dragen. Ze waren van dik bruin corduroy gemaakt; het jasje was getailleerd, strak ingesnoerd als het veldtenue van een Britse soldaat in de jaren veertig, en het had epauletten en twee rijen enorme knopen voorop. Het spande over zijn buik en zijn baard spreidde over het kraagje. Hij zag eruit als een extra grote opgestopte speelpop.

Mohamed introduceerde Kellas bij de legerleiders, vertelde hem in het geheim wie van hen niet konden lezen, legde hem uit hoe hij het verschil zag tussen een T-54-tank en een T-55-tank en zat op een nacht met hem op het dak van een voorpost, met de koplampen van de talibanpick-ups op anderhalve kilometer afstand, met het door de lucht scheurende geluid van Amerikaanse jachtvliegtuigen en nu en dan een vuurbol aan de horizon en het gehuil van de jakhalzen in de bossen van Shomali om hen heen, als een troep dronken tieners. Onderweg kwamen ze langs Mohameds huis, ingebed in een agglomeratie van lemen gebouwen achter grijze stenen dijkjes, en Mohamed ging een halfuurtje naar binnen en kwam toen naar buiten. Hij vroeg Kellas niet in huis om kennis te maken met zijn vrouw en kinderen. Hij had twee zoons en drie dochters. Hij was even oud als Kellas. Kellas wist inmiddels genoeg om niet verbaasd of beledigd te zijn.

Hij was teleurgesteld. Mohameds olifantsribcord voor de bevrijding van Kabul had een stem voor de moderniteit geleken, een stem voor de partij van het uit de heuvels komen en het omarmen van de grote posttalibanstad, van elektriciteit en gele taxi's en vrije vrouwen. Vanaf het dak van de boerderij in de vlakte hadden ze die nacht de grijze gloed gezien van de straatverlichting van Kabul, veertig kilometer naar het zuiden. Het bericht van de val van Mazar was over de radio gekomen en de loopgraven van de Alliantie waren begonnen te zingen, waarbij de stemmen van de soldaten zich vermengden met het gekrijs van de jakhalzen. De tanden van Mohameds grijns waren te zien in de weerschijn van Kellas' laptop en hij was hartelijk en blij geweest, en Kellas had geloofd dat hij hem om hulp kon vragen in een zaak die Astrid betrof. Kellas wilde dat Mohamed een plaats regelde waar hij en Astrid een nacht ongestoord alleen konden zijn, met een dak en iets wat op een bed leek. Voor het begin van de instorting van de taliban had het vanwege de kleinsteedse zeden van de provincie Parvan moeilijk geleken Mohamed zo'n verzoek te doen. Toen het besef van de naderende opening van Kabul in de harten van de Alliantie en van de met hen ingekwartierde buitenlandse journalisten golfde, was het alsof de weg openlag, niet alleen naar de hereniging van Afghanistan, maar ook naar het ontstoppen van de kanalen die Afghanistan verbonden met de stralende lichtbellen van Islamabad, Teheran, Beijing, en daaraan voorbij Parijs, New York, Londen, LA. Een korte poos nam Kellas de vrijheid zich te verbeelden dat de ware Mohamed degene was die met smaak had geproefd van het liberale aspect van het communistische Kabul en Sovjet-Oezbekistan, waar hij eens gestationeerd was geweest; méér dan de wodka en de minirokjes, dat hij een grotere, levendiger wereld had gezien in de gezichten van de meisjes- en jongensstudenten, al pratend in de cafés, op straathoeken met bundels boeken onder hun arm, ongesluierd en rebels. Toen Kellas die middag Mohamed zag wegwandelen uit zijn Salang-dorp met een serene glimlach, verzadigd en vaderlijk, naar de auto kuierend alsof Kellas en chauffeur voor hém werkten, begreep Kellas dat de bergweg, met zijn vuurwapens en oude veten en afgezonderde vrouwen, evenzeer zijn thuis was als de stad, en dat zijn moeizame naleving en sjalwar kamiez meer een oprecht signaal waren van bij-het-dorp-willen-horen dan de camouflage van een liberaal verlangen eraan te ontsnappen. Ook de ribcordpakken waren oprecht. Mohamed wilde thuis zijn in Kabul. Maar van die twee werelden was hij in de grote stad minder zichzelf, en dat wist hij.

Kellas aarzelde iets te zeggen of te doen waarmee hij de uitdrukking over zich afriep die over Mohameds gezicht moest zijn gegaan toen hij getuige was geweest van de wandaden van zijn kameraden. Kellas had die uitdrukking niet waargenomen, maar zij moest bestaan, en hij wilde haar niet op hém gericht zien. Natuurlijk zou Kellas niet verantwoordelijk zijn voor een bloedbad. Maar er was een mogelijkheid dat hij door Mohamed te vragen hem te helpen bij het organiseren van een ontuchtige daad – en Kellas hoopte op verscheidene ontuchtige daden – die zouden worden begaan door twee ongelovige vreemdelingen in een islamitisch land, in een oorlogszone, die uitdrukking zou zien. Was het niet als hij het onderwerp voor het eerst ter sprake bracht, dan wel als hij het een tweede keer deed, of wanneer de tijd kwam dat het zou gebeuren, of nadat het was gebeurd. Hoe vrolijker en vriendelijker Mohamed was, des te meer vreesde Kellas het moment van zijn ernst, wanneer hij zich van de vreemdeling zou distantiëren. Ondanks dat moest Kellas erover beginnen. Het was een soort opdracht. 'Hoor eens,' zei Astrid op een avond. Ze sprak zo rustig, zo helder en direct dat zijn vel ervan tintelde. 'Wat jij en ik moeten hebben, is een plek waar we samen kunnen slapen. Jij regelt het en dan kom ik.'

De aankondiging was niet uit het niets gekomen. Die kwam aan het eind van dagen waarin Kellas werd afgeleid door gedachten aan Astrid. Hij droomde nooit van haar. Maar omdat hij aan haar dacht als hij wakker was, verdraaide hij de interpretatie van de dromen die hij had, in de richting van Astrid; het bevestigde zijn betrokkenheid en verdiepte zijn fascinatie. In één droom zat hij in een klein café in een smal straatje in een Italiaanse stad. Hij zat binnen omdat de tafels buiten overdekt waren met een wemelende massa mussen. Een serveerster kwam naar hem toe, een klein, stevig, blozend, donkerharig meisje dat helemaal niet op Astrid leek, en zei dat hij moest vertrekken, vanwege de mussen. Kellas zei dat hij niet bang was. De vrouw zei: 'De mussen houden de tafels bezet tot de arenden komen.' Kellas, die geloofde dat dromen het chaotische bijproduct zijn van gedachten en indrukken, kliekjes die uit de geest verdwijnen zoals andere stoffelijke resten van 's levens behoeften, rekende dit niettemin als een droom over Astrid. Dat hij op haar had gewacht zonder het te weten; dat hij geduldig het afmattende gekwek en gewriemel van de wereld zou uitzitten in de hoop dat er iets gevaarlijks maar subliems zou komen. In de droom waren er geen arenden en veranderde hij in de serveerster, maar dat gedeelte negeerde hij.

Kellas kon zich niet herinneren wanneer de aanblik van Astrid zo'n sterke reactie in hem begon te ontketenen. Hij probeerde aan chemicaliën en nare signalen te denken, om voor zichzelf de vreugde te verbergen over de terugkeer van een toestand die hij had geloofd niet langer te kunnen bereiken.

Nog vóór de schrikwekkende vraag van wat zij voor hém voelde, peilde hij de aard van wat hem in háár aantrok. Hij had de tijd, zolang de oorlog stokte en *The Citizen*, die Zuid-Azië had overspoeld met correspondenten, de genuanceerde ongewisheid van zijn berichten versmaadde ten gunste van de krasse stelligheden uit oncontroleerbare bronnen in Londen en Washington. Wie de redacteuren ook naar Jabal stuurden, ze smulden meer van de gedecideerde reportages van journalisten die daar graag wilden zitten, dan van de onzekerheden van de journalist die er feitelijk zat. In oktober en november 2001 schortte het de verhandelbare waarheid in Afghanistan wekenlang aan verhalen of vertrouwde referentiepunten. Aangezien Astrid weigerde naast hem te werken, erop wijzend dat hij zich de meeste dagen moest melden, terwijl zij er alleen maar was om één of twee lange artikelen te schrijven – 'mijn trom slaat eens per kwartaal,' zei ze – was er tijd voor glimpen, blikken, wegen die elkaar nu en dan kruisten, schutterige hoffelijkheden bij de deuren naar de wasruimten, en voor Kellas om zich af te vragen wat hij aan het doen was. Hij probeerde Astrid te vergelijken met het model van vorige relaties. Geen ervan paste, hoewel hij niet zeker kon weten of hij ze wel goed onthouden had. Liefde behoorde tot het soort ervaringen die zich niet lieten onthouden. Alleen de symptomen en directe oorzaken ervan.

Hij had gemerkt dat het moeilijk was adoratie om te zetten in seks, maar makkelijk seks om te zetten in gevaarlijke, kortstondige adoratie. Deze ontdekking had hij al vroeg in de loop van zijn ontijdige huwelijk met Fiona gedaan. Ze was zo fascinerend krullerig en klein en kinderlijk naïef geweest, en ze kon zo vlug en diep blozen wanneer ze in de greep van een sterke emotie was. Op een avond, toen ze beiden in het gezelschap verkeerden van een andere journalist in Edinburgh, die blind was voor elke menselijke relatie buiten de politieke sfeer, en die eindeloos op één gestage, volhardende toon kon praten, draaide Kellas een halfuur lang zijn woorden weg tot een insectengezoem terwijl hij eerst dacht hoeveel zin hij had om Fiona aan te raken, en toen naar haar keek, en wist dat zij hetzelfde dacht. Hun zachte zweterige jonge handpalmen en vingers grepen en drukten elkaar onder de tafel. In het besef dat hun hartslag en verlangens synchroon liepen, zaten ze een poosje te kijken naar de lippen van de journalist die woorden vormden, en bleven ze zich bewust van de deinende drein die van zijn stembanden kwam. Toen maakten ze hun excuses en renden een taxi in, uit het duister van de pub, een van die plaatsen in de ravijnen van de oude stad waar de luchtjes van vochtig, oud hout en verschaalde alcohol versmelten en verdichten, en naar het warme kloppen en de geurige huid van elkaars halzen. Kellas had de paar dagen erna doorgebracht in een toestand van zo grote gelukzaligheid, zoveel verrukking over haar vertederende gilletjes, in de vrijheid waarmee Fiona haar lichaam schonk en het genot dat ze van hem leek te ontvangen, dat hij vergat hoezeer zijn geluk werd verhoogd door de periode van seksuele schaarste die eraan voorafging. De lange stilten die hun vrijpartijen onderbraken, wanneer ze lagen uit te blazen, huid aan huid, in elkaars bed, leken destijds meer een teken van telepathisch begrip dan een teken dat ze elkaar niets te zeggen hadden, wat zo bleek te zijn. Kellas kreeg oog voor de fanatieke netheid van Fiona's flat. Hoe kon hij anders? Alle oppervlakken blonken, niets ouds of sleets was gebleven, de meubels waren opgesteld onder pythagoreïsche hoeken. De flat was een verklaring van de behoefte aan orde, die ruim boven gespreksniveau werd gedaan. Maar hij geloofde liever dat de vlugge, achteloze, gretige manier waarop Fiona uit de kleren ging, de manier waarop er sowieso geen deel was van elkaars lichaam waar ze niet aan mochten komen, zichzelf misschien zou vertalen in een ontspannener houding ten aanzien van het schoonmaken, in plaats van andersom, hetgeen was wat er gebeurde. Een paar maanden nadat ze waren getrouwd, was Fiona hem gaan vragen een tweede condoom over het eerste te doen.

Die fout had Kellas niet nog eens gemaakt. Hij had andere gemaakt. Hij stond versteld over de variatie van zijn dwalingen, die hem vermomd als succes overkwamen. Katerina in Praag was zo beeldschoon geweest dat het een tegenwicht had geleken voor haar voorliefde om vier avonden in de week op Duitse technomuziek te dansen in de clubs, en voor haar onwil om een betaalde baan te nemen, en voor de uren die ze in een sjaal ineengedoken op het balkon zat, op een harde stoel, een knie opgetrokken, rokend naar de torenspitsen staarde en op haar nagels beet. Maar het had niets goedgemaakt. Ze had op haar dertiende de trein naar Schoonheid genomen en toen ze daar een paar jaar later aankwam, besloot ze niet uit te stappen maar te blijven zitten om te zien of er meer en betere haltes waren langs die lijn. Toen Kellas haar leerde kennen, op haar zesentwintigste, geloofde ze dat ze oud was. Ze bekende het aan Kellas als een geheim, snikkend op zijn schouder.

Er was een lapje grond voor het huis in Jabal, binnen de muren van de compound en deels overlommerd door geboomte, waar de Afghanen een gazon hadden willen aanleggen. Het gras was niet aangeslagen en groeide in plakken en hier en daar een enkel sprietje uit de grond. 's Morgens deed een ex-verslaggever van de Australische speciale eenheden daar push-ups, en praatte tegen zijn vrouw in luid, vloeiend Thai op zijn satelliettelefoon, terwijl correspondenten op teenslippers over het gras liepen naar de latrine in de verste hoek, met slierten wc-papier achter zich aan, als misnoegde kampeerders. 's Avonds plaatsten de fotografen hun zendapparatuur op het mislukte gazon, op gepaste afstanden en allemaal met het kompas gericht op dezelfde kunstmatige ster in de ruimte boven de Indische Oceaan. Daar zaten ze met hun rug naar het huis, afgetekend tegen de gloed van hun schermen, te kijken naar de van links naar rechts opschuivende streepjes van de byteteller, verzonken, cultisch, elders. Op een avond zat Kellas op het schrale gras met Mark en Rafael van *The New York Times*. Rafaels tolk draaide almaar opnieuw het nummer van de satelliettelefoon van een van de legerleiders in het noorden, om door de bezettoon heen te komen. Rafael had haast. Hij was een van degenen die geloofden dat de oorlog vaart aan het verliezen was, als een trage goederenlijn, en wat reclame kon gebruiken. Mark, die meestal werkte om deze tijd – op alle tijden – zat te wachten tot zijn redacteuren in Californië wakker werden. Hij had zijn rode plastic vliegenmepper mee naar buiten gebracht. Zijn enige ontspanning was 's morgens vroeg rechtop in zijn slaapzak zitten en zoveel vliegen doodslaan als er binnen bereik waren.

'Waar gaan die vliegen 's nachts naartoe?' vroeg hij. 'Gaan ze naar hun vliegenhuisjes met hun vliegenvrouwtjes en hun 2,2 miljoen vliegenkindjes?'

Kellas staarde naar Astrid, die hij kon zien in de schemer van de andere kant van het grasveld, waar het licht vanuit het huis zwakker was. Ze zat te praten met de reporter van *The Guardian*, die in een andere straat bivakkeerde. Astrid keek half lachend omlaag, haar hand gestuit midden in een gebaar terwijl ze nadacht over wat ze wilde zeggen.

'Waarom vroeg je je tolk om mij naar mijn arm te vragen?' vroeg Mark.

'Heb ik niet gedaan,' zei Kellas.

'Het stoort me niet. Ik begrijp alleen niet waarom je het zelf niet kon vragen.'

'Hij wou het weten. Hij was nieuwsgierig.'

'Je schaamde je te veel om het zelf te vragen, dus liet je het je tolk voor je doen.'

'Welnee!' Kellas lachte. Ze zouden hem niet rood zien kleuren in het donker.

'Mijn jongens denken dat ie je is afgehakt wegens diefstal,' zei Rafael. 'Had je verbinding?' Zijn tolk schudde zijn hoofd. 'Blijven proberen.'

'Ik bel al twee uur lang hetzelfde nummer. Ik krijg een zere vinger.'

'Blijven proberen. Ik betaal je om zere vingers te krijgen.'

'In Somalië,' zei Mark, 'zeiden ze: "Hij vrijt de vrouwen met zijn stomp." '

'Hoe is het dan gekomen?' vroeg Rafael.

'Ik ben ermee geboren.'

'Ga weg. Heb je verbinding?' De tolk begon in de hoorn te roepen. 'Vraag of hij de vent van de Amerikaanse speciale eenheid te spreken kan krijgen. Vraag of ik met een Amerikaan kan praten!'

'Je gaat me toch niet verwerken in zo'n platte Britse roman,' zei Mark tegen Kellas.

'Zo plat zijn ze niet.'

'Ik maak er een zaak van, denk erom.' Mark sprak tegen de zijkant van Kellas' hoofd. Rafael en zijn tolk overschreeuwden elkaar in het Engels en Dari. Mark zei: 'Ze is net een kat.'

'Wie?' zei Kellas.

'Astrid. De kat die haar gangetje gaat. Ze reist nooit met iemand samen.'

'Ze probeert een interview te krijgen met de weduwe van Massoud.'

'Maar jij reist ook nooit met iemand samen,' zei Mark.

'Mohamed. Chauffeurs. Mensen die we onderweg oppikken.'

'Iemand die geen Afghaan is.'

Kellas vroeg of hij iets van Astrid wist. Mark zei dat hij een paar van haar artikelen had gelezen, een over Bosnië en een over Kosovo. Ze waren goed, ongewoon goed, gedenkwaardig. Ze had zich diep ingeleefd in een Servisch gezin dat zich klaarmaakte om Pristina te verlaten. Ze hadden ruimte voor haar gemaakt in de truck die hen naar Servië bracht, met de grafstenen van de familie op een stapel achterin en de resten van hun voorouders verpakt in puinzakken. Mark noemde de naam van een beroemde fotograaf met wie ze in die tijd optrok.

'Ik zeg "optrok". Ze sliepen in hetzelfde hotelbed, hoorde ik, dezelfde koeienstal of grot of wat dan ook, wanneer de dingen die ze wilden doen ze toevallig naar hetzelfde gebied brachten. Ze woonden destijds in verschillende steden, de een in Rome en de ander in Zagreb of Boedapest, weet ik niet meer. Niet dat ze ooit écht met elkaar gingen. Ze rekenden op het toeval om bij elkaar te komen. Maar het toeval kan tamelijk voorspelbaar worden in dit soort werk, niet? Er is maar een bepaald aantal plaatsen waar het op een gegeven moment naar dat soort dood ruikt.'

'Het zegt weinig over hoe ze is.'

'Dacht je? Ik hoorde "wild".'

'Wat heet verdomme nou "wild"?'

'Kalm aan. Dat is alles wat ik me herinner, en ik weet niet wie het heeft gezegd. Wild, ik weet niet. Feestbeest? Wild in bed? Woest, grootgebracht door wolven?'

Kellas' ogen waren rood van het vroege opstaan en het stof van de dag. Hij kneep ze stijf dicht en deed ze weer open. Geen vocht, als de tiende keer knijpen in een citroen. Mark was een veel te aardige man om iets anders dan getrouwd en tevreden te zijn en hij was vergeten hoe immens het gat was tussen twee mensen die niet hadden besloten bij elkaar te blijven. Hij was vergeten wat dat voor een tocht was om te maken, hoe makkelijk het nu was om duizenden kilometers te reizen om binnen handbereik van iemand te komen, en hoe moeilijk om die laatste paar centimeters van hun hoofd naar hun hart te overbruggen. In de vroege Afghaanse ochtend hing Mark aan de telefoon met zijn redactie in San Diego, waar het nog de avond van de vorige dag was. Dan zou hij zijn artikel proberen te slijten aan de voorpagina en Sheryls foto's verkopen. 'De beelden,' noemde hij ze altijd. 'De beelden zijn geweldig.' De beelden waren altijd geweldig. Sheryl was niet zijn vrouw, ze was een collega, maar het moest haar goed hebben gedaan hem dat te horen zeggen. Het had iets liefs. Mark vergrootte zijn eigen kans op een voorpaginahit, en Sheryl was begaafd, maar het was toch lief, de manier waarop Kellas veronderstelde dat een goed getrouwd stel zou zijn, elkaar tot steun.

'Zou jij achter Astrid aan gaan?' vroeg Kellas aan Mark.

'Nee.'

'Waarom niet? Vind je haar niet knap?'

'Ja, och, best wel.'

'En bijdehand.'

'Ja, een slimme meid. Goed in wat ze doet.'

'Dus waarom zou je geen werk van haar maken?'

'Kan het jou wat schelen?'

'Nee, maar zeg het gewoon.'

'Ik zei het in het begin al. Ze is een kat. Ze jaagt alleen. Ze gaat altijd aan achter wat zij wil en je moet óf met haar mee, óf haar laten gaan, en geen van tweeën is wat ik graag de hele tijd zou doen.'

'En als jij het bent wat ze wil?'

'Ik wil niet gejaagd worden.'

'Je kent haar niet.'

'Heb ik ook nooit beweerd. Ik zeg alleen wat ik zie.'

Kellas keek nog eens naar Astrid verderop. Hij voelde de buiksteek van de jaloezie. Wás Mark zo braaf, of had hij het te druk om te sjoemelen? De man van *The Guardian* stond nu op en liet Astrid alleen. Het was een kleine bleke man met tengere handen, rossig haar, een ronde bril en een wat scheve glimlach. Onderweg over het grasveld bleef zijn voet haken achter een van de snoeren van de fotograaf en hij struikelde, schudde de kabel af en liep door. Kellas vroeg zich af of Astrid het pistool bij zich droeg. Hij vroeg zich af hoeveel andere mensen in de compound wisten dat ze gewapend was. Het zou haar kwaad doen als het uitkwam. Toch was het besef dat het wapen er was iets wat ze gemeen hadden.

Hij stond op en liep naar waar zij zat. Ze had haar laptop geopend en zat te typen. Ze keek op en streek haar pony opzij.

'Hoi,' zei ze. Ze lachte.

'Je lijkt druk bezig.'

'Geeft niet. De kerel van *The Guardian* wilde me een paar contacten voor de weduwe Massoud ontfutselen. Ga zitten. We krijgen nooit de tijd om bij te praten, hè?'

Kellas zette zich met gekruiste benen op het gras tegenover haar en Astrid klapte haar laptop dicht en legde hem opzij. Ze vouwde haar handen voor zich en keek hem aan. Kellas was zo overtuigd geraakt van de wanorde en de onverschilligheid van het universum dat de mogelijkheid van harmonie hem deed wankelen. Hij beefde. Zijn verlangen ging gepaard met een vrees dat ze alras haar belangstelling voor hem zou verliezen. Het was het oude en gerechtvaardigde wantrouwen in vrouwen voor de behoeften van mannen, en nu moest hij dat van Astrid trotseren. Haar betrokkenheid bij hem was dierbaar geworden en hij wilde die na afloop niet verliezen. Het nieuwe aan hem kon in één nacht bederven. Eén nacht! Al die tijd lette hij op haar, haar ogen op hem, en zag de sproetjes op de rug van haar neus en een enkel streepje van een wenkbrauw vormde het beetje goud dat in de schemer te vergaren was. Eens, in Londen, had hij avond aan avond met oprechte interesse en gedeeltelijke concentratie zitten luisteren naar een vrouw wier verslag van haar leven iets weg had van Borges' één-op-éénkaart van een land. Elk verhaal dat ze vertelde duurde minstens even lang als de gebeurtenissen die ze beschreef, dikwijls langer. Op een avond gingen ze met elkaar naar bed en daarna zagen ze elkaar nog precies zó lang dat Kellas kon begrijpen hoe het haar gekwetst had dat hij niet langer naar haar wilde luisteren. Wat het nog erger maakte, was dat ze het trachtte te verbergen. Ze liet zich niet kennen, lachte, gaf voor dat ze even genotzuchtig was als hij. Dat dit was wat volwassen mannen en vrouwen deden. Dat dacht zij niet en ze was gekwetst. Kellas zag het en nam zich voor het nooit meer te doen. Toen deed hij het weer.

Hij verlangde naar Astrid, en een andere stemming in hem probeerde het tegen te houden, in te houden, wilde liever zijn als de satelliet voor Astrids Indische Oceaanwereld, eeuwig naar haar afdalend met precies dezelfde snelheid als waarmee zij zich verwijderde, zodat ze altijd tegenover elkaar zouden zijn, maar nooit zouden botsen, nooit versmelten, elkaar nooit kennen.

'Ik wil de stilte niet verbreken,' zei Kellas, 'maar ik kan er niet goed tegen.'

'Ik ben je aan het inspecteren,' zei Astrid.

Kellas vroeg waar ze die dag was geweest.

'Ik ben wezen kijken,' zei Astrid, eerst langzaam en toen met meer vaart, 'wezen kijken hoe een bruid voor haar trouwen werd aangekleed. Een ver familielid van Massoud. Ze was zestien. Ze stond midden op het tapijt en ze wist niet welk lichaamsdeel ze met haar handen moest bedekken. Haar tepels hadden de kleur van regenwolken. De vrouwen van haar familie lieten haar in een tobbe stappen en wasten haar met water in de kannen die ze uit een kamer ernaast hadden gehaald. Ze schoren haar helemaal met een scheermes, en wasten haar nog eens. Daarna droogden ze haar af, en besprenkelden haar lichaam met eau de cologne, en gaven haar een zijden pofbroek om aan te trekken, en een witte onderjurk zonder mouwen. Ze staken haar in een rode jurk, fel-rood, zoals klaproosblaadjes.' Astrid zweeg, lachte naar Kellas en ging verder. 'Hij zat strak om haar armen en haar middel, en er waren gouden munten op genaaid die tegen elkaar rinkelden als ze bewoog. Ik vroeg of ze haar man al had ontmoet en ze schudde haar hoofd. Ik vroeg of ze wilde trouwen, en ze knikte en begon te huilen en ze draaide zich om en ik zag haar schouders schok-ken. Ze schudde even met haar armen om de munten te laten rinkelen en het geluid van haar snikken te verbergen, maar al-le munten op haar rug rinkelden toch al... Ben je jaloers op me, Adam, dat ik dat vandaag heb gezien?'

'Nee.'

'Je liegt! Werd je daar geil van?'

'Ja.'

Astrid gaf Kellas een zachte stomp tegen zijn schouder. 'Ze was pas zestien!'

'Je kietelde me! Dat is uitlokking.'

'Als dat kietelen is voor jou, ben je dan makkelijk te behagen of moeilijk te behagen?'

'Ik vroeg er niet om te worden behaagd.'

Astrid hield op met lachen en sperde haar ogen open. 'Zo ben jij niet. Hard en dikhuidig.'

'Ik ben harder dan je denkt.'

'Ja, daarbuiten misschien.' Ze stak haar duim over haar schouder naar de muur van de compound. 'Niet met vrouwen. Ik wil best geloven dat je een rotzak bent als het om vrouwen gaat, maar niet hard.'

'Dan zal ik nu hard gaan worden.'

'Nee,' zei Astrid serieus, met overtuiging. 'Mensen veranderen niet. Dat weet je nu toch wel? Mensen kunnen niet veranderen, behalve door meer zichzelf te worden.'

'Weet jij hoe je bent?'

'Ik ben dezelfde vrouw die ik in Amerika was. Ik ben niet veranderd. Ik heb mezelf alleen ergens neergezet waar sommige kwalen niet gedijen. Ik ben als zo'n buitenlandse soort die het goed doet in een vreemd klimaat. Net als de konijnen in Australië, de kudzu in Mississippi. Geen natuurlijke vijanden.'

'Je kwalen gedijen hier niet,' zei Kellas. 'En je verlangens dan?'

Astrid schoot in de lach, keek hem aan van onder haar pony, liet haar hoofd zakken en plukte grasjes uit de grond, één voor één. Ze braken met een knak. 'Een man flirt met me in een oorlog. Is dit een goed moment, vraag ik me af.'

'Het is het beste moment. Het ergste is dat de taliban en de Alliantie zulke luiwammesen zijn dat we geen van tweeën net kunnen doen of we morgen kunnen omkomen.'

Astrid lachte. 'We kunnen doen alsof.'

'Ik mag dan niet hard zijn, maar jij bent niet schuw.'

Astrid keek hem aan, stak haar hand uit en legde hem een seconde met de palm tegen de zijkant van zijn gezicht. 'Nee, ik ben niet schuw,' zei ze. 'Vertel wat het is dat je van me wilt.'

Haar aankijkend bedacht Kellas dat hij zou moeten liegen, of liever een deel vertellen van een grotere waarheid. Hij moest Astrid wijsmaken dat hij harder was. Deel daarvan was inderdaad datgene waarom hij haar ging vragen, en niet het minste. Welzeker wilde hij met haar naar bed. Hoeveel keer had hij met vrouwen dat verlangen verhuld, half gelogen, half in ernst, in beloften van samenwonen en een gedeelde toekomst, de behoefte gevoeld om de lust te versluieren in een sproeinevel van getwieter over intimiteit en vriendschap en de tijd nemen om te leren kennen? En hoe vaak was hij doorzien? Vaak. Met Astrid zou hij de draai moeten maken, honderdtachtig graden. Door voor haar, zó dat er geen glimp van te zien was, zijn wens om haar te vereren en door haar te worden vereerd te verhullen, en door haar alleen dat andere te tonen, alsof dat de hoofdzaak was. De enige manier die hij zag om zijn werkelijke verlangen te verbergen, was woorden te kiezen zo grof en plat dat ze waar zouden schijnen door hun directheid. Astrid zou misschien gevoelig zijn voor het idee dat leugens niet naïef klinken. Bovendien, wat hij nu ging zeggen wás waar; het was alleen gelogen voor zover het een onwaar antwoord op haar vraag was.

'Wat ik van je wil?' zei Kellas. Hij slikte. 'Ik wil je neuken.'

Hij verwachtte dat ze in de lach zou schieten of haar wenkbrauwen optrekken, of bekoelen, of in het beste geval zijn oneerlijkheid belonen met de woorden: 'Je bent tenminste eerlijk.' Maar Astrids uitdrukking veranderde helemaal niet. Ze knipperde een paar keer met haar ogen. Haar glimlach werd niet harder of strakker. 'Wat jij en ik moeten hebben, is een plek waar we samen kunnen slapen,' zei ze. 'Jij regelt het, en dan kom ik.'

7

Een steward reikte Kellas een visumformulier aan. De Amerikaanse immigratieautoriteiten wilden weten op welk adres hij de eerste nacht van zijn verblijf zou doorbrengen. Hij vulde het nummer in van een flat in Prince Street waar hij zestien jaar geleden had gelogeerd, bij zijn eerste bezoek aan Amerika. Uit het raam, door openingen in lorrige wolkenflarden, zag hij nu het wit en zwart van Canada voorbij wentelen. Die stille vlakten van lariksen daarbeneden, dat optrekken van pick-uptrucks bij koffietenten op kruisingen, en lukrake sneeuwstippels die hun tegemoet snelden en tollend belandden in de jasplooien van gezinshoofden met noodzakelijke karweien en duidelijke bestemmingen? Kellas voelde de winterwind waaien door de gaten in zijn rafelige plannen. Zijn zelfvertrouwen verbaasde hem. Misschien zou hij wél naar de flat in Prince Street gaan, om een of andere eenzame New Yorkse bewoner aan te treffen, hem in te palmen met zijn accent en het verhaal dat hij daar had geslapen tijdens het San Gennaro Festival in 1986. Ja, dat kon hij doen. Met zijn fantasie was niets mis. Hij kon verhalen verzinnen en meer doen dan ze opschrijven; hij kon zichzelf erin verwerken. Hij kon wel degelijk in een verhaal verschijnen. Hij had een verhaal geschetst in de hotelkamer na de Cunnery's. Een man, op de loop na een vechtpartij, krijgt een noodkreet van een oude liefde aan de over kant van de oceaan en neemt de eerste vlucht om haar te ontmoeten. Ze omhelzen elkaar. Geen woorden. Ze weten het. Einde. Begin. Dat was zijn verhaal. Hij wist niet wat voor verhaal Astrid had geschreven om het te beantwoorden. Het verhaal dat hij een jaar geleden in Bagram had gesitueerd was eenvoudiger geweest. Man ontmoet vrouw. Het klikt tussen hen. Ze bedrijven de liefde. Begin. Einde. Zo had het moeten aflopen. Zelfs als hij het als treurspel had geschreven, zou hij het niet zo hebben geschreven dat degenen die stierven vreemden waren.

Het idee van Bagram als ontmoetingsplaats was bijna dadelijk in hem opgekomen, de ochtend na zijn gesprek met Astrid op het grasveld van de compound in Jabal. Mohamed kende een ondercommandant met een groep van plaatselijke moedjahedien van de Alliantie onder zich, vlak bij de startbaan, die toen zo'n anderhalve kilometer van de dichtstbijzijnde talibanstelling lag. Kellas was er op een middag een paar uur geweest en had Mohamed willen vragen of hij er een hele nacht kon blijven, om voor lezers van *The Citizen* uit eigen waarneming de Amerikaanse korteafstandbombardementen op de taliban te beschrijven. De voorpost van de commandant bevond zich in een groep hoge, dakloze, hoefijzervormige loodsen, die twee decennia daarvoor waren gebouwd om sovjetvliegtuigen tegen aanvallen te beschermen, dezelfde vliegtuigen waarvan de wrakken nu verspreid lagen over het vliegveldje. Achter deze muren zaten de moedjahedien, met hun oude wapens, waaronder één kapotte tank, vrijwel onkwetsbaar voor de taliban, die hen sowieso zelden beschoten wanneer de bombardementen van de Amerikanen begonnen. De mannen sliepen en aten in veilige gebouwen beneden het niveau van de borstwering van de versterkingen. Ze hielden oog op de tegenpartij vanuit een houten uitkijktoren, een overdekt platform op stelten dat, onbeschermd, vijf meter boven de vliegtuigloodsen uitstak. Het platform was een prettige, beschaduwde plaats in de hitte van de middag, wanneer de moedjahedien een laken spreidden op de houten vloer om te eten. Dekens volstonden tegen de kou van de nacht. De commandant zou een man op wacht willen hebben tijdens de uren van duisternis. Maar die schildwacht kon Mohamed zijn, en de schildwacht hoefde niet per se op het platform te staan. Hij kon bijna evengoed de wacht houden vanaf de voet van de ladder die er toegang toe gaf.

Kellas kaartte het dezelfde dag aan bij Mohamed, laat in de middag, nadat ze niet op tijd hadden kunnen zijn voor een persconferentie die werd gehouden door de minister van Buitenlandse Zaken van de Alliantie, hoog in de Panjsjir. In plaats daarvan vonden hij en Mohamed in Gulbahar een tafel op het balkon van een theehuis aan de rivier. Ze zaten in de zon met glazen met kardamom gekruide thee terwijl de chauffeur liever binnen aan een andere tafel zat. Twee vrouwen in gore witte boerka's kwamen onder het balkon staan en hieven hun open handen. Kellas kon ze horen roepen, maar hun gezichten waren onzichtbaar achter het gaas van de gezichtsmaskers van de boerka's. Mohamed liet een paar van de muntbiljetten die hij voor bedelaars bewaarde in hun handen vallen. De vrouwen gingen verder, en de smalle straat was vol van het geratel van oude, goed onderhouden motoren. Aan de andere kant van het balkon stroomde de stroperige rivier ondiep over platte stenen en bergen vuilnis die schoongeplukt waren van alles wat nog bruikbaar was. Mohamed begon over een van zijn projecten om rijk te worden. Hij zou met een paar vrienden een scheepscontainer huren en volpakken met rozijnen wanneer de seizoensmarkt overspoeld werd met rozijnen en de prijs laag was. Het jaar daarop zouden Mohamed en zijn partners de deur van hun scheepscontainer opendoen en hun rozijnen verkopen met duizelingwekkende winsten. Kellas was er zeker van dat er iets niet klopte aan het idee, maar wist niets van de rozijnenmarkt. Mogelijk wás Mohamed op iets gestuit. Mogelijk kon Mohamed zich in Gulbahar vestigen en een termijnbeurs voor rozijnen beginnen. In de zon zitten, langzaam theedrinken en de eerste paar uur over rozijnen praten zou makkelijker zijn dan Mohamed vragen Kellas' seksuele verhouding aan het front te faciliteren. Toch ging hij het vragen. De gedachte aan de ontmoeting had hem in haar ban gekregen. Het zou pijnlijk zijn als *The Citizen* erachter kwam, maar het plan gaf zijn aanwezigheid daar een betekenis en doelgerichtheid die het schrijven van reportages voor Britse lezers niet had. De hele opzet bracht hem meer in Afghanistan dan hij daarvoor was geweest. Idioten en gekken waren thuis ballingen; het viel hun makkelijker zich thuis te voelen in ballingschap. Met een beetje gekte verliep de reis vlotter.

Geen van beide mannen schonk aandacht aan het geluid van een propellervliegtuig hoog in de lucht, tot het geschreeuw in de straat begon, eerst kinderen, toen mannen, toen de paar vrouwen buiten. Heel even sneeuwde het papier. Jongens en meisjes schoten heen en terug om de vierkantjes op te rapen. De mensen uit de zijsteeg graaiden ernaar. Er werd wat geëlleboogd, totdat ze beseften dat het geen geld was. Kellas zag de twee bedelvrouwen erom vechten, ze naar hun gezicht brengen en in snippers scheuren.

Mohamed pakte een van de vierkantjes op, dat op het balkon was beland. Het was een Amerikaanse propagandaflyer, bedoeld voor de inwoners van talibangebied. Het toonde een wazig beeld van een talibansoldaat die vrouwen sloeg met wat leek op een eind dikke zwarte elektriciteitskabel. Het opschrift vroeg of dit een juiste manier was om vrouwen te behandelen.

'Wat vind jij?' vroeg Mohamed.

'Ik vind niet dat je vrouwen mag slaan.'

'Nee, maar over vrouwen.'

'Vrouwen horen vrij te zijn,' zei Kellas.

Mohamed moest lachen. 'Dat zeg je altijd! Maar ik weet niet wat het betekent. In het Engels betekent een "vrije vrouw" een vrouw die niet in de gevangenis zit... ja?'

'Dat is één betekenis.'

'En een vrouw die niet door een man is opgeëist.'

'Ongebonden. Ja.'

'En een vrouw die niet aan het werk is.'

'Oké.'

'En een vrouw die geen geld kost om te kopen.'

'Nee, dat betekent het niet.'

'Jullie zeggen bijvoorbeeld dat medische zorg vrij moet zijn. Dat is hetzelfde. "Vrouwen horen vrij te zijn."'

'Nee, dat is niet hetzelfde. Dat is slecht Engels. Hou op of ik moet je minder gaan betalen.'

'Minder betalen? Waarom niet niets? "Tolken moeten vrij zijn."'

'Je gaat voorbij aan de hoofdzaak. Vrouwen horen vrij te zijn zoals in "niet afhankelijk", in staat te kiezen hoe ze willen leven, waar ze willen leven, met wie ze willen leven.'

'Maar Adam, je kunt niet de hele tijd van gedachten veranderen, en als je eenmaal je keus hebt gemaakt, dan ben je niet vrij.'

'Je kunt opnieuw kiezen.'

'Vertel, is het alleen vrouwen die vrij horen te zijn, of ook mannen?'

'Mannen natuurlijk.'

'Ben ik vrij?'

'Vrijer dan de vrouwen.'

'Kan ik naar Amerika verhuizen?'

'Nee.'

'Kan ik naar Frankrijk verhuizen?'

'Nee.'

'Kan ik een nieuw huis kopen?'

'Ik denk het niet. Misschien, als je rozijnen iets opleveren.'

'Kan ik mijn vrouw en kinderen verlaten?'

'Ja.'

'Ja. En zijn mijn kinderen dan vrij? Vrij van mij, ja? Vrijheid in Engels betekent eenzaamheid, nietwaar? En vrij zijn is dat je, dat je, wat is het woord, het woord is... hebzuchtig bent. Hebzuchtig en eenzaam.'

'Nee, nee, nee.'

'Ik ben vast een terrorist, Adam. Ik haat vrijheid. Ik ben graag getrouwd.'

Kellas lachte en Mohamed lachte mee, en Mohamed ging verder. 'En de vrouw in je huis, de Amerikaanse, de blonde? Ze heeft een zwarte jas met ritsen.'

'Astrid? Wat is er met haar?'

'Is zij een vrije vrouw?'

Kellas aarzelde. Hoewel Mohamed hem had afgetroefd, was Astrid in het gesprek geslopen. 'Ze is een van de vrijste,' zei hij. 'Ze doet wat zij wil.'

'Vrijste! Hm! Vrij, vrijer, vrijst. Kun je dat zeggen? Vrij, vrijer, vrijst. Net als koud, kouder, koudst.'

'Dat klopt.'

'Dood, doder, doodst.'

'Nee, dat kun je niet zeggen. Je kunt alleen maar dood of levend

143

zijn. Iedereen die dood is, heeft precies evenveel doodheid.'

'Maar iedereen vrij is vrij op een andere manier.'

'Je begint nu te praten als een Russische filosoof.'

'De Russen zijn hier gekomen.'

'Weet ik.'

'We hebben ze verslagen.'

'Mohamed, luister, je had het over Astrid. Ze is een vriendin van me. Een vriendin, een intieme vriendin. Er is iets, iets wat ik je wou vragen. Als je mij en haar kunt helpen met een privékwestie.'

'Natuurlijk.' Mohamed begon te lachen en de lach veranderde in gegiechel, en hij bleef maar giechelen en knikken en op zijn tong bijten, terwijl Kellas zijn verzoek deed. Kellas probeerde eufemismen te vinden die Mohamed zou begrijpen. Hij sprak over zichzelf en Astrid als 'wensend de nacht alleen door te brengen. Alleen, en niet gestoord.'

'Adam,' zei Mohamed, 'zodra je "intieme vriendin" zei, begreep ik alles.'

'En de toren is een goede plaats?'

'Ik zal het de commandant vragen.'

Kellas leunde achterover in zijn stoel, stopte een suikerklontje in zijn mond en keek naar de rivier beneden. De zoetheid viel in brokken op zijn tong uiteen en hij voelde een droefenis lispelen omdat Mohamed zo weinig gaf om zijn sterfelijke ziel. Ongelovig-zijn betekende dat je je buiten de muren bevond van Mohameds stad van vrome zeden. Mohamed hing over de wallen en keek naar de jankende en wroetende en over elkaar klimmende atheïsten en afvalligen in het stof. Wees hen aan voor zijn nieuwsgierige, oppassende kinderen. Het was niet aannemelijk dat Mohamed ook zo braaf was. Hij zou dit soort afspraakjes voor zichzelf kunnen regelen. De stad van vrome zeden wemelde van de zondaars. Maar Astrid en Kellas bevonden zich buiten de buitenste cirkel van de zondaars, monsters op zoek naar een circus. In Kellas had Mohamed een troeteldier. Nu zou hij een vertoning krijgen.

'Mohamed, niemand krijgt iets te zien,' zei Kellas.

144

Mohamed grinnikte.

'Ik meen het. Geen gespioneer.'

'Natuurlijk. Natuurlijk.' Mohamed schraapte zijn keel en probeerde zijn lachbui in te slikken 'Mm. Hou je van Astrid?'

'Dat gaat je niet aan.'

'Houdt zij van jou?'

'Ze houdt van vrijheid.' Kellas sloot zijn ogen en wreef zijn voorhoofd met zijn linkerhand, verwonderd over de idiote frasen waartoe Mohamed hem verleidde. Mohameds tactiek was Kellas' ijdelheid uit haar tent te lokken en in het licht te zien sterven. Hem naïeve vragen stellen. Hem naar de rol van leraar loodsen, wetend dat hij niets te leren had.

'Als ze niet van je houdt, waarom...'

'Stop,' zei Kellas. 'Stop. Geen vragen meer. Dit is jouw land. Ik stel jou de vragen.'

'Vraag wat je wilt, Adam. Alle vragen, Adam, en ik zal antwoorden, al is het het geheimste ding in mijn hart.'

'Waarom stel je me niet voor aan je vrouw?'

Mohamed sloeg zijn ogen neer en hield zijn hoofd schuin. 'Het is niet wat wij doen,' zei hij. Hij keek op en lachte. 'Als ik je voorstel, wat dan? Heb je haar iets te zeggen? Wil je haar vragen 's avonds scotch met je te drinken in Jabal?'

'Ik denk niet dat je dat voor me zou vertalen.'

'Nee.' Mohameds lach ging langzaam over in een glimlach en die ontspande tot smalle rode lippen in zijn baard. 'Nee. In elk geval eet je te veel.' Hij begon weer te giechelen.

Kellas en Astrid kwamen een paar dagen later aan in Bagram in aparte auto's, een uur na elkaar. Het was voor zonsondergang toen de chauffeur Kellas en Mohamed afzette bij de vliegtuigloodsen. Om er te komen reden ze door de dorpen aan de rand van Bagram, over een pokkige straatweg, omzoomd met kramen die ruwgegoten, in vetvrij papier verpakt ijzeren gereedschap uit Pakistaanse fabrieken verkochten, Chinees speelgoed met feeëriek flitsende kleurige lichtjes, niet te tellen variaties van goedkoop vernuft om 's levens seconden te verslaan met de klussen van bevestigen, ophangen, snijden, binden en bewaren, stalen potten die zwaar genoeg waren om een heel schaap in te koken, houtskool, bloemkolen, wortelen met de kleur van bieten, appels en hompen schapenvlees vol vliegen die doorhingen aan koorden van vet. Kellas liet Mohamed twee levende kippen kopen en Mohamed zat ermee op de achterbank, hield ze bij hun poten ondersteboven, doodgemoedereerd te midden van een furie van snavels, vleugels en dwarrelend kippendons. Er was een achterweg naar de oostkant van het vliegveld, bewaakt door drie mannen en een tussen twee palen gespannen touw. Ze kenden Mohamed en wuifden de auto door naar de taxibanen van het vliegveld. De auto draaide de startbaan op en zoefde eroverheen zoals in geen vijf jaar een vliegtuig had gedaan, langs de knokige stutten van gebombardeerde jachtvliegtuigen. De avondzon legde een vuurrode glans op de staartloze, vleugelloze rompen van vernielde Antonovs, een schittering die hun eigen dode lichten bespotte, als de geest van een verslagen wetenschap. Het enige wat restte van de ronkende troepentransportvliegtuigen uit Sovjet-Kiev, waren ingekeepte vingers, die wezen naar de bergen van waar hun ondergang was gekomen op goedkope schoenen van plastic. Kellas en Mohamed verlieten de auto en wierpen de kippen op het platform, waar ze zich herstelden, de vernedering afschudden en op zoek gingen naar iets om te pikken.

De plaatselijke moedjahedien vochten in ploegen, als wachten gelijkstond met vechten. Dit was de tijd waarin de nachtlichtingen binnenkwamen, te voet of op de fiets. De commandant beschikte op elk gegeven moment over een man of twaalf. Hij, Mohamed, Kellas en een gladgeschoren man in een ketelpak klommen naar het platform. Kellas was de laatste die omhoog klom. De drie Afghanen stonden hem aan te grijnzen als drie goedige ooms. Een tweepersoonsstromatras was op de grond gelegd en opgemaakt met lakens, een deken en een geborduurde beddensprei. De sprei was roomkleurig, bestikt met een patroon van groene bladeren en bloemen als vingerhoedskruid en okerkleurige katoenzaadbollen. Bij het bed stond op een kinderschoolbankje een waskom van groen plastic en daarin een kan van blauw plastic met water. Een handdoekje hing over de rand van de kom.

Boven het bed hing aan een spijker die uit de kasthoge houten borstwering van het platform stak, een tuiltje viooltjes en rode rozen van plastic en een hart van roze plastic, waarop in zilveren Romeinse letters een versje was geschreven in een Turkse taal. De hele entourage ademde sterk de sfeer van een verloving. Kellas knikte langzaam terwijl hij om zich heen keek, zette zijn handen op zijn heupen en dwong zich terug te glimlachen tegen de Afghanen. Hij wist dat Mohamed de enige was die Engels sprak.

'Heb je ze gezegd dat Astrid en ik getrouwd waren?' zei hij.

'Adam,' zei Mohamed. 'Het was de beste manier. Ik heb gezegd dat jullie in Jabal op één kamer sliepen, maar dat het er erg vol was, met heel dunne muren. Ze hebben vrouwen. Ze begrijpen het.'

'Zeg ze dat ik heel dankbaar ben. Zeg ze dat mijn hart vol is. Zeg dat ik me voel als de prins in een liefdesgedicht in het Dari.'

Vanaf de open rand van het platform, tussen de borstwering en het dak, zag Kellas de hobbels van de talibanstellingen, een uitgestrektheid van zacht aflopende woestijn erachter, en verder weg de bergen. De taliban bezetten het terrein naar het oosten en zuiden, schrijlings over de vlakte, versperden de weg naar Kabul. Naar het westen, ruim een kilometer verder weg, stak de huls van de verkeerstoren omhoog in de schemering. Alle ruiten waren versplinterd en het staal en de betonnen resten waren weggevreten door oud kanonvuur. Bij het vallen van de avond, zo geloofde iedereen, stelden Amerikanen apparatuur op om lichtbundels te stralen naar doelen in de talibanlinies, om hun bommen en raketten de weg te wijzen, wanneer ze vanuit de hemel werden gelost, als gemechaniseerde vervloekingen.

Kellas hoorde beneden een auto stoppen, de deuren opengaan, het geluid van een draaiende dieselmotor en stemmen. Astrid was gekomen. De motor moest een Uazik zijn geweest, maar hij klonk als een Londense taxi. Kellas had een moment van duizeligheid. Hij zei Mohamed de commandant te vragen zijn kok op te dragen de kippen te slachten en klaar te maken, en zei dat hij hoopte dat ze allemaal samen zouden kunnen eten.

Hij keek omlaag van het platform en zag haar naar hem glimlachen en zijn stem beefde een beetje toen hij zei: 'Blijkbaar zijn we getrouwd.'

Ze aten samen, Kellas, Astrid, Mohamed, de commandant en vier van zijn mannen, in een in de zijkant van een van de loodsen gebouwde ruimte. Ze zaten met hun achten op een kleed dat op de vloer van sleets linoleum was gelegd, bij het licht van een kerosinelamp, en schepten zich rijst op en brood en radijsjes en verse groene kruiden en stukken gekookte kip in bouillon. De commandant zat aan het hoofd, links van Kellas, Astrid tegenover Kellas met Mohamed naast zich. Astrid had haar tolk niet meegebracht. De Afghanen spraken Dari met elkaar. Nu en dan vertaalde Mohamed een gedeelte. 's Nachts kon het stil zijn, of er konden bommen vallen. Het viel niet te voorspellen. Het was als het weer. Kellas en Astrid aten en hielden elkaar in het oog. Ze had uit voorzorg haar haar in een hoofddoek gestopt die ze strak over haar voorhoofd en om haar hals droeg, op de Perzische manier, als een kap, zodat alleen haar gezicht was te zien. Ze droeg geen make-up. Een rijstkorrel plakte in haar mondhoek, en ze lichtte hem op met de punt van haar wijsvinger en likte hem eraf. Ze ontmoette Kellas' ogen en ze lachten allebei en hij hief zijn theeglas om te drinken, denkend dat hij als hij het niet deed, hardop in de lach zou schieten. Hij had het flink te pakken. Elke keer dat ze met haar ogen knipperde, haar hoofd bewoog of naar nog een stukje brood reikte, trilde zijn lichaam als een klok.

'De commandant vraagt waarom jullie geen ringen dragen,' zei Mohamed tegen Kellas.

'Dat is niet onze manier,' zei Astrid.

De commandant hield een korte toespraak en Mohamed zei: 'Ik weet niet hoe ik deze vraag moet vertalen. Hij vraagt wat júllie manier dan is. Jullie manier... wat jullie regels zijn.'

Kellas keek naar de commandant, die hem gadesloeg met zijn hoofd iets achterover en zijn ogen verwijd, de ondervrager. Hij had een grijze krulbaard en was klein, nieuwsgierig en gemoedelijk. Kellas wendde zich tot Astrid.

'Jij bent de man,' zei ze.

'Jij bent zijn vrouw. Wat zijn de regels?'

'Hebben we wel regels? Vraag hem wat hij bedoelt. Huwelijks-gebruiken?'

'Dat niet alleen,' zei Mohamed. 'De communisten kwamen en die hadden een manier om alles te doen. Een manier van leven, en regels voor de dood, huwelijk, handeldrijven. Ze vertelden ons de hele tijd wat we moesten doen.' De commandant nam het woord en tegelijkertijd deed op de hoek een andere man zijn mond open, een dertiger in een voddige grijze sjalwar kamiez. De Afghanen lachten. Kellas vroeg Mohamed wat de man had gezegd, en Mohamed zei dat het heel grof was en wilde het niet herhalen. Kellas zei dat het moest.

'Hij zei, de Russen houden van Afghaanse meisjes en de taliban van Afghaanse jongens, maar de Amerikanen en de Europeanen alleen maar van elkaar.'

Kellas' ogen rustten op Astrids knieën in haar jeans. Hij vroeg zich af hoe glad ze zouden zijn om aan te raken als ze naakt was, en of ze warm of koel zouden zijn als hij zijn hand erop legde. De commandant sprak opnieuw. 'De commandant zegt, de Amerikanen zijn anders dan de andere mensen die hier zijn gekomen. Ze zijn hier en ze zijn niet hier. Ze kijken van bovenaf, en ze gooien bommen, maar ze zijn niet híér. Ze zijn niet als de communisten of de taliban. Ze komen niet op bezoek bij de arme mensen thuis. Ze hebben geen plan. De commandant zegt, hij popelt om de stem van de Amerikanen te horen.'

'Ik ben Amerikaans,' zei Astrid. 'En zo klinkt het.'

Mohamed vertaalde en de Afghanen lachten en de commandant sprak. 'Hij zegt, hij wil nog steeds weten, wat is jullie plan? Wanneer gaan jullie ons vertellen wat we moeten doen om alles in orde te maken?'

Astrid legde haar brood neer, fronste, glimlachte, en hield haar rechterknie in haar verstrengelde handen. Ze keek de commandant aan. 'Wilt u van vreemdelingen te horen krijgen hoe u moet leven?'

Mohamed vertaalde en de commandant antwoordde. 'Hij zegt, natuurlijk niet. Hij zegt, we zullen elke vreemdeling doden die ons komt vertellen hoe wij moeten leven.'

Astrid boog haar hoofd en hief het op. 'Dat is het Amerikaanse plan. Als wij geen plan hebben, zult u ons niet doden.'

'Hij zegt, ze zouden jullie toch nog kunnen doden.'

De voddige man op de hoek sprak een poosje. In het halfduister was zijn gezicht moeilijk te zien, maar zijn uitdrukking was zo vertrouwd dat Kellas het gevoel had dat hij hem kende. Hij was de man in het publiek wiens vraag nooit werd beantwoord en die dat ook niet verwachtte, maar haar desondanks stelde; de man die geen spoor van onderdanigheid of rebellie vertoonde, en veroordeeld was de wereld niet te nemen zoals zij was, noch iets te doen om haar te veranderen. Mohamed vertaalde. 'Zulmai zegt, hoe kunnen we de Amerikanen kennen als ze niet bij de arme mensen thuis komen en met ons praten? We zien ze van een afstand. We horen de vliegtuigen en de explosies. Ze zouden naar de arme mensen thuis moeten gaan, te voet, en ons vertellen wie ze zijn en wat ze willen en wat ze ons zullen geven.'

Het was even stil. Toen zei Astrid: 'Twee kippen.'

Iedereen moest lachen en de Afghanen beaamden dat Astrid snediger was dan haar man. Sardar, de man in het ketelpak, begon een verhaal te vertellen. Telkens wanneer Kellas aan Mohamed vroeg het te vertalen, zei Mohamed dat hij moest wachten tot het afgelopen was. Toen Sardar ophield met praten, vertelde Mohamed hem wat hij had gezegd.

'Sardar had het over zijn oom, die een patrijs had. Het was een heel sterke patrijs, een goede vechter. De patrijs heette Shahrukh Khan.' Toen Mohamed de woorden 'Shahrukh Khan' uitsprak tussen zijn Engelse woorden door, keken alle Afghanen op en grinnikten, en sommigen echoden de naam. 'Sardar z'n oom trainde hem jarenlang, en toen Shahrukh Khan begon met vechten, versloeg hij alle andere vogels. En zo won Sardars oom een heleboel geld in Kabul, in Jalalabad en in Peshawar. En Shahrukh Khan was onverslaanbaar. Sardars oom hield hem in een kooi met de vorm van een klok en als de kooi openging en Shahrukh Khan in de ring kwam, gooide hij zich meteen in de strijd, gebruikte zijn snavel, zijn poten, hij gebruikte zijn vleugels voor het evenwicht. Shahrukh Khan kon op één dag meerdere keren vechten zonder moe te worden. Zijn vleugel was gebroken en hij verloor zelfs een oog en nog steeds vocht hij beter dan de andere patrijzen. Eén keer kwam er een hond in de ring en Shahrukh Khan viel de hond aan, en bezeerde z'n neus met zijn snavel, en de hond rende hard weg. Op een dag probeerde Sardars oom met Shahrukh Khan van Charikar naar Kabul te komen. Hij onderhandelde met een vrachtrijder om hem en Shahrukh Khan daarheen te brengen. De vrachtrijder wilde hem niet meenemen. Hij had een truck vol levende kippen achterin. Dus waren Sardars oom en de chauffeur aan het harrewarren, en Sardars oom ging op de treeplank staan om tegen de chauffeur te schreeuwen, en zette Shahrukh Khan, in zijn kooi, op het dak van de truck. De chauffeur werd ontzettend kwaad en begon te rijden. De truck reed zo naar voren! – en Sardars oom liet Shahrukh Khan z'n kooi los om niet te vallen. Shahrukh Khans kooi viel achterwaarts van het dak van de truck tussen de kippen. De kippen zaten heel dicht op elkaar. Toen Shahrukh Khan later werd gevonden, was de kooi kapot en was deze harde, sterke vogel dood.'

'Door de val,' zei Kellas.

'Nee! Niet door de val. Shahrukh Khan leefde nog toen hij uit de kooi kwam. De kippen. Sardar zei dat zijn oom hem vond, overdekt met wonden van klauwen en snavels. Er waren er zoveel. Ze maakten... paniek. Shahrukh Khan was weerloos. Hij had ze allemaal kunnen doden, maar hij vocht niet eens. Hij leefde altijd in de kooi en in de ring. Dat was waar hij een vechter was. Nooit in de wereld. Daar was hij verloren.'

Astrid vroeg Mohamed tegen Sardar te zeggen dat ze zijn verhaal mooi vond, en Sardar grijnsde en een rustiger lach ging nu door de kamer.

Later stelde Kellas zijn satelliettelefoon op in de ruimte onder aan de toren en belde Londen om mee te delen dat hij de volgende dag misschien een verslag van een etmaal aan het front zou sturen. Verstrooid bedankten ze hem. Hij belde zijn ouders in Duncairn. Die waren niet thuis. Hij liet een bericht achter dat hij morgen zou bellen. Een van de mannen van de commandant vroeg of hij zijn broer in Hamburg mocht bellen, en Kellas draaide het nummer voor hem en verbond hem door. De man popelde om het gesprek te voeren, en schreeuwde in de hoorn maar sprak niet lang. Het ging over praktische aangelegenheden, dat was duidelijk. Geboorten, huwelijken, sterfgevallen en de geldkanalen. De man bedankte Kellas en verwijderde zich in het donker. Mohamed bleef aan de rand van het landje staan kijken naar de bewegende koplampen van de taliban aan de andere kant van hun linies. Kwam het ooit in hen op de lampen uit te doen en ongezien te blijven? Mohamed had een korte, dikke geleende kalasjnikov die hij in zijn vuist hield bij zijn middel, losjes, als een architect met een opgerolde plattegrond. De sterren waren weelderig en vol. Kellas voelde een aanraking op zijn schouder en Astrid stond naast hem. 'Zullen we naar boven gaan?' zei ze.

'Kijk naar de sterren,' zei Kellas.

'Ik weet hoe ze eruitzien,' zei Astrid. Ze pakte zijn hand en leidde hem in het donker naar de voet van de ladder. Ze liet zijn hand los en begon omhoog te klimmen. Het werd koud. De nacht was stil. Hij hoorde ieder kraakje van het hout waar Astrids laarzen op de sporten stapten, en daarna de bonk van elke laars op de vloer van het platform toen ze ze wegzette.

Kellas wierp een blik op de donkere, roerloze gestalte van Mohamed. Hij vroeg of hij het warm genoeg zou hebben, en Mohamed zei dat hij zich geen zorgen moest maken. Kellas klom naar het platform. Hij trok zijn laarzen uit, zette ze zorgvuldig naast elkaar vlak bij de top van de ladder, en liep naar waar Astrid stond, tegen de borstwering geleund op haar gevouwen armen. Hij legde zijn arm om haar middel, en liet zijn hand omlaag glijden. Het voelen van de zachte kromming onder zijn vingers, eindigend in de stompe punt van bot op haar heup, maakte hem blij. Astrid rilde. Ze had haar jas uitgedaan en droeg alleen een trui en een T-shirt. Hij vroeg of ze het koud had en ze zei: 'Dat is niet het enige waarom ik ril.' Ze keerde zich naar hem toe en ze zoenden lange tijd. Hij stak zijn hand in de voorkant van haar jeans en zijn vingertoppen volgden de golving waar haar buik overging in haar. Ze trok zachtjes aan zijn pols tot hij hem eruit haalde.

'Even wachten,' zei ze. 'Niet zo ongeduldig. We hebben alle tijd.'

'Weet ik wel,' zei Kellas, al was hij ongeduldig. Ze leunden samen over de borstwering, schouder aan schouder, heup tegen heup. Kellas nam Astrids hand en drukte haar tegen de harde bult in zijn jeans. Ze streelde hem een paar maal, nam haar hand weg en liet haar hoofd op zijn schouder rusten.

'Moet je die koplampen zien van de talibanauto's daarginds,' zei Astrid. 'Snap jij waarom die gasten ze niet gewoon opblazen?'

'Jawel,' zei Kellas. Een van de hoge sterren verwijderde zich van zijn gesternte en beschreef een trage boog over de hemel, flitsend terwijl hij ging. Het uitspansel was vol daarboven en niemand in Afghanistan beschikte over iets wat zo hoog kon schieten.

'Waar ging dat over, het thuis opzoeken van de armen?' zei Kellas.

'Ze vragen zich af of onze jongens...'

'Jouw jongens.'

'...mijn jongens op zoek zullen gaan naar bekeerlingen. Dat is volgens hen het enige wat Amerika kan proberen te krijgen dat het hebben waard is, de binnenkant van hun hoofd.'

'Christelijkheid.'

'Volgens mij bedoelen ze amerikaansheid.'

'Vroeger dacht ik dat dat bestond. Dat Amerika een plan van aanpak hád.'

'Ja, ik ook, maar als dat er is, dan moet je daarheen emigreren om erachter te komen. Je kunt je niet tot amerikaansheid bekeren en niet naar Amerika gaan. Wie weet laten ze je er niet eens in. Maar je moet op zijn minst willen gaan.'

'Wanneer heb jij voor het laatst seks gehad?'

'Te lang geleden,' zei Astrid, en ze duwde haar tong in zijn mond en begon zijn riem los te maken. Ze vielen op het bed, worstelend met hun kleren om huid tegen huid te liggen. De geur van het beddegoed hing om hen heen, oud, zindelijk en muf, als de geur van lakens in een buitenhuisje waar zelden in wordt over-

153

nacht. In de donkerte, waar voelen hetzelfde was als zien, aanschouwde Kellas een caleidoscoop van warme huid, koude lucht en grove katoen. Astrid was glibberig en nat toen hij haar daar aanraakte. Ze begonnen lieve woordjes te zeggen en te benoemen wat ze lekker vonden. Ze proefden elkaar en toen hij in haar kwam, wist hij dat hij altijd zou willen terugkeren naar wat hij voelde toen hij de malle nietige geluidjes hoorde die ze maakte. Het waren niet de woorden maar de vorm die ze hadden, als een sleutel van het allergoedkoopste metaal die het allerzwaarste, grootste slot opende. Hij of zij, of beiden, het telde niet, greep de dekens en deed ze opwaaien en openvouwen als een parachute, en groot, vierkant en warm neerdalen over hun naaktheid, de kou en de wereld buitensluitend terwijl zij met elkaar vreeën.

Toen Kellas later wakker werd, was het nog donker en hij voelde zich prettig en onwennig in een bed. Bijna een maand lang had hij al zijn nachten in een slaapzak doorgebracht. Hij was alleen. Naast hem lag niet het blote warme lijf waarop hij had gehoopt. Hij verhief zich op twee ellebogen om haar te zoeken. Astrid stond bij de borstwering uit te kijken naar waar de taliban waren. Ze had zich aangekleed en droeg haar jas over haar schouders. Kellas kwam uit bed en liep naakt naar haar toe. De kou was nu nijpend. Hij pakte een kant van de jas van haar schouder en wurmde zich erin. Hij vroeg hoe laat het was.

'Nog geen middernacht,' zei ze.

'Waarom ben je aangekleed?'

'Ik kon niet slapen. Misschien ga ik beneden met Mohamed praten.'

'Is er gebombardeerd?'

'Nee. Niks. Alleen de koplampen. En het mysterie.'

'Vlieg op met je mysterie. Ik riskeer m'n hachje om vanavond dit bed voor ons te krijgen, en jij en ik blijven er samen in tot de zon opkomt.'

Astrid nam zijn gezicht tussen haar handen en schudde het zachtjes. 'Ik mag je wel, met je ogen zo vol van de wereld en je domme driftjes,' zei ze. Ze liep naar het luik en begon de ladder af te dalen. Voordat hij kon vragen waar ze heen ging, was ze verdwenen. Hij hoorde haar beneden met Mohamed praten en kon niet verstaan wat ze zei. Het kostte Kellas minuten om zijn kleren en laarzen aan te trekken en toen hij Astrid probeerde te volgen schoot zijn eerste voet op de ladder de ruimte in. Even hing hij aan zijn handen. Hij herstelde zich en klauterde omlaag. Mohamed kwam naar hem toe, vroeg wat er aan de hand was. Kellas keek om zich heen en zag Astrid lopen, op weg naar de startbaan. Hij ging haar achterna, terwijl Mohamed hem zei goed op te letten. Een niet te peilen stilte hing boven de voorpost van de commandant; slaap of waakzaamheid, geen van tweeën liet het schreeuwen van Engelse woorden toe. In het licht van de sterren, teruggekaatst van de betonnen panelen van de startbaan en de taxibanen, zag Kellas Astrid voor hem uit lopen. Ze bereikte de startbaan en begon erlangs te lopen, terug zoals ze waren gekomen. Ze had zo'n dertig meter voorsprong. Een man zat gehurkt bij de rand van de baan, zijn kalasjnikov rustend in de kring van zijn armen als een herdersstaf. Zijn hoofd volgde Astrid mee, toen Kellas.

Kellas begon te rennen. Het beton was bobbelig door de tand des tijds en Astrid hoorde het krassen van zijn laarzen op het gruis dat zich er had opgehoopt. Ze keek een keer om, zag hem, strekte haar benen en stoof er met een flinke vaart vandoor. Zo renden ze tweehonderd meter, op dezelfde afstand van elkaar, zoals mededingers in een marathon aan elkaar klitten in afwachting van hun moment. De kou maakte de lucht dunner. De sterren streken tegen Kellas' huid en prikten. Als hij omkeek, dacht hij, zou hij kunnen zien dat ze donkere sporen door de sterren pletten, als kinderen die door een korenveld hollen. Hij kon niet bedenken wat hij nu tegen Astrid ging zeggen. Hij was opgehouden met denken. Er was het ruisen van koude lucht, het stampen van zijn voeten op de grond, zijn hart, de sterren, het donker en de hardloopster voor hem. Hij wist niet of hij achtervolgde of werd voorgegaan.

Astrid sneed een bocht af van de startbaan naar de plaats waar een van de vliegtuigwrakken lag. Kellas trok een sprint. Astrid keek weer om maar kon of wilde niet harder lopen, en hij haalde haar in. Ze stonden stil, oog in oog, iets van elkaar af. Ze hijgden zwaar. Kellas' hele wezen werd heftig doorstroomd van een verlangen Astrid te bezitten, haar niet alleen te bezitten maar te nemen, en pas als hij het probeerde zou hij weten of ze genomen wilde worden. Hij kon dit niet tegenhouden. Hij kwam op haar toe en ze zette het weer op een lopen, met Kellas achter zich aan. Ze snelde een doodlopende ruimte in, nog zo'n vliegtuigloods, open naar de hemel maar leeg, tot achteraan, tegen de verste muur. Hij zag in het zwakke licht dat ze zijn gezicht in het oog hield toen hij naderbij kwam. Haar gezicht sprak tot hem: ik wil zien wat je met me doet. Kellas liep op haar toe en greep de band van haar jeans met beide handen vast. Hij maakte hem los en trok broek en slip een eindje naar beneden en duwde zijn duim bij haar naar binnen. De huid van haar navel was koud toen hij ertegenaan streek en de hitte in haar verspreidde zich naar hem door zijn huid. Hij voelde haar clitoris tegen de muis van zijn hand drukken en ze zette zich af tegen de muur en begon op zijn duim te rijden. Ze zoenden, hongeriger dan eerst. Astrid was heel nat en Kellas nam zijn mond weg van de hare en hurkte neer, hield zijn arm stijf gestrekt zodat Astrid zijn duim kon neuken, stak er een vinger bij terwijl zij kronkelde en haar ademhaling luider werd, en nog een tweede vinger totdat Astrid hem eruit haalde en hij zijn pik ontblootte en ze op het kale beton gingen liggen en neukten tot ze klaarkwamen.

'Dat was nieuw,' zei hij later.

'Dat was iets nieuws,' zei Astrid.

Ze liepen terug naar de uitkijktoren, klommen de ladder op en vielen samen in slaap, borst aan borst, zijn knie tussen haar dijen, zijn hoofd gesmoord in het kussen en Astrids haar.

Hij werd plotseling wakker, alleen, zonder te weten of het schot dat wegstierf in zijn hoofd gedroomd was of echt. Het was ochtend. Hij ging rechtop zitten. Het licht buiten brandde op zijn netvlies. Het was nog steeds koud in de schaduw van het platform. Weer hoorde hij het geluid, het naargeestige, arrogante geluid van een schot, en een golf van menselijke stemmen, een kreun, of een hoeraatje. Hij trok zijn jeans en shirt aan, en liep naar de borstwering. Hij kon niemand zien, Mohamed was weg. Hij kleedde zich verder aan. Terwijl hij de ladder afdaalde, hoorde hij opnieuw het wapen afgaan.

Hij vond hen op de begane grond, op de oude taxibaan tussen de vliegtuigloodsen. Astrid stond met haar rug naar hem toe. Naast haar stond Sardar, in zijn ketelpak, en mikte met Astrids pistool op een paar granaathulzen van een zwaar kaliber, die waren opgesteld op een verroeste ton, zo'n dertig meter verderop. Een groepje strijders van de commandant, en de commandant, stonden aan weerskanten van hen. Ze hoorden Kellas aankomen en keken om. Ze grijnsden en lachten en bogen hun hoofd een beetje alsof ze verwachtten dat hij kwaad zou worden. Alsof ze verwachtten dat hij orde zou brengen in een toneel dat ze zelf niet begrepen.

Sardar kneep twee keer en het pistool ging af en schokte tegen zijn polsen. Het tweede schot raakte een van de granaathulzen. Die sprong in de lucht, viel achterwaarts op het deksel van de ton en rolde tegen de rand. Astrid riep: 'Da's één met twee, man.' Sardar liet het pistool zakken. Astrid draaide zich om en zag Kellas en lachte, hoofdschuddend. Ze keek om zich heen naar de strijders, strekte haar armen uit en knikte. 'Ik win, ja toch? Ik had er twee met twee.' Ze had haar sjaal niet meer om haar hoofd gedaan en haar pony zwaaide stralend in het hemelse morgenlicht.

De strijders lachten en schuifelden met hun voeten en keken elkaar aan, niet wetend wat ze moesten doen en waar ze hun handen moesten laten. Astrid nam het pistool van Sardar over, stopte het in de zak van haar anorak en stak haar rechterhand naar hem uit. Glimlachend en blozend, langzaam en bevreesd, bewoog hij zijn rechterhand naar de hare toe. Astrid pakte hem stevig beet en schudde hem, en Sardar trok hem terug en liet hem slap van zijn pols hangen, alsof hij niet langer bij hem hoorde. De andere strijders moesten erom lachen.

Ze wekten Mohamed, een roerloze bult in de donkere, warmzweetgeur van een van de loodsen, en zetten zich rondom het kleed, zoals de avond ervoor, om te ontbijten. Astrid vermeed Kellas' ogen. Ze sprak alleen met Mohamed en via hem met Sardar. Ze was opgewonden en spraakzaam. Haar stem was snel en onvast. Behalve Sardar, die aan zelfvertrouwen had gewonnen en Astrid dringend tot iets wilde overhalen en haar aldoor onderbrak, en Mohamed, lachten de commandant en zijn strijders nu veel minder. Er werd gefronst en ze keken meer naar hun thee en elkaar dan naar Kellas of Astrid.

Astrid hield op met praten en keek Kellas aan. 'Je bent stil,' zei ze.

'Ik weet niets meer te zeggen.'

Astrid wiegelde met haar hoofd heen en weer, blikte omlaag, vouwde een stukje brood met jam dubbel en stak het in haar mond. Ze sprak luid tegen hem met haar mond vol. 'Je ziet me niet graag met het pistool, huh?'

'Ik mag je liever zonder. "Don't ever mess with guns."'

'Als je aan Johnny Cash denkt, de regel was "Don't ever play with guns". Dat zei mijn moeder ook. Ze had gelijk. Maar dit is geen spelen. Waar denk je dat je bent? Je kunt niet net doen alsof je hier niet bent. Dat je met dit alles niks te maken hebt.'

'Ik probeer neutraal te zijn.'

'In een oorlog zijn er maar twee manieren om neutraal te zijn. De ene is er niks van weten, en de andere is er niks om geven.' Astrid stond abrupt op, sloeg haar handen af. Ze wenkte Sardar haar te volgen en boog over naar Kellas op weg naar buiten. Ze klopte op de zak waar het pistool zat en zei: 'Beroepsmatig vriendschapsbetoon.'

Kellas keek haar na, keek toen de commandant aan en legde zijn hand op zijn hart.

'Het spijt me,' zei hij. De commandant beduidde met een handgebaar dat hij zich geen zorgen hoefde te maken, sprak een paar woorden van dankzegging en streek met zijn handen over zijn gezicht. Het ontbijt was afgelopen en het gezelschap stond op en ging naar buiten. De kok en zijn hulpje kwamen, klommen naar het platform en begonnen met grote zorg het beddengoed weg te ruimen. Kellas sloeg hen een poosje gade, gekalmeerd door hun ijver en moeite. Het kostte hun tien minuten om de matrassen langs de ladder omlaag te brengen.

Astrid was aan de andere kant van de taxibaan tussen de loodsen, ze zat achter op de tank terwijl Sardar half uit de geschutskoepel stond en met een moersleutel in elke hand tegen haar gebaarde. Er zat een veeg olie op zijn voorhoofd. Kellas liep erheen.

'Hoi,' zei Astrid.

'Hoi. Spreek je nu Dari?'

'Sardar heeft een jaar in Belgrado gestudeerd. We spreken zowat evenveel Servisch.'

De auto's zouden hen pas over zes uur komen ophalen. Kellas klom naar het platform en wachtte op het begin van het bombardement. Een poosje keek hij door een oude sovjetveldkijker naar de stellingen van de taliban. Er was een kruisdraad op de lenzen uitgezet zodat een artillerist de afstand kon berekenen. Hij bestudeerde de woestijn achter de linies van de taliban. Hij zag vrachtwagens ploeteren door het stof.

Kellas wendde de kijker om naar de tank. Hij draaide aan de stelschroef tot Astrids lachende mond duidelijk en scherp in beeld was, en Sardar die gebarend met een moersleutel punten opsomde. Hij leek welbespraakt in het Servisch.

Toen Mohamed en de commandant boven op het platform kwamen, vroeg Kellas naar de trucks. Mohamed zei dat ze van de taliban waren. Kellas vroeg de commandant waarom hij er niet op schoot; waarom geen van de troepen van de Alliantie erop schoot. Mohamed vertaalde de vraag, en de commandant glimlachte ongelukkig, draaide wat heen en weer en keek uit over de borstwering. Hij droeg een brede pakulmuts en een lichtbruine deken over zijn donkergrijze sjalwar kamiez. Hij bewoog zich ongeduldig, als een klein aannemertje dat zich gedwongen ziet een vervelende, amper rendabele rotklus aan te pakken. Door de kijker kon Kellas het flappende dekzeil over de achterkant van de trucks onderscheiden, en het stuiteren van de cabines, al bokkend door de woestijn. Zonder de vergroting kropen ze als luizen over de grond.

De commandant sprak, keek Kellas pas aan toen hij uitgesproken was. Mohamed vertaalde.

'Als we tien trucks raken en vernielen, hebben de taliban er nog steeds genoeg,' zei hij.

Kellas legde de kijker neer en keek naar de tank. Sardar wenkte Astrid. Hij verdween in de geschutskoepel en Astrid klom ernaartoe, pakte een met olie besmeurde canvaszak op en bleef door het luik staan kijken. Ze tastte in de zak en gaf een stuk gereedschap door aan de rode hand die eruit kwam.

'Dat is toch niet echt een argument,' bromde Kellas tot de commandant en greep weer naar de kijker. 'Je moet érgens beginnen.'

De commandant wiebelde een beetje en stapte in en uit zijn teenslippers, terwijl Mohamed vertaalde.

'Als wij op ze schieten, schieten zij terug,' zei de commandant. 'Waarom zou ik mijn mannen eraan wagen, en u, en Mohamed, als de Amerikanen toch de oorlog voor ons gaan winnen?'

De dag begon stralend te worden. Het licht van de zanderige bodem werd schel. Kellas vroeg zich af of het nog te vroeg was om Duncairn te bellen. Zijn ouders waren matineuze mensen. Het leek erop of hij een dag zonder bommen had uitgekozen. Misschien was er een manier om de auto's vroeger te laten komen. Het was niet nodig dat Astrid bij Sardar en zijn kapotte tank bleef rondhangen.

De commandant sprak op een toon die Kellas niet eerder van hem had gehoord, met de stemverheffing van een man met verantwoordelijkheden, geërgerd door domme ondergeschikten. Het interesseerde Kellas te weten tegen wie hij sprak en hij keek om en zag dat hij het zelf was. Hij bloosde en wachtte op de vertaling van Mohamed, maar de commandant sprak een volle minuut, zijn ogen strak en groot en zijn mond snauwend, en Mohamed keek enkel naar de grond en kneep met zijn rechterduim en wijsvinger in zijn linkerduim.

'De commandant zegt dat hij met de artillerie geen goeie contacten heeft,' zei Mohamed ten slotte. 'Ze missen vaak. Hij zegt, het zou een verspilling van munitie zijn.'

'Zeg de commandant dat het in orde is,' zei Kellas. 'Ik wilde hem niet beledigen.'

'Hij is kwaad op je,' zei Mohamed. 'Hij denkt dat je hem kritiseert.'

'Zeg hem dat het me spijt,' zei Kellas.

Voordat Mohamed iets kon zeggen, begon de commandant opnieuw driftig te praten. Ten slotte schreeuwde hij en Mohamed probeerde hem te onderbreken, door zachtjes zijn mouw aan te raken. 'De commandant zegt, die trucks daarginds, die jij de talibantrucks noemt, die vervoeren nu spullen voor de taliban, maar morgen of misschien overmorgen vervoeren ze spullen voor ons. Zij zijn de chauffeurs.'

Kellas en Mohamed probeerden de commandant tot kalmte te brengen. Die hield op met schreeuwen en begon met kleine stapjes heen en weer te lopen langs de rand van de borstwering, drukte nerveus op de toetsen van zijn portofoon en mompelde wat. Kellas verliet het platform. Onder aan de ladder keek hij naar Astrid en Sardar, en zag hen gehurkt in het onkruid boven op de vliegtuigloods waar de tank was geparkeerd. Sardar wees naar iets in de verte en Astrid boog vooraver om langs zijn arm te kijken. Ze keek om en zag Kellas en wenkte hem. Hij liep ernaartoe en vond het pad omhoog waar de twee laag op de grond zaten.

'Zie je die boomstam daar?' zei Astrid. Ze wees op een brede zwelling in de bodem, bijna een kilometer naar het oosten, van zand, geschudd met stenen en struikgewas, waar een korte, dikke, takloze houten loodlijn omhoogstak uit de top van de heuvel.

'Ik zie hem,' zei Kellas.

'Sardar denkt dat hij hem met één schot kan raken. Ik zeg van niet.'

Kellas keek omlaag naar de tank. Om het open luik van de geschutskoepel lag een kring van besmeurde gereedschappen. Het hele apparaat zag eruit alsof het was opgegraven, door vuur en water was gegaan, en vervolgens decennia had liggen roesten.

'De tank doet het?' zei hij.

'Natuurlijk.'

'Niet mee klooien, Astrid. Blijf eraf.'

Astrid luisterde niet naar hem. 'Hij moet toestemming hebben van de commandant voor hij het kanon kan afvuren. Kun jij het vragen? De commandant zal naar mij niet luisteren. De commandant denkt dat jij míjn commandant bent.'

'Dat kan ik niet doen. Stel dat je iemand raakt?'

'Het is niet in onze buurt of van de taliban. Het is niemands-land.'

'Het is niet goed.'

'Behandel je vrouw zoals het hoort,' zei Astrid, en keek hem strak in de ogen. 'Hou op met doen of je hier niet bent.'

Kellas keek Sardar aan, die tegen hem lachte en knikte.

'Ben je jaloers?' zei Astrid.

'Nee,' zei Kellas.

Hij liet hen achter en ging naar de ruimte waar hij zijn satelliettelefoon had gezet. Hij nam het foedraal op en klom ermee naar het platform. Eenmaal daar werd hij aangeroepen door de commandant, luid, met een scherpte in zijn stem, alsof hij iets te zeggen had, maar toen hij Mohamed om een vertaling vroeg, haalde Mohamed zijn schouders op en zei dat de commandant hem alleen maar had begroet. Kellas stelde de telefoon op de grond op, trok de antenne eruit en zette die op een hoek van de borstwering, waar de richel breed genoeg was om hem te dragen. Hij hurkte bij de telefoon, zette hem aan en wachtte tot hij de satelliet gevonden had. Na een paar minuten kwam hij door: vier strepen. Hij pakte het handapparaat en stond op. Het snoer was lang genoeg om het te gebruiken en tegelijk zonder moeite met zijn onderarmen op de balustrade te leunen.

De commandant vroeg hoeveel het apparaat kostte, en Kellas zei dat hij dat niet wist, dat het eigendom van de krant was. Hij bood de commandant aan het te gebruiken en de commandant lachte en vroeg wie hij zou bellen. Kellas' vinger rustte op de toetsen achter op de handtelefoon maar hij toetste niet. Hij keek naar de commandant die hem had gadegeslagen.

'Mohamed,' zei hij. 'Kun je de commandant vragen of het goed is dat Sardar een paar schoten afvuurt om mijn collega... mijn vrouw te laten zien hoe het kanon werkt?'

Mohamed vertaalde. De commandant moest lachen en zei een paar woorden tot Mohamed, hief toen zijn portofoon en sprak erin. De portofoon gaf een piep en er kwam een antwoord.

Ruim een kilometer verder weg, in het zuidoosten, maakten

nog twee trucks hun moeizame oversteek door de woestijn achter de linies van de taliban.

De commandant sprak en Mohamed zei dat hij Kellas vroeg wie hij belde. Bracht hij verslag uit? Kellas zei dat hij zijn familie belde, maar voordat Mohamed kon vertalen sprak de commandant opnieuw.

'De commandant zegt: "We zijn maar gewone soldaten",' zei Mohamed. 'Hij zegt dat ze doen wat hun wordt opgedragen. Hij zegt dat hij zal doen wat je vraagt.'

Kellas draaide het nummer van zijn ouders en na een paar seconden hoorde hij de Britse beltoon. Hij keek naar de trucks in de verte. Het waren doorzetters. Wat ze ook vervoerden, het zou er komen.

Er nam iemand op.

'Hallo?' zei Kellas.

'Is dat Adam?'

'Hoi!'

'Wat lief van je om te bellen. Ik dacht net aan je,' zei zijn moeder.

De commandant sprak in zijn portofoon en een spetterende stem antwoordde in het Dari.

'Ik bel hoop ik niet te vroeg.'

'Nee, we hebben net ontbeten.'

'Is het nog donker daar?'

'Nee, de zon is op. Het ziet ernaar uit dat het een prachtige dag wordt.'

Kellas zag Astrid en Sardar zich van het dak van de loods haasten, steentjes en stof omhoogschoppend bij hun afdaling.

'Ik heb niks van jullie gehoord na die laatste mail, dus ik dacht even te bellen.'

'Ik dacht dat ik die beantwoord had.'

'Geeft niet. Hoe gaat het?'

'Uitstekend.' De ontvangst was goed. Kellas kon de lichte inspanning in zijn moeders stem horen toen ze ging zitten. Misschien was wat hij hoorde het kraken van de rieten stoel in de hal. Het had ook storing kunnen zijn. Op dat moment van de dag zou

163

het licht door het gekleurde glas rondom de deur schijnen. Het zou er lichter zijn als ze de klimop hadden gesnoeid.

'Ik kan niet lang praten,' zei hij. Hij zag dat Sardar naar iemand schreeuwde, zich toen door het luik van de geschutskoepel liet glijden en even later Astrid zich er na hem in liet zakken.

'Weet ik,' zei zijn moeder. 'Maar ik moet wel zeggen dat ik een beetje boos op je was de laatste keer dat je belde en opeens ophing.'

'Sorry,' zei Kellas. 'Ik moest afbreken.'

'Doe het deze keer niet, alsjeblieft. Hoe is het met je?'

'Goed. Het is hier heel rustig.'

Een jongen, een jochie, schoot uit de hoek van Kellas' blikveld, sprong op de voorkant van de tank en gleed in een ander luik.

'Gisteravond hadden we onze vredeswake,' zei Kellas' moeder. 'We waren met z'n tienen of twaalven op het plein, met kaarsen.'

'Goed zo,' zei Kellas.

'Een heleboel mensen bleven staan om dingen te vragen, dus dat was fijn.'

'Geweldig.'

Een brullen van een machtige machinerie bracht de lucht in beweging. De tank liet een scheet zwarte rook en kantelde iets naar achteren, toen naar voren. Een van de redenen waarom Kellas hem had afgeschreven was de manier waarop hij geparkeerd was, met het kanon naar de muur, ingeklemd tussen betonplaten, zodat hij niet op de taliban gericht kon worden zonder heel veel trage manoeuvres. Maar de tank was geen limousine. Het was een Russische tank, oud en wendbaar. Hij schokte achterwaarts uit zijn parkeervak, dampen hoestend en knarsend met elk wiel en elke schakel van de rupsband. Het hoofd van de bestuurder stak uit een luik aan de voorkant. Hij keek kalm en geconcentreerd. Hij bracht de tank in het spoor van een aarden helling die van de vliegtuigloodsen omhoogliep onder een hoek van 45 graden.

'Wat was dat voor geluid?' vroeg Kellas' moeder.

'Een rijdende tank.'

164

'Een tank! Waar zít je?'

Kellas schoot in de lach. 'Wees niet bang. Ze oefenen alleen.' Hij beduidde Mohamed hem de kijker aan te geven. De commandant keek naar hem en grijnsde en knikte met zijn hoofd. Hij stak zijn duimen omhoog tegen Kellas, en Kellas maakte hetzelfde gebaar en nam de kijker uit Mohameds hand.

'Hoe staat de tuin erbij?' vroeg Kellas. Hij zette de kijker op zijn neusrug en keek naar de boomstam. Met de vergroting kon hij zien dat de rest van de oorspronkelijke boom in het verleden was afgerukt door een explosie.

'Och, het is november. Niet de beste tijd van het jaar voor de tuin, hè. Het is bladeren harken. Dat is het. Compost. Je hebt 's winters wel een beter uitzicht over de monding.'

De tankbestuurder keerde het verroeste gevaarte met de logge glijdende gratie van een curlingsteen, en slingerde hem toen tegen de helling op. De tank botste tegen de onderkant van de helling, steigerde, liet een halve meter lucht zien, stuiterde terug, slipte, brulde van nog grotere woede, kreeg grip op de grond, schoot over het aarden talud omhoog en stopte met zijn koepel boven de top van de loodsen.

'Moet je horen, mam, er komen misschien een paar klappen,' zei Kellas. 'Niet schrikken, het is maar een schietoefening.'

'O god,' zei zijn moeder, met een geveinsd nerveus lachje dat nerveus wás. 'Waar zei je precies dat je zat?'

'Wacht even,' zei Kellas. Hij stelde scherper op de boomstam. De portofoon van de commandant knetterde en de commandant sprak er een paar woorden in.

Met een zware knal die ieders borstbeen deed rammelen, loste het grote kanon van de tank een schot.

'Hoor je dat?' zei Kellas in de stille seconden terwijl de granaat vloog.

'Ja!'

'Op een vliegveld,' zei Kellas.

'Een vliegveld?'

'Dat is raar.'

'Wat is er aan de hand?'

'Hij zit er kílometers naast.' Door de kijker zag Kellas meer dan honderd meter aan weerskanten van de boom en er was geen teken van een landende granaat. Toch hoorde hij de dreun in de verte die op een inslag duidde, en gejuich van de strijders van de commandant beneden. Hij haalde de kijker voor zijn ogen weg en zag de rook van de explosie zwart de lucht in waaien, anderhalve kilometer verder, halverwege tussen de twee trucks.

'Mohamed, wel godverdomme!' schreeuwde Kellas.

'Rustig maar, hij gaat nog eens vuren!' zei Mohamed.

'Wat gebeurt er?' zei Kellas' moeder. Kellas' mond was volkomen droog. Er was een te breed veld om te overzien. De tank, de rook, de trucks, de boomstam, de commandant, Mohamed.

'Er zitten godverdomme ménsen in die trucks!' schreeuwde Kellas. 'Hij had dáárheen moeten schieten.'

'Wat gebeurt er?' zei Kellas' moeder.

'Ik moet nu gaan ophangen,' zei Kellas.

'Adam, dat was wat je wou,' zei Mohamed. 'Jij wou dat de commandant op die talibantrucks vuurde. Jij vroeg om die granaat af te vuren.'

De commandant zei vlug iets. Hij keek zelfverzekerd. 'De commandant zei: "Dit keer raakt hij er een."'

'Zeg dat ie ophoudt!' schreeuwde Kellas.

'Waarom? Zij zijn de vijand. Jij vroeg erom.'

'Adam, ik wil weten wat er aan de hand is. Ik maak me grote zorgen,' zei zijn moeder.

'Niks aan de hand,' zei Kellas.

'Je klinkt bezorgd.'

'Er is niks aan de hand. De tankbestuurder heeft een vergissing gemaakt maar hij miste.'

'Ik hoorde je zeggen dat er mensen in de truck zaten.'

'Hij heeft ze gemist mam, het ging goed. Alles gaat goed. Het spijt me maar ik moet echt ophangen.'

Voor hij de hoorn kon terugleggen, vuurde de tank opnieuw. Kellas zag hem schommelen op zijn vering. Zijn moeder zei iets en toen de granaat insloeg, juichten de moedjahedien opnieuw en riepen Mohamed en de commandant iets als de Arabische lof van God. Ditmaal woei de rook niet weg. Een bron waaruit zwarte rook bleef wolken was in de woestijn ontstaan. Kellas telde de trucks. Eén bewoog nog. De andere was er niet. De granaat had een van de trucks geraakt en in brand gestoken. Kellas vloekte. Hij zag het koepelluik van de tank opengaan en Astrid zich langzaam naar buiten hijsen. Al haar energie was uit haar weggezakt en haar gezicht was spierwit. Ze keek even op naar het platform en ging op weg ernaartoe met omlaaghangend hoofd.

De commandant schreeuwde en lachte en zei iets tegen Mohamed terwijl zijn ogen naar Kellas flitsten.

'Adam!' zei Mohamed. 'De commandant zegt: "Twee voor één! Kijk!'

'Adam, zeg wat er gebeurt,' zei Kellas' moeder. 'Ik hoorde daarnet wéér een knal. Is alles goed met iedereen? Wat is er gebeurd met de mensen in de truck?'

''t Is in orde,' zei Kellas. 'Er was een ongeluk maar 't is in orde, ze zijn eruit.'

Hij hief de kijker. Nu kon hij zien dat de twee stippen in brand stonden. Het waren mannen in vuur en vlam, brandend als kaarsen. Een van de mannen lag op de grond, roerloos nu. Het zag eruit alsof hij al dood en verschroeid was. De andere rende nog, de rookslierten die van hem af kwamen verstrengelden zich met tongen van vuur. Kellas kon geen gelaatstrekken onderscheiden, alleen de zwarte staken van zijn lichaam en ledematen en hoofd. De overlevende vocht nog een ogenblik, viel op zijn knieën, zakte toen in elkaar en bewoog niet meer. Die twee moesten het hebben uitgeschreeuwd toen ze in lichterlaaie uit de brandende truck renden en hun huid werd afgebrand, maar op deze afstand was dat onmogelijk te horen. Het speelde zich af in stilte, helder en snel. Kellas hoorde de kijker op de vloer van het platform vallen toen hij uit zijn natte hand was gegleden.

'Adam?'

'Ik ben er nog, mam.'

'Alles goed met je?'

'Ja, alles goed. Het gaat niet om mij.'

'Wie dan? Met wie is het niet goed?'

'Er was een vergissing.'

'Geen vergissing!' riep Mohamed. 'Taliban!'

'Adam, wil je me alsjeblieft vertellen wat er gaande is. Ik weet dat je 't niet wilt.'

'De mannen in de truck.'

'Komt het goed met ze?'

'Nee. Het komt niet goed met ze.'

'Zijn ze dood?'

'Het spijt me, mam. Het waren taliban.'

'Adam! Twee met één!'

'Het spijt me, mam.'

Een van de lichamen brandde nog steeds. Een man z'n vet was zijn eigen pit.

'Waren het mensen die je kende?' Zijn moeders stem trilde.

'Nee. Het waren gewoon mensen, arme stakkers, taliban, mam, mensen die helaas nu net gestorven zijn.'

Er klonk geritsel over de intercom en alle films bevroren. 'Dames en heren,' meldde het hoofd van het cabinepersoneel. 'Wij zetten nu onze afdaling in naar New York.'

8

De douanebeambte vond het oude Afghaanse visum in Kellas'
paspoort en vroeg waarom hij daar geweest was. Kellas zei dat hij
de oorlog had verslagen voor zijn krant.

'Welke oorlog?' vroeg de douanier.

'Uw oorlog,' zei Kellas.

'Mijn oorlog?'

'Niet van u persoonlijk. De oorlog van Amerika. Na, u weet
wel. De...' Hij hield zijn linkerhand verticaal omhoog, zijwaarts
naar de douanier, en duwde er zachtjes zijn horizontale rechterhand tegenaan.

De ogen van de douanier vernauwden zich. Hij sloeg het paspoort dicht. In plaats van het terug te geven stond hij op en wap-
perde er vlug mee heen en weer, als een natte afdruk, om zich
heen kijkend naar de hokjes en rijen in de hal, alsof hij daar iets
zou zien wat hem kon helpen. Hij schudde zijn hoofd, legde het
paspoort neer, stempelde het af en gaf het aan Kellas. Hij hield
zijn linkerhand verticaal omhoog, zijwaarts tegen Kellas, en duwde er zijn rechterhand horizontaal zachtjes tegenaan.

'Ik zou dat niet meer doen zolang u hier bent,' zei hij. 'Veel
plezier bij uw verblijf.'

Kellas betrad de Verenigde Staten. Hij haalde driehonderd
dollar uit een geldautomaat, kocht een *New York Times* en liep de
deur uit naar de taxistandplaats. De koude lucht fouilleerde hem
en hij deed zijn jasje dicht en zette de kraag omhoog en drukte
het dikke pak van zijn *Times* tegen zijn borst. Hij moest winterkleren hebben. Goed dat hij rijk was aangekomen, en niet als een
arme immigrant. Goed dat de mensen in Europa hem bijna twee
jaar salaris betaalden voor zijn werk waarin een toekomstige oor-

log werd verbeeld tussen deze kant van de Atlantische Oceaan en de hunne. Hij stapte in een taxi en vroeg naar 19th Street en Park Avenue South.

Het was te warm in de auto, en donker in de diepe, zwarte stoelen, het tussenschot omhoog voor zijn gezicht. De hemel was peilloos grijs. Ze waren snel op de autowegen door Queens en raakten in de file bij het naderen van de brug. De gore geschilderde houten latten op de achterkanten van de huisjes langs de weg, de hordeuren, de smerige bermen, het remlicht dat voorin knalrood opvlamde onder een zilveren 'Cadillac'-embleem, wekte in Kellas onvermengbare gewaarwordingen van het vreemde en het vertrouwde. Hij onderging de enige ervaring die een in de vs geboren Amerikaan nooit zou kunnen hebben. Hun films en tv en liedjes waren voor hen een nepversie van het enige echte, en dat wisten ze. Ze groeiden op met allebei. Voor buitenlanders die hier aankwamen, was Amerika een moeilijker te geloven mirakel, oneindig veel wonderbaarlijker: een echte versie van notoire nep. Het was een inspectie van de legende die voor hun ogen werd afgespeeld in twee elektrische, contrastrijke dimensies, van de mythe die noot voor noot hun oren vulde, al van voordat het hun heugde. Wat een klank! Wat een aanblik! Als een met de telelens gemaakt paparazzikiekje van Jezus op het strand, fletser, kwabbiger, kleiner, met minder heilige ogen dan op de beelden, verpletterend echt. Hier was het, bekend, herkenbaar, en zoveel bultiger, korreliger en rommeliger dan de geëxporteerde liedjes en verhalen, en onmogelijk zomaar te haten of te beminnen; met zijn onaffe gedeelten, en zijn brede banen van saaiheid, en zijn onmetelijke vlakten van kalmpjes-zijn-gangetje-gaan, en gedeelten van een woestheid of schoonheid of eigenheid tot op het atoom, die zich niet lieten vernationalgeographiceren en verkopen aan het buitenland. Die eerste minuut in Amerika is de minuut van de Europese rilling, wanneer de geuren van Amerika voor het eerst worden opgesnoven en het besef doordringt dat Amerika geen uitzondering is op de ijzeren regel dat elk land, van buitenaf gezien, zichzelf lijkt te kennen, en dat geen enkel land, van binnenuit gezien, dat ooit doet.

'Deze tijd van de dag is het meestal rustig,' zei de chauffeur. Ze stonden stil. 'Het is anders nooit zo.'

'Misschien heeft er iemand pech.'

'Wablief?'

'Ik zei, misschien heeft er iemand pech!'

'Ja, zou kunnen. Het heeft denk ik te maken met de uitverkoop. Iedereen komt hier voor de winkels.'

'Ik moet een jas hebben.'

'Die heb je hier ook nodig, meneer. Is dat de reden waarom u hier bent, de winkels?'

'Ik ga iemand opzoeken.'

'Een vrouwelijke kennis?'

'Ja, een vrouwelijke kennis.'

'Waar woont u, als ik vragen mag? Londen?'

'Ja.' Kellas keek naar het naamplaatje van de chauffeur. Hij heete Vitaly Morgunov.

'Ze moet wel bijzonder zijn als u van zo ver komt.' Toen Kellas geen antwoord gaf, keek de chauffeur hem aan in de binnenspiegel, en sprak weer. 'Heeft u op het internet kennisgemaakt?'

'Nee.'

'Want datingsites op het internet is één grote zwendel. Vriend van me, hij betaalt dertig dollar voor brieven in het Engels van een beeldschoon meisje in de Tsjechische Republiek. Het was vanwege haar foto op het internet. Dan komt ie erachter dat ze dezelfde brieven stuurt naar duizenden jongens overal in Amerika en Europa. En ze schreef ze geeneens zelf, én ze is niet mooi. Ik weet geeneens of dat het wel een meisje wás.'

Achter hen werd getoeterd en de chauffeur trok op. Kellas pakte de *Times* op en begon de katernen door te werken. Het aantal moorden in New York was in 2002 gedaald, vergeleken bij 2001. Om precies te zijn: tot en met half november waren er 503 mensen vermoord. De doden in het WTC werden niet meegenomen in het totaal van vorig jaar. Dat was niet hetzelfde, dat moest tellen als van een nobeler categorie, niet als een gewone moord. Zes mensen waren in het weekend omgebracht, van wie er een in de Bronx was doodgeschoten nadat hij had geweigerd zijn lcren jasje af te geven. Inspecteurs van de Verenigde Naties in Irak vermoedden dat de vs en Engeland hun niet alles vertelden wat ze wisten over de geheime wapenprojecten van Irak. De *Times* citeerde uit een verhaal in zijn Londense naamgenoot, waarin werd beweerd dat Saddam Hoessein honderden Iraakse kopstukken had bevolen onderdelen van massavernietigingswapens in hun eigen huizen te verbergen. In Australië zei de premier dat hij vóór het aanvallen van landen was die terroristen herbergden voordat de terroristen zich blootgaven. In Koeweit zei de minister van Buitenlandse Zaken dat er een verandering van regime in Irak moest komen om Irak weer overeind te helpen. In Israel, bij de begrafenis van twee jongens die waren omgekomen bij een zelfmoordaanslag op een hotel in Kenia, zei een van de nabestaanden: 'Je kunt nog beter oorlog hebben. Wat we nu hebben is erger.' De *Times* had het uitgekozen als het citaat van de dag. Een winkelende vrouw die uit Rockefeller Center kwam, zei zich gedupeerd te voelen omdat de kasjmiertruien bij J. Crew in de uitverkoop niet waren afgeprijsd; hoewel, bij de Banana Republic waren nog goeie koopjes te halen. Topartikel bij Sharper Image was een luchtverfrisser voor 249,95 dollar, met de tweede tegen halve prijs en een gratis derde voor in de wc.

De ouders van buschauffeur Robert Mickens werden geïnterviewd. Ze zeiden dat ze hem al eerder hadden gewaarschuwd vanwege zijn talibangrappen. Mickens had vijf jaar lang een Greyhoundbus bestuurd tussen Philadelphia en New York. Daarvóór had hij bij de plantsoenendienst in Brooklyn gewerkt. Die zaterdag reed hij met dertig passagiers naar New York, toen hij in druk verkeer belandde op de tolweg van New Jersey en dat probeerde te ontlopen via een doorsteek bij Hightstown. Hij zei de passagiers niet wat hij ging doen, en toen ze door de hun onbekende plaatsjes Manapalan en Freehold reden, begonnen de passagiers uiting te geven aan hun ongerustheid. Toen ze Marlboro binnenreden, terwijl de passagiers van hem wilden weten waar hij heen ging, verloor Mickens zijn geduld en riep: 'We gaan naar de taliban, wind u maar niet op.' De passagiers gebruikten hun mobieltjes om de politie te bellen. Enkele minuten later werd de

bus klemgereden en tot stoppen gedwongen door een dozijn po-
litiewagens. Mickens werd onder bedreiging met een vuurwapen
uit de bus gehaald en in de boeien geslagen wegens verstoring
van de openbare orde.

Kellas keek door het glas naar het zoekende gezicht van een
meisje met een rode sjaal, dat het groene neonkruis in de etalage
van een apotheek passeerde, en een dikke man met een alpinopet-
je en twee aangelijnde chihuahua's. Hij las fragmenten van liedjes op de kruispunten, in witte letters, gedrukt op groene borden waar Delancey Street uitkwam op Clinton Street. Zijn geest
hapte naar levens die hij niet bereiken kon. Hij had zelfs liever
in het lied van Leonard Cohen gezeten, waar er muziek was in
Clinton Street, de hele avond lang. Het was koud in New York,
zong Cohen, maar hij hield van de plaats waar hij woonde. Er
was warmte in dat lied. De held was zijn vrouw kwijtgeraakt aan
de horse en een vriend, en hij vergaf het de vriend en hij vergaf
het zijn vrouw. De song was vol van vriendschap, spijt en hunkering. Van alle personages in de song benijdde Kellas de hero-
ine nog het meest. Dat er zo naar je werd gehunkerd! Hunkering
was het soort bres in Astrids eenzelvigheid die breed genoeg was
om hem door te laten, en op dat beroerde hotelhokje had hij de
avond tevoren de bres zien opengaan op het scherm van zijn net-
mail, toen hij er het meest naar had verlangd te kunnen geloven
dat er naar hém werd gehunkerd. Dat was de gekte geweest van
belediging en gebroken glas en duisternis en het verlangen om te
ontsnappen. De eerste vlaag van ijskoude Amerikaanse wind bij
het openschuiven van de terminaldeuren had de zwakte van zijn
verwachtingen blootgelegd.

Het was nog maar een paar blokken naar de uitgeverij, meende
hij te weten. Hij zou zijn toevlucht zoeken in de deal. In geld was
vertroosting te vinden. Hij had Astrids postadres. Hij zou een
auto huren en erheen rijden. Wat behoorlijke kleren aanschaffen, zodat ze kon zien dat het hem goed ging. Een jas van zwarte
lamsvacht en een paar mooie Italiaanse laarzen. Dan zou ze zien
dat hij niets had om zich zorgen over te maken behalve haar. Hij
zou haar vertellen wat er bij de Cunnery's was gebeurd. Je kon

het laten klinken als een voorval in de biografie van een beroemde dode schrijver, zo'n gruwelstuk van egoïsme en razernij dat later zo'n element van hun genialiteit lijkt, en daarmee ook een opstekertje voor de consumenten van biografieën, met hun eigen bedeesde braafheid en hun eigen gore, geheime vergrijpen. Kellas kon het zich permitteren bebloed in Chincoteague aan te komen, maar niet armoeiig. Hij haalde de pen en de pagina van zijn manuscript voor de dag en maakte rekensommetjes op een open plek. Hij had nu geen geld; ja, hij stond zelfs rood, en aangezien hij bij *The Citizen* was opgestapt, zou er ook geen salaris meer bij komen. Zodra hij het contract voor *Rogue Eagle Rising* had getekend, zou hij twee derde van het voorschot krijgen, zo'n 66.000 pond. Minus het percentage voor de agent, minus de belasting, zou hij waarschijnlijk 35.000 pond overhouden. Daarvan afgetrokken de 5000 die hij net had uitgegeven aan een vlucht van zes uur over de Atlantisch Oceaan. Als Liam Cunnery zijn blanco cheque inde, kon hij nog eens 5000 kwijt zijn. Hoe makkelijk was het geweest in één etmaal 10.000 pond uit te geven, met het vernielen van spullen, schreeuwen, champagne drinken, vrouwen achtervolgen en slapen. Mooie rijke patser zou hij zijn.

Kellas betaalde Vitaly Morgunov met een poenige fooi en duwde zich door een stroeve draaideur, waarvan de zware glazen panelen waren omlijst door dikke strips van dof geworden messing, naar de hal van het gebouw waar Karpaty Knox drie verdiepingen bezette. De hal was warm en licht, en was met bleke steen belegd. Op weg naar de liften begon Kellas te glimlachen. Het gemak van de omgang met boekenvolk; een organisatie wachtte op hem. Ook al verachtte hij het boek dat hij geschreven had, hij ontleende steun aan het vooruitzicht hun verplichte complimenten in ontvangst te nemen.

Een scherpe stem sneed door de stilte en de prettige geur in de hal en riep: 'Meneer!' De man riep nog eens, en Kellas keek om. Hij zag dat een veiligheidsbewaker in een koffie-en-chocoladekleurig uniform en met een blikken adelaar voor op zijn pet, van zijn bureau was opgestaan en naar hem toe kwam. Hij had een klembord bij zich. Hij vroeg Kellas naar zijn naam. Kellas noemde die. De bewaker liep met zijn wijsvinger een namenlijst op het klembord na, vond Kellas niet, sloeg een bladzij om, en vond hem halverwege.

'Kellas, Adam?' zei hij, Kellas aankijkend.

'Ja.'

'U staat hier genoteerd voor Madeleine Baker-Koontz.'

'Een van de redacteuren, ja.'

'Kunt u met me meekomen, meneer?' De bewaker streepte Kellas' naam van de lijst en ging hem voor naar het bureau. In plaats van te blijven staan legde hij het klembord neer en liep door naar de straat. Hij keek achterom om zich ervan te verzekeren dat Kellas hem volgde. Hij bleef op de stoep staan met de handen in zijn zij en wachtte tot Kellas naar buiten kwam. Kellas zette de kraag van zijn jasje op. Hij had de krant in de taxi laten liggen. Hij begon te rillen van de kou. De diepe toeter van een vrachtwagen klonk van een blok verderop en een medley van autoclaxons antwoordde. Twee mannen in overalls, handschoenen en mutsen tilden kratten met flesjes bier uit een geparkeerde bestelwagen en stapelden ze buiten voor een restaurant naast het gebouw van Karpaty-Knox. De bewaker boog naar voren, legde zijn hand op Kellas' schouder en verhief zijn stem om zich verstaanbaar te kunnen maken boven de herrie van de rammelende flessen. 'Als u naar de cafetaria aan de overkant zou willen gaan, daarzo...' Hij wees naar een rood verlicht uithangbord, 'neemt u dan koffie en wacht, mevrouw Baker-Koontz komt zo dadelijk bij u.'

Voordat Kellas het eerste woord van zijn eerste vraag had kunnen afmaken, had de bewaker, met uitgestrekte handen en zijn kin omhoog, hem tot zwijgen gebracht. 'Meneer – meneer – meneer – alstublieft. Dit zijn de instructies die we hebben gekregen. Meer informatie heb ik niet, en ik mag u niet in de hal laten wachten. Nee, mevrouw Baker-Koontz is niet in het gebouw. Alstublieft. Meneer. Alstublieft.' Zijn hand op de schouder; een lichte druk, nu. 'Als u zo goed zou willen zijn naar de cafetaria te gaan en koffie te bestellen, of thee, wat dan ook, dan komt mevrouw Baker-Koontz naar u toe. Meer mag ik u niet zeggen. Het is in orde, alles is in orde. Gaat u nu, meneer, alstublieft.'

Kellas stak de straat over naar de cafetaria, vond een leeg tafeltje en bestelde koffie. Hij klemde zijn handen om de glanzend witte zijkant van de dikke porseleinen mok. Hij had meer behoefte aan de warmte dan aan de koffie.

Met een zware klap belandde er iets op Kellas' tafel. Het was een gele gewatteerde envelop. Een vrouw van in de veertig, breed, zwaargeboezemd en kwiek, had hem daar laten vallen. Ze deed nu haar tas, jas en sjaal af, en stond ondertussen naar Kellas te kijken alsof hij heel goed wist wat er aan de hand was, en zij benieuwd was van hem te horen hoe dat zijn schuld had kunnen zijn. Er was medelijden in haar ogen, en boosheid. Ze controleerde zijn naam, stelde zich voor als Madeleine Baker-Koontz en gaf hem een hand toen hij opstond. Ze gingen tegenover elkaar zitten. Het leek haar moeite te kosten een masker van wellevendheid over haar gezicht te trekken. Ze lachte geforceerd, pakte de spijskaart op, sloeg hem dicht en legde hem neer.

'U hebt toch geen haast hè?' vroeg ze.

'Nee. U wel?'

'Nee!' Ze schoot in de lach. De mededeling dat zij geen haast had vervulde Kellas van een redeloze vrees, het soort dat ontstaat uit banale, onschuldige woorden in de laatste angstdromen voor de zon opkomt.

'We kennen elkaar niet,' zei Baker-Koontz. 'We hebben e-mails uitgewisseld.'

'Over een promotiereis. Volgend jaar.'

'Precies.' Ze knikte en lachte weer. Het was niet alleen dat ze dit grappig vond, ook voor haar was het hilarisch dat dingen die ze vroeger serieus had genomen in grappen waren veranderd. Ze was high van de ironie. 'Nou, ik zit hier om u te vertellen dat het niet doorgaat.'

'De reis.'

'Niet alleen de reis. We gaan uw boek niet uitgeven. Ik zou...'

'In Amerika?'

'Nergens. Niet in Frankrijk, Engeland, Amerika – we geven uw boek niet uit, punt. Ik zou "zij" moeten zeggen, niet "wij".

Ik werk niet meer voor Karpaty Knox. Ik ben er een paar uur geleden opgestapt. Dus ik zou dit eigenlijk niet mogen doen, met u afspreken, u het slechte nieuws vertellen. Het is mijn werk niet. Maar ik dacht, arme kerel, hij komt helemaal uit Londen naar New York City vliegen, hij komt zo van het vliegtuig naar de zaak en niemand die hem iets gaat zeggen.'

'Dank voor uw deernis.'

Baker-Koontz schoot weer in de lach. Kellas besefte dat hij net zijn tanden had gebruikt om een reepje huid van zijn onderlip te trekken, waar die opgezwollen en hard was geworden in de kou op straat. 'Ze zeiden: "Best, ga je gang, maar doe het buiten." Ik moest wel eerst mijn bureau leegmaken.' Ze keek Kellas nieuwsgierig aan. 'U neemt dit nog goed op. U bent geen jankpot.' Kellas schudde zijn hoofd. 'Weet u, dit zou allemaal veel makkelijker zijn geweest als u vandaag naar uw e-mails had gekeken, of de telefoon had opgenomen. Ik heb u de laatste paar uur aldoor gebeld. Waarvoor hebt u een mobiel, als u hem niet aanzet?'

'Ik heb nog steeds...' Kellas schraapte zijn keel en begon opnieuw. 'Ik leef nog steeds in deze wereld zonder.'

'Kijk mij er niet op aan, Adam. Ik mag wel Adam zeggen, hè? Ik heb een lang gesprek gehad met je agent. Die was nogal geschrokken. Ze maakte zich zorgen over je. Ze begreep niet waarom je hierheen kwam.'

'Zei ze iets over een etentje gisteravond?'

Baker-Koontz schudde haar hoofd en vertelde Kellas dat ze 's nachts om half drie was gebeld door een vriend bij de Éditions Perombelon in Parijs, die zei dat het bedrijf, mét alle buitenlandse dochterbedrijven, waaronder Karpaty Knox, was overgenomen door een Frans conglomeraat, DDG genaamd. 'Heb ik nog nooit van gehoord, jij wel? ' zei ze. 'Blijkbaar zijn ze gigantisch. Ze maken kernreactoren en yoghurt. Ze zagen een synergie.' De hoofddirecteur van DDG, Luc Vichinsqij, afgestudeerd aan een van de *grandes écoles* en Harvard, had die ochtend om acht uur in Parijs een persconferentie gegeven, was even langsgegaan bij de burelen van Perombelon, op een vliegtuig gestapt en naar New York gevlogen. Om twaalf uur, de kin glad en de ogen

177

helder, zonder één kreukel in zijn zwarte pak, met een saffieren dasspeld in zijn metallic roze das, geurend naar sandelhout, was hij bij Karpaty Knox verschenen om kennis te maken met de medewerkers, en er persoonlijk drie van te ontslaan.

'Onder wie u,' zei Kellas.

'Nee, dat zei ik al, ik ben opgestapt. Ik ben opgestapt toen Luc ons meedeelde dat het bedrijf het contract met jou niet zou ondertekenen. Ik had mijn baan kunnen houden. Ja, ik had waarschijnlijk zelfs promotie gekregen. Maar ik vroeg ernaar. Ik zei: "Wat doen we met dat boek van Kellas?" – omdat ik je Engelstalige redacteur zou zijn, en ik wist dat hij die kerel in Parijs al had weggewerkt, van wie we het zo nodig moesten kopen. Je weet wel, die ouwe Didier. En Luc zei: "We zitten nu niet te wachten op weer van dat anti-Amerikaanse geleuter." En op dat moment wist ik dat ik zou moeten opstappen. Want ik had echt heel erg de pest aan je boek, en ik had nooit het lef gehad om dat te zeggen. Ik ben liberaal, en ik ben niet blij met veel van wat dit land doet, maar toen ik jouw roman las, was dat precies wat ik dacht. Alwéér van dat anti-Amerikaanse geleuter.' Baker-Koontz zweeg even en keek Kellas aandachtig aan, alsof ze wachtte op zijn reactie. Kellas kon te veel kanten op. Hij kon niet kiezen en hij kon niet spreken. Hij voelde zich gewichtloos, losgesneden van de zekerheid waarin de zwaartekracht voorziet, en tegelijkertijd vulde zijn borstkas zich met een kloppen en een bonzen, golven van een verdovende kracht, als de eerste seconden van een algehele narcose. Baker-Koontz hernam haar verhaal. 'Toen ik die fransoos hardop hoorde zeggen waar ik zelf te bang voor was geweest, begon ik mezelf te verachten. Ik schaamde me. Het is nu maandag. Als je hier vrijdag was gekomen, had je het contract getekend, en je voorschot gekregen, en was ik met je gaan lunchen en had ik je vierkant voorgelogen. Ik had gezegd hoe enthousiast ik was, hoe enthousiast we allemaal waren, wat een eer, wat een voorrecht, het hele valse prevelement. Te weerzinwekkend om aan te denken. Ik moest er weg en mijn gedachten verzamelen.'

'Dat zal u zwaar zijn gevallen.'

Baker-Koontz schoot weer in de lach. 'Ik bedoel, wat had je

178

dan gedacht? De as op Ground Zero is amper koud en jij komt in Manhattan aanzetten met een ziek sprookje over Amerikanen die Arabieren afslachten en vuurgevechten hebben met bobby's op Engelse landweggetjes?'

'Iraniërs, geen Arabieren.'

'Wat dan ook. Jezus. Enfin, 't is voorbij. Hier, ik heb mijn exemplaar van het manuscript meegebracht. Probeer het te recyclen. *Rogue Eagle Rising...*' – ze vormde aanhalingstekens in de lucht – is rotzooi. Al had je er maar één sympathiek Amerikaans personage in gedaan! Eén personage met meer diepgang en inhoud dan een Post-it-geeltje! Je dacht dat je op de hurken ging voor het grote publiek, maar het grote publiek is slimmer dan jij. Een of twee van de Europeanen vertonen een spoortje waarachtigheid, maar met de Amerikaanse personages is het of je elk vlámmetje van menselijkheid of sympathie dat je maar zag expres hebt uitgeknepen. Zelfs de goeien zijn klojo's. Stuitende, opgeblazen, humorloze kinkels. Ik heb het nog eens doorgelezen om dat te controleren, omdat ik het zelf niet kon geloven, maar het is zo. Er komt geen enkel humoristisch woord uit de mond van een Amerikaans personage in je boek. Niet één grappig woord. Amerikanen zijn niet zo, Adam. We zijn grappig!' Ze lachte, ontmoette een tel zijn ogen en wendde de hare toen af en sloeg ze neer, alsof ze haar gelach meedeelde aan iemand anders die er niet was. 'Schrijf wat je wilt over ons, maar je moet nooit ons gevoel voor droge humor vergeten. Je kunt niet de wereld bestormen en verwachten dat je je oppervlakkige culturele stereotypes kunt slijten aan dezelfde mensen die je stereotypeert. Het werkt niet. Je moet dat niet doen.'

'Vindt u wel een andere baan?' zei Kellas. Een angstigheid kwam in hem op dat Baker Koontz zou opstaan en vertrekken. Hij wilde dat ze bleef. Alleen-zijn was erger dan verketterd worden.

Baker-Koontz haalde haar schouders op en sloeg haar armen strak over haar boezem. 'Ik was al in gesprek met Corriman voor dit gebeurde,' zei ze. 'Daar zouden vacatures kunnen zijn.'

'Corriman. Die doen een boek van een vriend van me. *The Book of Form.*'

'Mijn god, jij ként Patrick M'Gurgan?' Baker-Koontz zette haar handen tegen de rand van de tafel en boog voorover alsof ze op het punt stond Kellas te bespringen en in zijn kin te bijten. Haar ogen waren groot.

'Hij is mijn beste vriend. We hebben samen op school gezeten.'

'Ik was zó weg van dat boek.' Baker-Koontz drukte haar hand tegen haar hart en schudde met haar hoofd. 'O. God. Ik was er verrúkt van.' Ze leek moeite te hebben met ademhalen.

'Ik zag hem gisteren nog aan dat diner. Daar heb ik dit opgelopen.' Kellas stak zijn linkerarm op. De manchet van zijn jasje gleed achteruit en ontblootte het verband. De schoonmaker op Heathrow had zich voortreffelijk van zijn taak gekweten. De zwachtel zat nog steeds stevig op zijn plaats en er was geen teken dat er bloed was doorgelekt.

'Heb je gevóchten met Patrick M'Gurgan?' vroeg Baker-Koontz.

'Precies,' zei Kellas. 'Ik ging tekeer tegen Amerika bij een elitair etentje en hij stond op en zei dat hij er niet tegen kon het land van de vrijheid nog langer te horen beledigen.'

Baker-Koontz keek hem even nauwlettend aan zonder te bewegen. Ze zei: 'Denk je nu echt dat ik niet weet dat je me zit te vernachelen? Ja toch? Je denkt toch niet dat we niet weten wat vernachelen is. Meneer Kellas, wij hebben het vernachelen uitgevonden.'

'Ik kreeg een flink pak rammel.'

Ze had haar jas dichtgeknoopt, haar tas gepakt. 'Het enige wat ik te zeggen heb, probeer hier iets van te leren.' Ze stak haar hand naar hem uit. Die was koel en droog, de beenderen erin als sleutels in een halfgevulde beurs.

'U moet zeker weg nu,' zei Kellas. Zijn ogen en de binnenkant van zijn neus jeukten en hij slikte.

'Zet je mobiel aan,' zei Baker-Koontz. 'Praat met je agent. Praat met je vrienden. Ciao.' Ze vertrok.

Kellas vroeg de serveerster om meer koffie en bestelde biefstuk met friet. De warmte van de eettent was heerlijk en weldadig, nu

180

hij minder dan geen geld had. Hij voelde zich niet arm. Dat zou onderweg komen. De zekerheid dat hij volgende week arm zou zijn maakte dat hij zich nu rijker voelde, met tweehonderd dollar in zijn portefeuille en een bord warm eten in aantocht, dan toen hij had zitten kletsen met Elizabeth Chang en de rest van de patjepeeërs boven in de straalstroom.

Didier zou er goed afkomen, was Kellas' vermoeden. Hij had nooit moeten doen alsof hij meeging met de geestdrift van de oude Franse patriot voor zijn verzonnen Europa, verenigd in een rechtvaardige, bloedige oorlog tegen Amerika. Kellas had een ambachtelijke voldoening ontleend aan het uitwerken van het boek, maar niet verwacht dat het door een vooraanstaande uitgever als Didier als iets anders dan amusement zou worden opgevat. Niet dat Didier het ten onrechte voor literatuur had gehouden; meer als een noodzakelijke oefening in fantaseren, om de jeugd te bezielen. Wellevend en paternalistisch als de man was, had hij zijn geestdrift getemperd, op de lichtst mogelijke glimlachjes, verschuivinkjes van de wenkbrauw en buiginkjes van het hoofd om instemming aan te geven, alsof hij zich modelleerde naar een of andere denkbeeldige vorm van Engelse beschaafde zelfbeheersing die al lang niet meer bestond, maar die in zijn expressie ervan, als een Italiaan in een tweedpak, wel eleganter móést zijn dan het origineel. Dit allemaal, en zo gestimuleerd door gedachten aan oorlog. Kellas had zich een kind gevoeld dat in een museum een opgezette leeuw had aangestoten en de ogen open zag gaan.

In Parijs was hij van het station regelrecht naar een brandschoon arrondissement en een tempel van gastronomie gebracht, waar de obers evenals Didier diep in de zestig waren, en sidderden van de inspanning om hun onbewuste eerbied en verachting in evenwicht te houden. Didier, rijzig en mager en iets gebogen, met een neus als een vin, was opgestaan om hem een hand te geven. Hij had gezien hoe Kellas dronk, in plaats van teugjes te nemen; had nog een fles laten komen; had aandachtig geluisterd terwijl Kellas, licht aangeschoten, zijn boek begon te verklaren, toen te verdedigen, toen te verontschuldigen, al doende totaal de weg kwijtraakte en pas naderhand merkte dat hij met de zijkant van zijn hand een minuscuul kuddetje broodkruimels over het tafelkleed had geloodst tot ze een precies cirkelvormig patroon vormden halverwege tussen twee gele vlekken soep die hij eerder had gemorst; toen pas had Didier, bij de koffie, uitgelegd waarom hij wilde dat *Rogue Eagle Rising* werd gepubliceerd. Kellas was de details vergeten. Hij herinnerde zich dat Didier zei: 'We hebben dit nodig en we hebben er meer hiervan nodig', en dat Kellas zei dat hij niet goed wist wat Didier bedoelde met 'we', en dat Didier zei 'Europa'. Kellas had eigenlijk moeten uitspreken dat Europa hem lang niet zo lief was als euro's, en had zijn commercialisme cynisch ingekleed in bewoordingen van Europees patriottisme om zijn vrienden niet van zich te vervreemden. Toch had Didier zo nobel geleken in zijn goedgesneden grijze pak, en was honderdduizend pond zoveel geld dat Kellas zijn mond had gehouden.

Nu had hij de zak gekregen. Kellas had moeite zich het leven voor te stellen van een welgestelde, met pensioen gestuurde Fransman op leeftijd. Wat een zelfvertrouwen had Kellas gehad bij het verbeelden van leven en dood van jonge Iraanse meisjes, terwijl hij nooit in Iran was geweest. En met Didier bleef zijn verbeelding steeds hangen bij Fernando Rey in de films van Luis Buñuel – discrete charmes en obscure objecten. Nu het moeilijk was dat leven nog langer te leiden, buiten de restaurants met oude obers, die allemaal uitstierven en niet werden vervangen. In Europa zoals in Amerika had je niet langer eerbied, noch verachting, alleen maar uurloon.

Het moest eraan hebben gelegen dat het voedsel in dat Parijse restaurant van de hoogste kwaliteit was. Iets uitzonderlijks. Toch kon Kellas zich niet te binnen brengen wat hij dan gegeten had. In de tiendollarbiefstuk op het bord voor hem glom over de lengte een reep zeen, de frieten waren taai en de koffie was doorgekookt en bitter, en desondanks gaf het maal hem een zoet gevoel van troost zoals hij lang niet had gekend.

Het gevoel van welbevinden, dat Kellas ertoe bracht zich aan nog een kop koffie te buiten te gaan, begon te minderen. Hij werd overmand door zijn eigen gebrek aan betrokkenheid bij alles wat er omging in deze grote stad. Er was alleen Astrid nog over. Hij betaalde, vroeg de route naar het busstation en verliet de cafeteria. Het was al haast donker.

Hij zette er flink de pas in om wat warmte in zijn lijf te krijgen. Een fatsoenlijke jas zou hem van honderd dollar weinig wisselgeld overlaten en de metro was maar enkele blokken verderop. Het vroor inderdaad. Het plaveisel begon te flonkeren en de damp kolkte op uit de luchtgaten in mooie dikke kolommen. Koopjesjagers liepen langs hem heen, luchtdicht verpakt in felgekleurde wol en gore-tex, met een steigerende, verwachtingsvolle tred; hoe kouder het werd, hoe meer ze warme traktaties verdienden door alleen al te blijven ademhalen. Hij zou de aanschaf van de jas overslaan. De metro was verwarmd, de bus was verwarmd, het zuiden was warm, en hij wist niet hoeveel het ticket zou kosten. Hij had het boek meegenomen om het op straat in een vuilnisbak te smijten, maar met zijn vierhonderd pagina's manuscript in een gewatteerde envelop vormde het uitstekende isolatie, in zijn dichtgeknoopte jasje geschoven en daar vastgehouden door zijn stijf over elkaar geslagen armen. Hij ving de blik op van een dakloze man, gehurkt als een uil naast het uitlaatrooster van een verwarming, half verborgen door de damp. Toen hij Kellas zag, keek hij snel een andere kant op. In de regel zagen daklozen, net als honden en kleine kinderen, Kellas al vanuit de verte als een doelwit. Dat Kellas onvoldoende gekleed was voor het seizoen, geen poging deed om een taxi aan te houden en zich sinds de vorige ochtend niet had geschoren, moest hem als een loser hebben gemarkeerd. Het pak en de schoenen waren op zichzelf al een duidelijke waarschuwing dat hier iemand zich midden in zijn afdaling bevond van geborgenheid naar ongeborgenheid, een man die nog moest leren wennen aan zijn nieuwe locatie op de grond. Dat verband zou niet helpen. Een andere reden om geen jas te kopen was dat hij een dokter moest kunnen betalen om naar zijn arm te kijken. Hij was niet verzekerd.

Toen Kellas een ticket probeerde te kopen naar Chincoteague aan de Greyhoundbalie, had daar niemand ervan gehoord. De baliemedewerkster zocht een poosje in haar computer, waarna ze Kellas meedeelde dat als zo'n plaats al bestond, er geen bus naartoe ging. Kellas ging naar buiten de kou weer in, in de drukte van Times Square, waar het onmogelijk leek dat er zoveel licht en energie kon zijn en geen warmte, en toch was het zo. In een filiaal van een van de grote boekenketens zocht hij de reisafdeling op en concludeerde, nadat hij een aantal gidsen had opgepakt en teruggelegd, dat de dichtstbijzijnde bushalte naar Chincoteague zich op vijftien kilometer van dat plaatsje bevond, in een stadje dat Oak Hall heette, aan de snelweg naar Norfolk.

Voordat hij de boekhandel verliet, ging hij naar de afdeling waar de militaristische thrillers waren uitgestald. Hij haalde de envelop tevoorschijn met zijn manuscript erin en begroef het zorgvuldig in een stapel Tom Clancy's. Hij ging op weg naar de uitgang en was al bijna buiten toen een bewaker hem staande hield en hem het manuscript teruggaf. Kellas bedankte hem. De bewaker deed de deur voor hem open en sloot die achter hem en bleef er staan met zijn armen over elkaar terwijl Kellas wegliep.

Het kaartje voor de bus van 8.45 uur naar Norfolk kostte vijfenzeventig dollar. Kellas sloot aan bij een wachtrij van reizigers in een chicane van blauwe nylonkoorden in de ondergrondse vertrekhal van het busstation. Het was halfacht. Iemand had met kleine schuchtere lettertjes met viltstift op de muur 'OSAMA IS EEN BUSH' geschreven. Er waren geen zitplaatsen in de rij. Er waren nergens zitplaatsen. De reizigers, stuk voor stuk zwart met uitzondering van Kellas en een jongeman met hoge jukbeenderen en een kaalgeschoren hoofd, leken moe en aan wachten gewend. Een oude man met pijnlijke knieën die met een stok liep, hobbelde weg en kwam terug, slepend met een plastic melkkrat, dat hij overeind zette en waarop hij ging zitten. Verder naar voren in de rij had een jongere man zijn krat al gevonden en sliep erop, met zijn rug tegen de muur, de capuchon van zijn sweater strak over zijn hoofd getrokken om het licht buiten te houden. Er hing een sfeer van gelatenheid, rust en wellevendheid over de rij, die gelijkenis vertoonde met het ware gezicht van een alombewonderde stichtersgeneratie, dat was uitgewist door de ernst van de moderne acteurs die waren ingehuurd om het te portretteren. Kellas voelde aan dat zijn medereizigers het belachelijk zouden hebben gevonden deze reis te maken op een andere manier dan regelrecht van hun werk en op een andere tijd dan de uren die hun voor rusten waren toegemeten.

Het instappen werd geregeld door een lange, dikbuikige man in een donkerblauw uniform, met een muts van blauw namaak-bont, die de glazen deuren naar de bussen bewaakte. Kwart voor negen kwam en ging voorbij. Om negen uur stapte Kellas uit de rij en informeerde bij de muts naar de bus.

'Die is weg,' zei de muts. 'De chauffeur was hier. Hij is weg.' Hij keek naar Kellas' reisbiljet, hield het verder van zijn ogen vandaan en toen vlak bij zijn gezicht. 'U had hier op tijd moeten wezen. Ik heb net 55 passagiers op die bus gezet.'

'Ik wás hier!'

'U had in de rij moeten wachten net als iedereen. Net als deze mensen hier.'

'Dat deed ik ook!'

'Meneer. Meneer. Handen thuishouden.'

'Ik ben niet agressief. Ik wou alleen...'

'U raakte me aan.'

'Ik wou alleen...'

'Als u de bus wilt nemen, wacht u in de rij.'

'Dat heb ik gedaan.'

'Zegt u me eens. Staat u nu in de rij?'

'Ik...'

'Staat u nu in de rij?'

'Nee.'

'Hoe gaat u dan de bus halen?'

'Niet. Ik heb 'm gemist.'

'Precies. Precies. Dat zei ik daarnet al. Dus als u nu weer in de rij gaat staan, dan mist u de volgende niet. Er gaat een bus naar Norfolk om tien uur. De chauffeur zet u af in Oak Hall.'

Kellas keerde terug naar zijn plaats in de rij. Robert Mickens, de aangehouden buschauffeur, had, zo moest worden aangenomen, grappen gemaakt over zijn reizigers naar de taliban brengen. Het zou niet meevallen daar met een Greyhoundbus te komen, inclusief de inzittenden. Je zou bus en passagiers ergens aan de oostkust op een vrachtschip moeten zetten, over de Atlantische Oceaan varen, over de Middellandse Zee, door het Suezkanaal, door de Rode Zee, over de Arabische Zee naar Karachi. Dat zou weken duren. Eenmaal in Karachi zou het een vrij probleemloze rit zijn, naar het noorden tot bij de Afghaanse grens, waar de taliban het sterkst waren. Nergens een vaste halte. De Pakistaanse politie zou kunnen voorkomen dat ze de grens naar de tribale gebieden overstaken, allicht, dus zou de hele reis naar alle waarschijnlijkheid voor niks zijn. Doodzonde. Die mensen hadden met elkaar kennis moeten maken.

Astrid was overstuur geweest na de dood van de vrachtrijders in Bagram. In de nauwe, donkere, brommende ruimte binnen in de tank gezeten, had ze Sardar geholpen de granaten te laden in de kulas van het kanon. Pas nadat de vrachtwagen was getroffen, had ze beseft dat haar vriend niet op de boomstam had gemikt. Dat was zowat het enige wat ze Kellas vertelde, nadat hij haar had verteld wat hem was overkomen. Haar auto kwam en nam haar mee, en het had lang geduurd eer Kellas haar weer zag. Ze was overstuur geweest. Ze deed alsof ze wel een stootje kon hebben. Wat beverige woorden over verantwoordelijk zijn en geen onbetrokkenheid veinzen, haar ogen glinsterend van tranen die net niet vielen, en haar gezicht wit. Kort voordat ze in Bagram uiteengingen, herinnerde hij zich, had ze een andere expressie gekregen, toen de kleur terugkwam en haar ogen opdroogden. Als van aanvaarding, bijna troost, alsof het venijn van de schok zowel bekend als pijnlijk was geweest.

Korte tijd later, toen Astrids verblijfplaats bij niemand in het logement in Jabal bekend bleek te zijn, was Kellas met Mohamed naar Kabul gereden, de stad in gelopen op de ochtend van de bevrijding, en had deze bedrijvig aangetroffen, vol gele taxi's en fietsen alsof de oorlog een soort volksvertelseltje was geweest. Ze hadden een laat ontbijt genuttigd van kip en friet in een restaurant waar, zo deelden de obers hun mee, Arabische jihadi's die voor de taliban vochten de vorige avond hadden gegeten, zonder er erg in te hebben dat hun Afghaanse bondgenoten al waren gevlucht. Hier en daar in de stad krioelde het van drommen lachende Afghaanse flaneurs rondom lijken van taliban. Een paar van deze slachtoffers lagen opgezwollen op de straatstenen, niet ver van het restaurant, hun kleren half weggeschroeid, hun huid al blauwgrijs verrot. Jongetjes huppelden eromheen, giebelend, betoverd door het idee van mannen die, nu ze dood waren, het vermogen hadden verloren om op scheldwoorden of vernedering te reageren. Getuigen zeiden dat de mannen midden in de nacht heel precies waren gedood door een Amerikaanse helikopter die hun Toyota-pick-up had getroffen, midden op straat zonder iets anders eromheen te beschadigen. En jawel, de resten van de Toyota lagen nog waar hij was geraakt, de banden deels aan de weg gesmolten, de dubbele lopen van het kanon achterin zwartgeworden en verklonterd als uitgebrande sterretjes.

Drie weken lang was Kellas in de weer met het doorbellen van verslagen naar *The Citizen*, toen de VN aankwamen in Kabul, westerse ambassadeurs terugkeerden en de strijd eerst werd verlegd naar het noorden en toen naar de bergen in het zuiden. Vier journalisten werden vermoord op de weg naar Pakistan. Kellas informeerde naar Astrid en maakte zich zorgen om haar.

Had ze gelijk? Was er werkelijk geen goede reden waarom de slachtoffers in Bagram hem meer zouden dwarszitten dan bijvoorbeeld de dood van twee talibanstrijders in Kabul? Hij trok mee met de Alliantie, en zodoende met de Amerikanen; hij maakte gebruik van hun gastvrijheid. Hij was geen guerrilla voor vrede, die 's nachts naar buiten sloop en wapentuig saboteerde. Hij had nooit geprobeerd een Afghaan ervan te doordringen dat doden verkeerd was. Hij nam waar, hij deed verslag, hij greep niet in, en in zoverre was hij schuldig aan de onderneming. Weliswaar zouden die mannen, zonder zijn woorden en Astrids optreden, die dag niet om het leven zijn gekomen; toch had hij noch Astrid kwaad in de zin gehad. Het was zelfs niet dat hij werd gekweld door de herinnering aan stokkerige figuurtjes die geluidloos in de vlammen crepeerden. Geen sprake van posttraumatische stress, hij droomde er niet van; de enige keer dat hij van Afghanistan

187

had gedroomd sinds de val van Kabul, was het een tuttig, aanstellerig knus, alternatief Afghanistan geweest van taartschalen en Shaker-meubels. En toch, naarmate er meer *Citizen*-correspondenten arriveerden in Kabul en hij over meer tijd kon beschikken, merkte hij dat het aan hem knaagde.

Er was een afstand, een eigentijdse afstand van de dingen, een verschrikkelijke eigentijdse afstand, waar de strijders en hun aanhangers niet nabij genoeg waren voor het intieme doden van klingen en tanden, zodat je het gezicht van de vijand kon zien, zijn zweet kon ruiken en hem horen hijgen, noch zo ver weg van het front als de haardsteden van weleer. Dichtbij genoeg om te zien, maar niet dichtbij genoeg om te weten. Hoe slimmer oorlogen en de wereld werden, des te bitterder de strijd om de onwetendheid in stand te houden. Hoe voller en benauwder de wereld, hoe wanhopiger de strijd om de afstand te bewaren. Nu de wereld in een dag kon worden omspannen, nu je elke taal kon leren en spreken op elk moment tegen iedereen, waar dan ook en wanneer dan ook, had het gevecht om afstand, waarvan de oorlog afhing, een schaamteloos, doldriest karakter gekregen. Er heerste een cultus van zien zonder kunnen en kijken zonder aanraken. De typische buitenlandse gezichten op de televisie: je kende ze, omdat je ze kon zien, de vreemde geluiden die ze maakten kon horen. Maar je moest vermijden dat je genoeg over hen wist om te voorkomen dat je verbeelding ze afschilderde als wat je wilde dat ze waren. Je moest je afkeren van de wetenschap dat je ze per telefoon kon bereiken. Dat zij telefoons hadden. Dat zij jou konden opbellen. De afschuw van de vereiste arbeid, mochten deze waarheden worden aanvaard, dreef mensen ertoe de afstand te verheerlijken en te koesteren, hun wil te richten op het bewaren van de verschillen tussen een *hier* en een *daar*, in een wereld waar er al niet langer een *daar* was, waar iedereen al *hier* was. Burgers spanden samen met bestuurders om de Ander-in-de-verte eigenschappen van slechtheid of onschuld toe te dichten waarvan ze niet wisten dat die hun waren gegeven, en die ze niet konden bezitten. Het maakte geen verschil of de fantasie was dat die Ander-in-de-verte heel anders was dan wij, of dat die Ander-in-de-verte net zo was als wij; de duur gekoesterde fantasie was dat die Ander heel ver weg was. De zekerheid van de leden van alle wereldomspannende Oemmahs was dat ze nooit persoonlijk, zonder een tussenpersoon, in een voor ieder verstaanbare taal, zouden hoeven rechtvaardigen wat er in hun naam werd aangedaan aan degenen die de gevolgen ervan ondervonden.

Al sinds de dag in Bagram was Mohamed minder oprecht tegen hem geweest. De lach was geforceerd en Mohamed was waakzamer, niet, zo vermoedde Kellas, omdat de daad zelf hem verdroot, maar omdat hij de oorlog zat was, en omdat hij Kellas had gezien als een kleine voorbode van het einde ervan, en hem nu zag als deel van de voortzetting. Hij was besmet. Mohamed was blij geweest op de dag dat hij in Kabul terugkwam maar werd daarna steeds moeilijker te vinden. Hij was druk bezig oude vrienden op te zoeken en werk te regelen voor de dag dat Kellas zou vertrekken. Toen Kellas hem op een dag eindelijk had opgespoord en hem vroeg op zoek te gaan naar de gezinnen van de omgekomen vrachtrijders, was Mohamed onwillig geweest. Hij vroeg niet waarom; hij had geen interesse. Hij legde uit hoe moeilijk het zou zijn ze te vinden, dat ze overal konden zitten, niet alleen in Afghanistan of Pakistan, maar in Saoedi-Arabië, Algerije. Waar moest je beginnen? Kellas sleepte hem mee naar de oude staatsremise van de trucks en naar de plaatsen aan de rand van de stad waar de vrachtrijders bij elkaar kwamen en liet hem ernaar vragen. Het leverde niets op. Uiteindelijk, op de belofte van dubbel loon, bracht Mohamed twee dagen met hem door, in een poging het wrak te vinden van de uitgebrande truck. Aan het eind van de tweede dag vonden ze het, of wat zij meenden dat het was, op een licht golvend stofveld, bespikkeld met kleine steentjes. Een dichte grijze hemel hing laag boven hun hoofd. Het leek te gaan sneeuwen. In de verte, bij Bagram, zagen ze de toren van de commandant en bewegende hijskranen waar de Amerikanen een nieuwe basis aan het bouwen waren. Buikige Amerikaanse transportvliegtuigen, geschilderd in een grijs dat paste bij de sneeuwwolken, rolden over de taxibanen. Het loeien van hun motoren werd aangedragen op de koude wind.

Mohamed schopte tegen het beroete, zwartgeworden chassis van de truck. Er was geen teken van wat deze mogelijk had vervoerd. Als er al nummerborden waren geweest, dan waren ze nu weggehaald. Kellas keek om zich heen om te zien of er een spoor was van de resten van de slachtoffers, maar er was niets, geen botje. Er was kilometers in het rond geen bewoning. Misschien kwamen de taliban hierheen en namen die hen mee om te begraven. Er waren jakhalzen; er waren buizerds. Kellas ving Mohameds blik op, en voelde zich beteuterd.

'Sorry dat ik je helemaal hierheen heb gebracht,' zei hij.

'Waarom sorry?' zei Mohamed. 'Voor jou zou ik naar het eind van de wereld gaan.' Kellas wist dat ze niet meer zouden samenwerken.

'Niet denken over de mannen die in deze truck zaten,' zei Mohamed. De wind rukte aan zijn sjalwar kamiez, duwde hem tegen zijn enkels. 'Het waren slechte mannen, buitenlanders, Pakistani's, Arabieren, Tsjetsjenen. Het waren de vijanden van Amerika en Engeland. Ze verdienden de dood. Trouwens, hier worden zo vaak mannen vermoord. En áls je hun vrouwen en kinderen vindt? Wat zou je tegen ze zeggen? Zou je ze geld geven?'

'Nee. Ik weet niet wat ik tegen ze zou zeggen. Vertellen wat er was gebeurd misschien, en luisteren naar wat zij mij te vertellen hadden.'

'Daar schieten zij niks mee op,' zei Mohamed. Hij schoof met zijn voeten en voelde met zijn rechterhand aan de rand van de bruine deken over zijn schouder. Zijn ogen flitsten opzij, kwamen weer terug bij Kellas. 'En áls ze hier woonden, zouden ze je kennen, ze zouden mij kennen. Maar jij zou weggaan, en ik zou blijven. Daar zou ik last mee krijgen.'

'Heb je ze gevonden?' vroeg Kellas.

'Je moet me geloven. De gezinnen van de mannen die hier zijn doodgegaan willen alleen maar geld of wraak. Ze hoeven niet je hand te schudden of je tranen te zien. Dat is niet genoeg.'

'Héb je ze gevonden?'

'Adam,' zei Mohamed. 'Adam Kellas. Toen jij een jongen was, ben je toen geslagen?'

190

'Door de meesters.'

'Was het altijd rechtvaardig, dat ze je sloegen?'

'Nee.'

'Wil jij de meesters weer zien om er met hen over te praten?'

'Dat is niet hetzelfde!'

'Neem het als een pak slaag, Adam Kellas. Sorry's hebben niet altijd nut. Niet alle dingen kunnen worden afgesloten en opgeborgen. Als alles vergeven kon worden, wat zou mensen ervan weerhouden meer en nog verschrikkelijker dingen te doen? Als jij in Londen bent, zul je je herinneren dat wij hier zijn.'

''t Is koud,' zei Kellas. 'Je hebt ze gevonden, ja toch?'

In de auto op de terugweg vertelde Kellas Mohamed dat hij wegging. Mohamed zei dat hij moest terugkomen en hem opzoeken, dat hij altijd verheugd zou zijn hem te zien.

'Wat ga jij doen in Londen?' vroeg Mohamed.

'Ik ben een boek aan het schrijven.'

9

Even na tienen stak de bus, met Kellas aan boord, de Hudson over en reed New Jersey in. Een poosje flonkerden de lichten van Manhattan aan stuurboord, totdat ze door een kade werden opgeslokt. In Newark verdrong zich een twintigtal passagiers voor de deur van de bus, wachtend tot ze werden binnengelaten. Ze zagen er verkleumd uit. Verscheidene andere bussen arriveerden tegelijkertijd en passagiers renden heen en weer op zoek naar de goede. Hun te vol gepropte rolkoffers draaiden als onwillig geleide beesten aan hun dunne handvatten, kantelden ondersteboven, en in hun gehaastheid sloegen de passagiers er geen acht op en schraapten ze op hun kop over de grond. Een Spaanssprekende man met een plastic stetson tilde een kartonnen doos die langer dan hijzelf was in het bagageruim, klom aan boord, vond een plaats, stond op, stapte uit, sleurde de doos weer naar buiten en beende met grote stappen weg naar een andere bus. Opnieuw vertrokken ze. Kellas probeerde te slapen, maar hij had dorst, en warme lucht stroomde door een ventilatiespleet onder het raam bij zijn stoel. Hij deed zijn jasje uit. Hij begon te zweten. De aderen om zijn hoofd klopten en wat hij aan vocht nog in zijn mond had voelde kleverig, draderig aan. De man naast hem had een klein, halfvol flesje water in zijn handen. Kellas zei: 'Mag ik iets van uw water hebben?'

De man draaide zich om, lachte en zei: ''t Is oké.'

Kellas zei nog eens: 'Mag ik iets van uw water hebben?'

De man zei: ''t Is oké.'

Kellas legde zijn hoofd achterover tegen de stoel en sloot zijn ogen. De hitte en de dorst wrongen zich in hem als een tweede lichaam dat met het zijne samenviel, en deden hem wakker schrikken van het rillen, telkens als zijn gedachten afdwaalden naar de rand van slapen. Elke keer dat hij zijn ogen opendeed zag hij eendere fastfoodtenten en pompstations op eendere kruispunten, en identieke verkeerslichten aan dezelfde kabels hangen, en toch waren ze de hele tijd op weg naar het zuiden. Er veranderde weinig, op de verlichte leuzen na buiten voor de kerken. Ze passeerden een bord waarop te lezen stond: 'Een Vriend Van God Is Een Vreemdeling Voor De Wereld.'

Kort na middernacht bereikten ze Wilmington. Er stond een kleinere groep te wachten om in te stappen. Daaronder, wat achteraf, de ogen glinsterend van hoop, bevonden zich de daklozen. Het busstation was met kettingen afgesloten. Kellas zag dat daar binnen een Pepsi-machine stond. Hij stapte uit de bus en sloeg op de geketende deur. Een van de daklozen zei dat er een deur was aan de achterkant. Kellas en een andere passagier, een man met een kegelvormig hoofd en tochtlatten en een enorme tors, in een T-shirt bedrukt met 'Little Italy' voorop en 'Home of the Sopranos' op de rug, marcheerde naar deze andere deur. Die zat van binnenuit potdicht. Er was geen kruk. Kellas tikte op het raam en trok de aandacht van een man in een kaki regenjas die hen binnenliet. Kellas schoof een vijfdollarbiljet in de machine en die legde een koude plastic fles Pepsi in de gleuf, en geen wisselgeld. Terwijl Kellas de dop eraf schroefde en de fles in zichzelf leegklokte, begon de cheffin van het busstation tegen hun redder te tieren. 'Waarom heb je ze erin gelaten?' schreeuwde ze.

'Heren, ik vroeg me af of u me uit de brand zou kunnen helpen,' zei de dakloze man, en hield zijn bekertje schuin naar de 'Little Italy'-patriot. 'Hier is mijn ID-kaart. Ik zat in Vietnam.'

'Ik moest ze erin laten! Je kunt mensen niet zo in de kou laten staan.'

'Een beetje kleingeld, heren, zou een gewezen marinier weer een heel eind op de goede weg helpen. Semper fidelis.'

'Ik wil vannacht nog thuis wezen. 't Is niet aan jou die deur open te doen.'

'U hoeft niet zo tegen me te praten,' zei de man in de regenjas. 'Wie u ook bent, ik verdien respect.'

De 'Little Italy'-man liet wat muntjes vallen in het bekertje van de ex-marinier, waarbij zijn grote vlezige vingers zich fijngevoelig toonden. 'Je hebt je keus gemaakt toen je bij de mariniers ging, kerel. Niemand heeft je gedwongen.'

'Laat me niet lachen. Nooit van dienstplicht gehoord?'

'U hoeft niet zo tegen me te spreken,' zei de man in de regenjas.

Ze gingen een paar minuten voor de bus weer vertrok aan boord. Kellas dommelde tot ze Dover bereikten. De immigrant met het water was weg. Kellas' buurman was nu een man van ongeveer zijn leeftijd, gezetter, met een zwart, tot zijn kin dichtgeknoopt wollen jasje en een uitdrukking – recht vooruit starende ogen, iets te wijd open, gespannen – alsof hij wachtte op wat er nu weer voor ergs ging gebeuren. Toen de bus weer vertrok, zag Kellas donkere bandensporen, getrokken door een kantachtige laag wit op het asfalt. Sneeuwvlokken zwermden om de lampen.

Kellas vroeg zijn buurman of die wist hoever het nog was naar Oak Hall. De man zei dat hij daar nooit van had gehoord. Hij ging naar Raleigh. Hij heette Lloyd en hij werkte als medisch facturist. Ze gaven elkaar de hand.

'Ik heb nooit een medisch facturist gezien,' zei Kellas. 'Wij hebben een ander systeem.'

'Jullie hebben het goed voor elkaar,' zei Lloyd. 'Wat wij hebben is een zootje. We zouden beter af zijn met sociale gezondheidszorg. Heb ik altijd gezegd. Waar kom jij vandaan? O ja? Hoezo reis je dan met de bus?'

''t Is goedkoop.'

Lloyd schoot in de lach. 'Ja, 't is goedkoop.'

'Wat gebeurt er in Amerika als je kanker krijgt en je bent niet verzekerd?'

'Dan ga je dood.'

'Kom nou, dat is niet waar.'

'Wil je weten wat waar is? Ik zal je zeggen wat waar is. Ik ga mijn zus opzoeken in Raleigh, ja? Ze is niet verzekerd en ze moet voor dertigduizend dollar per jaar aan medicijnen hebben, enkel om in leven te blijven. Ze heeft een rottig deeltijdbaantje in een buurtsuper en zolang ze amper genoeg verdient om haar kind te eten te geven, betaalt de staat North Carolina haar medicatie. Ze zou een betere baan kunnen krijgen. Ze heeft aanbiedingen gehad. Maar zodra ze íéts meer verdient dan het minimumloon, stopt de staat met het betalen van de medicijnen. Linksom of rechtsom zorgen ze dat de armen gauwer doodgaan.'

'Wat mankeert haar?'

'Dat is persoonlijk. Mag ik vragen wat je beroep is?'

'Ik ben werkloos.'

Lloyd lachte ongelovig. 'Kom je werk zoeken in Amerika? Was liever thuisgebleven. Je bent toch verzekerd, mag ik hopen.'

'Nee. Ja eigenlijk, ik heb deze arm, deze wond aan mijn arm. Je wilt zeker niet even kijken?' Hij trok zijn mouw omhoog en stak de verbonden pols naar Lloyd uit.

'Ho ho! Ik zei dat ik medisch facturist was. Ik ben niet bevoegd voor wondbehandeling. Ik weet zelfs niets van eerste hulp.'

'Ik snap dat je 't niet mag behandelen. Ik dacht, jij kunt misschien zeggen hoeveel het zou kosten als een dokter het deed.'

'O, wat het kost?' Lloyd trok zijn wenkbrauwen op, hield de pols tussen duim en vinger en bewoog hem voorzichtig op en neer. 'Geen idee, ik denk een code 881 nul twee, of een 881 twaalf. Kan me niet voorstellen dat het meer zou kosten dan vijfhonderd dollar, als ze geen testen hoeven te doen.'

'Vijfhonderd?'

Lloyd lachte. 'Je zult je Britse gezondheidsdienst een vliegtuig moeten laten sturen om je op te halen en naar Engeland te vliegen.' Hij schudde zijn hoofd. 'Hoe ben je hier dan gekomen? Hebben jullie daarginds zo'n prima zorgstelsel dat je je kunt veroorloven van Europa naar hier te vliegen?'

'Ik dacht dat ze mijn boek zouden uitgeven. Ik dacht dat ik een smak geld zou krijgen. Het was een vergissing.'

'Wat schrijf je?'

'Romans. Lees je?'

Lloyd ademde in, duwde zijn kin tegen zijn borstkas, wendde zich om, stak zijn wijsvingers tegen Kellas omhoog en zei ernstig, alsof hij een ingestudeerde bekentenis herhaalde: 'Ik moet je zeggen dat ik geen groot lezer ben. Ik probeer wel *Time Magazine* te lezen, eens in de week. Als ik naar de koffieshop ga en er ligt een krant, dan pak ik 'm op. Ik hou van het sportkatern, soms de opiniepagina. M'n vrouw leest wel veel, en m'n kinderen... die zijn gek van Harry Potter. Dat heb ik ingekeken. Dat vond ik leuk. Ik ben dol op dat soort tovenarij. De laatste grotemensen-roman die ik heb gelezen... hoe heet ie ook weer... *The Killing of... To Kill A Mockingbird*. Dat lazen we op school. Ik vond het een prachtig boek maar... het is de tijd, snap je? Er is geen tijd voor. Soms als ik onderweg ben en in een hotel slaap, pak ik de bijbel uit de la en ga ik die lezen. Eerst zap ik langs de tv-kanalen en als er niks is... nee, kijk weet je, 't is als er echt geweldige troep is op meerdere kanalen, en ik zie het allemaal, ik kijk misschien een hele film uit, en dan nog wat talkshows en een paar tekenfilmpjes, inclusief alle reclame, en dan voel ik me zo raar, snap je wat ik bedoel? Alsof ik te veel sodawater heb gedronken. En dán ben ik zover dat ik de la opentrek. Een paar maanden terug heb ik het hele boek Genesis gelezen voor ik het licht uitdeed. Nou, dat vind ík nu een verhaal. Een heleboel mensen die ik ken hebben het altijd over Openbaring, en de Exodus, en Jezus komt, zorg dat je klaarstaat, maar Genesis, dat is mijn lievelingsboek. Ik heb liever het begin dan het eind, snap je wat ik wil zeggen? En, waar gaat jouw boek over?'

''t Is een thriller. Over een oorlog tussen Europa en Amerika.'

'Europa en Amerika?' Lloyd schoot in de lach. 'Die is goed, jullie gaan ons aanpakken.'

'Het gaat niet over hóé er oorlog komt tussen Europa en Amerika, of zou móéten komen tussen Europa en Amerika. Het gaat over hoe het zou kúnnen gebeuren.'

'Welnee. Dat zal nooit gebeuren. Amerika is te sterk en jullie in Europa, jullie zijn een stel watjes. Moet je zien wat er in Irak gebeurt. Wij hebben jullie hachies gered in de Tweede Wereldoorlog en de Fransen en de Duitsers zijn te beschoten om ons te helpen, nu we erom vragen. Niet dat we die hulp nodig hebben, maar het zou netjes zijn.' Lloyd was opgehouden met glimlachen. Zijn voorhoofd was vertrokken en hij staarde naar de stoel voor hem. 'Maar ja, jij bent Engels, toch? Jij staat aan onze kant. Waar heb je het over?'

'Het is een boek over een denkbeeldige toekomst,' zei Kellas. ''t Is een thriller. 't Is fictie, 't is amusement.'

'Mijn zus d'r vriend zit nu in Koeweit bij de mariniers. Daar is weinig amusants aan.'

Lloyd en Kellas zwegen een poosje, hoewel Lloyd nu iets verbolgens had gekregen; hij zat op de stoel met zijn armen over elkaar, en keek recht voor zich uit of door het gangpad. Hij zat maar te draaien. Een paar keer maakte hij een 'hm'-geluidje. Ten slotte wendde hij zich tot Kellas en zei: 'Wat ik wil weten, wat is er de kick van, van je zo'n soort toekomst verbeelden?'

'Stelt niet zoveel voor,' zei Kellas. 'Mensen doen het de hele tijd. Boeken. Films. Politici.'

'Wat ik wil zeggen, je mag jouw toekomst verzinnen, ga je gang, maar bemoei je niet met de onze.'

'Hier,' zei Kellas, en hij stak zijn hand in de envelop en haalde het manuscript eruit. 'Pak aan. Het wordt toch niet gepubliceerd. Dan mag jij het evengoed hebben. Lees en zie maar wat je ervan vindt.'

'Nee,' zei Lloyd. Het gebaar verzoende hem en hij glimlachte. 'Je bent oké.' Hij leunde achterover en sloot zijn ogen.

Kellas deed het lampje aan boven zijn stoel en begon zijn boek te lezen. De bus stopte in Salisbury. In plaats van sneeuw viel er nu stortregen, voortgedreven door harde windvlagen. Golven van lucht en water wriemelden over de lege witte rechthoeken die waren gemarkeerd op het wegdek van het parkeerterrein. De instappende reizigers roken naar natte wol toen ze in optocht door het gangpad kwamen. Ze hadden de uitdrukking van overlevenden die net van de daken van een overstroomd dorp waren getakeld. Lloyd deed zijn ogen open. Toen de bus weer op de snelweg reed, vroeg hij Kellas of hij zijn eigen boek aan het lezen was, en toen of hij ooit zijn boeken voorlas.

'Ik kan je nu iets voorlezen, als je wilt,' zei Kellas.

'Ja, doe maar.'

'Vanaf het begin?'

'Lees maar voor waar je net bent,' zei Lloyd. Kellas begon voor te lezen. Hij was bij het gedeelte waar Tom de Peyer van de veiligheidspolitie op het punt stond op weg te gaan voor een beslissende geheime vergadering met zijn Europese collega's, en zijn trip verborg voor de Amerikaanse inlichtingendienst door midden in de nacht te reizen, in een vrachtcontainer, aan boord van een vrachttrein over het Kanaal. Zijn mysterieuze instappen in de trein werd waargenomen door twee jonge Londenaars, Waz en Franky, die tags spoten op een brug.

'Zowat klaar?' zei Waz.
'Klaar met wit, het rood moet er nog in.'
'Schiet verdomme een beetje op, man. Die gozers lijken me behoorlijk link.'
'Je bent paranoia, bro. 't Is de mersh. Dat was gore shit, bro.'

'Wat is "mersh"?' zei Lloyd.
'In Londen slang voor cannabis.'
'En wat is het voor accent?'
'Dat is een Londens accent.'
Lloyd glimlachte met de helft van zijn mond. 'Ik bedoel, waarom doe je het accent wel voor de een en niet voor de ander?'
'Ze verschillen van elkaar.'
Lloyd lachte. 'Is Franky toevállig een gekleurde jongen?'
'Is dat een probleem?'
Lloyd lachte. 'Dat je die accenten doet.'
'Zal ik doorgaan?'
'Ja. Als je maar gauw met een beetje actie komt.'
Kellas las verder naar het gedeelte waarin hij zeer gedetailleerd de route beschreef die de trein door Europa nam op zijn weg naar een geheime grot, verborgen in de Sophiaspoortunnel in Nederland. De passage kostte enkele minuten om voor te lezen en hij bespeurde een ongedurigheid op de stoel naast hem.
'Het was een thriller, zei jij,' zei Lloyd. 'Ik zeg het niet graag, maar al dat geleuter over treinen, da's saai.'
'Het is de lange aanloop.'

'Dan had jij het lange gedeelte.'

''t Is een kunstgreep. Je denkt dat het ene de hoofdzaak is en het andere achtergrond, maar eigenlijk is het precies andersom.'

'Oké, professor, leest u door.'

Tom de Peyer, waarnemend hoofd van de afdeling Manchester van de Veiligheidsdienst,

'Is dat je held?'

'Ja. Er komt nu een nieuw gedeelte. Er staat een regel wit.'

'Oké.'

Tom de Peyer, waarnemend hoofd van de afdeling Manchester van de Veiligheidsdienst, voelde de scheepscontainer zwaaien toen de kraan hem van zijn onderstel tilde. Na een paar tellen klonk er een zachte bons toen de stalen doos op de grond werd gezet. Hij maakte de veiligheidsriemen los die hem vasthielden op de vliegtuigstoel die inderhaast en slordig op de bodem van de container was gelast, ging naar de deur, opende hem en stapte naar buiten. Zijn voeten knerpten op steengruis en hij stak zijn hand op om zijn ogen te beschermen tegen schel wit licht.

'Geen bagage, zoals altijd,' zei een bekende stem. 'Sorry dat het niet bepaald club class *was.'*

'Casp!' zei De Peyer en hij kwam naar voren om de hand te schudden van Casp Haverkort, de magere gebruinde Nederlandse inlichtingsofficier met wie hij een jaar of tien eerder had gewerkt om een Kroatische bende wapensmokkelaars op te rollen.

'Waar is dit hier?' vroeg De Peyer, terwijl hij om zich heen keek naar de holle ruimte ter zijde van het hoofdspoor van de tunnel, die werd verlicht door op masten gemonteerde booglampen. Scheepscontainers met open deuren lagen rondom in de ruimte verspreid als afgedankte kartonnen dozen bij een supermarkt. Kleine groepjes mannen en vrouwen, sommigen in uniform, stonden te praten en te roken.

Haverkort grijnsde en zijn doordringende blauwe ogen twinkelden.

Kellas wierp een blik op Lloyd, maar er was geen reactie.

'Eén jaar hebben we ons budget niet opgemaakt,' zei hij. 'Iemand dacht dat het nuttig kon zijn een stukkie ondergronds vastgoed te hebben waar niemand iets van af wist. Zelfs niet onze vrienden aan de overkant van de Atlantische Oceaan. Het is zo goed als gluurdicht. Je hebt gehoord dat het Pentagon nog een satelliet heeft ingezet om West-Europa in de gaten te houden.'

'Wacht effe,' zei Lloyd. 'Wie zijn hier de goeien?'
   'Je moet verderlezen om daar achter te komen.'
   'Maar het Pentagon is de sléchten.'
   'In dit boek, jazeker.'
   'Iedereen in het Pentagon?'
   'Het hele instituut.'
   'Wat, Amerika zeg maar overgenomen door een gemene dictator?'
   'Nee, ze hebben net normale verkiezingen gehad.'
   Lloyd ademde uit. 'Wát een flauwekul. Oké, ga door.'

De Peyer knikte. 'Ik neem aan dat deze vergadering niet plaatsheeft.'
   'We zijn hier absoluut niet, vriend. Geen verslag, geen notulen. Je moet maar vertrouwen op je uitstekende geheugen.'
   'Wie zijn er verschenen?'
   'Iedereen. Behalve de Canadezen. Die hebben de best versleutelde felicitatie aller tijden gestuurd. De Fransen proberen natuurlijk de leiding in handen te krijgen. De Duitsers waren als de dood dat een van de Amerikanen in Ramstein joods zou zijn. Maar ze hebben een veroordeelde hacker die vanuit zijn cel werkt en erin is geslaagd in te breken in het personeelsbestand van het Pentagon. Geen joden in die eenheid. De Spanjaarden zijn verrassend solidair.'

'Wacht, zijn de Duitsers nu wéér nazi's?'
   'Nee, ze willen juist géén nazi's zijn, daarom dat over de joden.'
   ''t Is erg verwarrend. Ga door.'

'En je eigen mensen?'

'Wij? We zijn bereid een grens te trekken. Ik was in Srebrenica.'

'Wat is dat?'

'Srebrenica. Een stadje in Bosnië waar een stelletje moslims is afgemaakt toen een Nederlands vn-bataljon de Serven erin liet.'

'Oké. Is dat waar gebeurd? Oké.'

'Weet ik. Dat Amerikaanse accent heb je opgepikt toen je in Californië studeerde.'

'De zaak is, Tom.' Haverkort boog voorover en dempte zijn stem, 'dat niemand een ander vertrouwt. En jou het minst van al.'

'Vertrouw jij mij, Casp?'

Haverkort aarzelde. 'We bevinden ons allemaal op onbekend terrein. We gaan in tegen gewoonten die we van kinds af aan hebben geleerd. Het is gigantisch. Maar Tom, hoe groot het ook is voor ons, we weten dat het nog groter is voor jouw land. Engeland en Amerika, jullie zijn familie.'

'Ik weet niet of de Amerikanen dat ook zo zien.'

'Ze hebben ons een diender gestuurd. Downing Street vertrouwt de militairen niet in dezen.'

'Dat heb ik niet gezegd.'

'Zeg het dan eerlijk, Tom. Wat heeft ie tegen jou gezegd, de premier?'

'Hij zei, de wet is de wet, en Amerika staat daar niet boven. We vallen niet Amerika aan, maar we kunnen niet toelaten dat die soldaten het volkenrecht schenden.'

'En als Amerika ons aanvalt? Vechten jullie dan?'

De Peyer grijnsde. 'Als in de weg staan vechten is,' zei hij, 'dan zal ik in de weg staan.'

'Je hebt wel lef, hier leuren met die troep,' zei Lloyd.

'Jullie leuren met jullie troep daarginds.'

'Ik leur niet met troep.'

'Niet jij persoonlijk.'

'Je boek is vullis.'

'Dat zeiden ze ook in New York.'

De buschauffeur kondigde aan dat ze aankwamen bij de T's Corner-supermarkt in Oak Hall.

'Mijn halte,' zei Kellas.

'Luister 's, ik moet je iets zeggen,' zei Lloyd. 'Amerika is het geweldigste land van de wereld dat er ooit is geweest, en we zitten niet te wachten op een Britse gozer die hier komt met zijn flutromannetjes en ons zo nodig wat moet leren van gerechtigheid. Ik bedoel, jezusmina, het lijkt tegenwoordig wel of de hele wereld op onze zaak zit, ons aanvalt, en ons zit te dissen en ons uitmaakt voor kindermoordenaars. Nou, ik heb een boodschap voor de wereld: hou je waffel, en let op, want we komen terug. We hebben Afghanistan opgeknapt, en we gaan Irak opknappen, en we zullen doen wat het ook kost om alle terroristen en godverdommese bandieten te stoppen, als het moet alleen. We komen terug.'

Een hoera, een gejoel en een amen klonken op van andere plaatsen in de bus.

''t Is maar een verhaal,' zei Kellas. 'Een verzonnen verhaal.'

'Waarom zou je zo'n verhaal verzinnen als je niet dacht dat het waar was?'

De bus stopte en de deuren gingen open. Kellas stond op en Lloyd stond op om hem eruit te laten. 'Om geld te verdienen,' zei Kellas.

'Da's slap, kerel. Dat is niet aan jou. Je kent ons niet. Je kent dit land niet en je hoort af te blijven van wat je niet kent en niet snapt.'

'Is dat niet typisch Amerikaans?'

'Lulkoek! Je kunt niet anti-Amerikaans zijn op zijn Amerikaans.'

Kellas knikte langzaam en zei goeiendag.

'Ja, pas op, kerel. Doe maar kalm aan. Word je afgehaald?'

Kellas liep door het gangpad van de bus, bedankte de chauffeur en stapte van de treetjes de storm in. Hij was bij de gedeeltelijke beschutting van het dak boven een stel benzinepompen toen hij achter zich een schreeuw hoorde. Hij keek achterom. Lloyd stond in de deur van de bus en zwaaide met de envelop waarin zijn manuscript zat. Hij hief het tegen Kellas op, schudde ermee en gooide het naar hem toe. De envelop vloog niet ver genoeg en belandde op het natte asfalt. Een pak pagina's schoof naar buiten. Wind en water streden om de macht. Na wat gefladder haalde de regen het papier naar de grond en bleven de envelop en de vellen papier liggen, drijfnat. De busdeuren sloten zich en de bus reed weg. Kellas raapte de envelop en de losse vellen op en propte ze in de spleet van een afvalbak bij de pompen. Heel even timmerde de toorn tegen de grenzen van zijn lichaam en hij sloeg met beide vuisten op het deksel van de afvalbak. Toen liep hij de winkel in, helverlicht en verlaten, op een enkele serveerster na die dienst had. Het was half zes in de ochtend. Zijn pols deed zeer. Hij liep naar de toonbank.

'Hallo,' zei de serveerster. 'Wat kan ik voor u doen?' Het was een jong meisje, klein en tenger, met grote ogen en haar haar in gevlochten rijtjes die ver uit elkaar stonden. Ze leek amper zestien.

'Gewoon koffie,' zei Kellas.

'Klein, medium of...'

'Een kleine.'

Het meisje bracht hem een kartonnen beker en een deksel. Haar bewegingen waren nauwgezet en traag. 'Komt u van de bus uit Salisbury? Sneeuwde het daar al?'

'Verder naar het noorden wel.' Kellas' hand sloot zich over de bovenkant van de beker.

'Dan moet u het koufront voor zijn gebleven, want ze zeggen dat het op weg hiernaartoe is, kan elk moment komen. Ze zeiden op Weather Channel, eerst stak de wind op, dan ging het regenen en als de storm helemaal woest en onstuimig was, zou de regen sneeuw worden en zouden we een flink laagje krijgen tegen de tijd dat de zon opkomt. Alleen weet ik het zo net niet, want...'

'Jezus, kun je kappen met dat gekakel over het weer?' zei Kellas. Hij opende zijn mond om door te gaan en hield op. De ogen van het meisje waren groot, Kellas sloeg de zijne neer. 'Het spijt me,' zei hij.

'U hoeft niet zo tegen me te schreeuwen.'

'Je hebt gelijk, het spijt me, heus.'

'Ik maakte maar een praatje.'

'Ja, weet ik. Ik weet niet wat me overviel. Dat wil zeggen, ik weet wel wat me overviel, maar goed, ik vraag excuus.'

'Ik heb een alarmknop vlak onder de toonbank en ik kan hier binnen de minuut de politie op uw nek hebben. Moet ik dat doen?'

'Nee. Ik ben... hoeveel voor de koffie?'

'Dollar tien.'

Kellas vond twee dollar in zijn zak en gaf die aan haar en zei dat ze het wisselgeld mocht houden. Ze bedankte hem.

'Hoe heet je?' vroeg Kellas.

'Renee.'

'Ik heet Adam. Geloof alsjeblieft dat ik het meen als ik sorry zeg, het is niet enkel...'

'Is al goed.'

'Hoe oud ben je, als ik vragen mag?'

'Achttien.' Ze was nu op haar hoede.

'Hou ik je van je werk?'

'U is de enige klant.'

'Ik moet er eens vandoor,' zei Kellas en draaide zich half om, maar nu bewoog hij dichter naar Renee toe. 'De vorige keer dat ik zo tekeerging tegen iemand van jouw leeftijd was zowat een jaar geleden. Ik viel tegen hem uit en ik gaf hem een stomp, zo met mijn hand, behoorlijk hard.'

'Misschien moet u 's nadenken over zo'n training in agressie-regulatie.'

'Ja, misschien. Hij deed iets wat me kwaad maakte. Maar we spraken elkaars taal niet, geen enkel woord.'

Renee had haar armen voor zich op de toonbank gestrekt en leunde erop, kromde haar rug. 'Hoezo, sprak hij geen Engels?' zei ze.

'Hij sprak een andere taal, waarschijnlijk twee.'

Renee gaapte en trapte met een hak achteruit. Kellas wist dat hij moest ophouden. 'Ik had hem nooit gestompt als hij geen geweer had gehad. Dat maakte het oké. Ik kon tegen mezelf zeggen dat ik iets gevaarlijks deed.'

'Wat voor geweer had hij?'

'Een AK.'

'Nogal zwaar.'

'Jij weet wat dat is?'

'O, tuurlijk weet ik dat.'

Kellas ging het bekertje vullen met koffie uit de filterkan, leegde er vier zakjes suiker in en ging terug naar de toonbank. Hij stond er met zijn rug tegenaan geleund en dronk de koffie en keek naar de ramen, die trilden in de wind. Om de haverklap kwam er een geluid van het glas alsof iemand er een handvol grind tegenaan had gesmeten. Renee nam een paar werkbladen af met een doek.

'Waar was u dan?' zei Renee.

'Afghanistan.'

Renee stak haar onderlip uit en knikte, haalde haar doekje heen en weer over een schone plank. 'Da's een heel eind van hier.'

'Je zou er in een dag kunnen komen.'

'Heeft u ook van die taliban gezien?'

'Alleen dode.'

'Is u soldaat?'

'Nee.'

'Soortement van premiejager?'

'Nee!' Kellas moest lachen.

Renee glimlachte. 'Waarom niet? Je hebt daar kerels die miljoenen waard zijn, enkel voor hun kop. "Dood of levend" staat er op de poster. Mijn vriend had zoiets van "ik ga niet in het leger", maar als iemand zijn overtocht betaalde daarnaartoe en hem een uzi gaf en een pick-up, dan ging hij er zelf achteraan.'

'Ik was verslaggever.'

'Oké. Dus u maakt niemand dood. U is een vreedzaam mens. Een non-combattant.'

Kellas fronste zijn voorhoofd. De toonbank lag vol met wegenatlassen, sigarettenaanstekers, trommeltjes met het etiket 'Zeezoutpinda's', snoepgoed van vijf cent en stickers met 'Virginia is for lovers' erop. Het harde licht in de winkel werd opgepikt door duizenden gele en rode etiketten op plastic verpakkingen.

'Dat dacht ik vroeger ook. Nu weet ik het niet zo zeker,' zei hij. 'Als je erbij staat terwijl iemand anders in de verte een paar onbekenden doodschiet, doe je dan zelf mee aan het doden? Wat is de aanklacht: medeplichtigheid? Ik weet niet wat voor standpunt de wet van Virginia of Afghanistan daarover inneemt. Ik dacht dat we maar prááten over doden, en toen deed een van ons het ook echt.' Kellas zweeg even en keek Renee aan. Ze stond met haar handen achter haar rug, geleund tegen een muur achter de toonbank, naar niets te staren met licht gebogen hoofd.

'Dus misschien hielp ik wel een handje,' zei hij. 'Een paar taliban doodmaken.'

'U zou contact moeten opnemen met de FBI,' zei Renee. 'Wie weet heeft u recht op een premie daarvoor.'

'Zou je denken?'

'Ze zouden wel iets als een bewijs moeten zien. Zeg maar een oor of zo, of van allebei een vinger.'

Ze hielden op met praten. Kellas merkte dat het zonder de flauwe klanken van Bing Crosby die 'Rudolph the Rednosed Reindeer' zong op de intercom, in de winkel doodstil zou zijn.

Hij zette het half leeggedronken bekertje koffie neer en vroeg de weg naar Chincoteague. 'Dat is de Chincoteague Road, daar recht vooruit, tussen hier en de Pizza Hut,' zei Renee. Ze knikte. 'Gewoon blijven volgen, over de dam, en dan is het Main Street Chincoteague.'

Kellas bedankte haar en liep de winkel uit de storm in. Na een paar passen stond hij stil en overwoog terug te lopen om Renee te zeggen dat het was gaan sneeuwen, maar zelfs het korte eindje dat hij had afgelegd was zwaarbevochten terrein, en hij liep door.

10

De wind woei nog even hard als eerst, maar de temperatuur was steil gedaald, en malse, aanhangende sneeuwvlokken tuimelden donker voor het lamplicht langs. Bleke sikkels in een veervormig patroon langs de wegkanten deden vermoeden dat die zouden blijven liggen. Verder vooruit zag Kellas een streep sneeuw zich verdichten over het midden van de weg.

Zijn linkerhand greep de twee panden van zijn jasje bij elkaar tegen zijn hals. De zwachtel droeg een beetje extra warmte bij, maar deze werd tenietgedaan door de verkillende werking van de smeltende sneeuw op de huid van de hand en zijn gezicht. De pijn in zijn pols begon te vervagen, verdoofd door de kou misschien. Dat kwam goed uit. De grootste zorg was de snelheid waarmee zijn jasje en broek vocht opnamen. Waren zijn kleren eenmaal verzadigd, en dat zou spoedig zijn, dan zou hij snel lichaamswarmte gaan verliezen. Het kon geen goed teken wezen dat de sneeuw zo dicht viel dat de onderste laag smolt en zijn jasje bleef doorweken, terwijl een middenlaag een overgang vormde en een buitenste laag op de voorkant van zijn jasje begon te kitten en aan te dikken.

Voor hem uit was de sneeuw het asfalt vlug aan het ontkalen. Er waren huizen. Onderdak zoeken als het te bar werd, wat naar alle waarschijnlijkheid nu het geval was. Een zinsnede kwam op in zijn hoofd: als je onmiskenbare symptomen van onderkoeling bespeurt, is het al te laat. Maar, had hij het gehoord, of gelezen of het op dat moment verzonnen? Raaskallen kwam niet te pas. Niet afdwalen, niet van de geest noch van de voeten. Concentreer je.

'Concentreer je,' zei hij tegen de wind in.

Verleng je passen. Snelle mars. Voorwaarts. Verder. Verbeeld je dat je iemand draagt die nog zieker is dan jij, iemand om wie je geeft. Iemand om wie je meer geeft dan om jezelf. Verder met de beminde, op naar de veiligheid. Denk gedachten met doelen en bestemmingen. Denk aan het bepleiten van een zaak bij de vrouw voor wie je de oceaan bent overgestoken. Denk niet aan de zaak zelf, alleen aan het bepleiten. Bestook haar met woorden. Eén zal erdoorheen komen. Verder nu. Hoewel, vijftien kilometer was zeker een verdomd lang eind om in een sneeuwstorm af te leggen. Tweeënhalf uur met gezwinde pas op vlak terrein. Hij was niet gekleed op dit weer. Het was niet zozeer de gedachte aan sterven, als wel de gedachte dat hij zijn vader in verlegenheid zou brengen, die hem zou kunnen dwingen bij vreemde deuren aan te kloppen en hulp te zoeken. Schot Dood Aangetroffen Op Amerikaanse Weg. Vader Kritiseert Schoeisel, Ontbreken Van Jas. Maar hij wilde niet aan die vreemde deuren kloppen. Het hele land was tot de tanden gewapend, al vijandig bij het geringste gerucht van schooiers en struikrovers. Hij moest in beweging blijven. Dan kreeg hij het wel warmer.

Over een uur zou de zon opkomen, dacht hij, al halverwege de ochtend in Dumfries. De post was dan al bezorgd. Het was dinsdag. Die moest er nu zijn. Een van de kinderen had misschien de brief al gevonden, dat rare berichtje, dichtgeplakt met een tweede postzegel, dat door de spleet op het matje in de vestibule kwam gefladderd, tegelijk met het gewicht en de schelle kleuren van de reclame, verdergedragen op het extra luchtstootje toen de zwaardere brieven op de grond vielen. Kellas kon het niet ontsturen, hoe graag hij dat ook wilde. Misschien dat Fergus het gevonden had. De jongen zou nieuwsgierig zijn geworden en het naar zijn moeder brengen. Met hun vijven om de ontbijttafel, grijpend, inschenkend, drinkend en kibbelend. Sophie zou het hebben opengemaakt, benieuwd, maar met een voorgevoel. M'Gurgan zou het met de hand gekrabbelde adres op de Ikea-kwitantie hebben opgemerkt, naar Sophies gezicht hebben gekeken en zich hebben afgevraagd of zijn vrouw soms gestalkt werd, of ze een verhouding had. Wat zij wist over hem dat hij niet wist dat ze wist. Sophie had de brief laten vallen, haar handen tegen haar mond geslagen en was snikkend de keuken uit gerend. Nee, dat was een film. Wat zou ze in het echt hebben gedaan? Heel goed lezen, proberen niet te tonen wat ze dacht, hoewel M'Gurgan het zou hebben gezien. Ze zou het papiertje heel klein hebben opgevouwen, met haar nagels langs de vouwen getrokken, en haar vuist eromheen hebben gesloten, en ze zou M'Gurgan hebben aangekeken zonder iets te zeggen, en hij zou hebben geweten dat ze informatie had ontvangen die nadelig was voor zijn goede reputatie in dat huis. Misschien was er iets vochtigs in haar ogen geweest en zouden Angela en Carrie nu zeker hebben gemerkt dat er iets aan de hand was. Angela zou hebben gezegd: 'Mam, wat is er?', en Carrie zou tegelijk hebben gezegd: 'Wat staat erin, mam?' En Sophie zou 'Niks' hebben gezegd en hen naar school hebben gestuurd. M'Gurgan, aan tafel gezeten, zou de voordeur hebben horen dichtgaan en Sophie door de gang horen terugbenen, hard stappend met haar schoenen op de vloer, en hij zou overeind zijn gekomen, klaar voor de strijd. Een mogelijkheid: ze waren bezorgd geweest over hun vriend Kellas. M'Gurgan had het schrift kunnen herkennen en denken dat het een zelfmoordbriefje was. Wat een lieve man, om zich zo om hem te bekommeren! En hoeveel erger de ontdekking dat Kellas zich niet van kant had gemaakt, maar hem had verraden, en Sophie had verraden, dat vrouwtje dat dingen voor elkaar kreeg. Ze zouden nu ruziën, in de dag van het oosten. Tegen de avond zou Kellas het gezin van zijn vriend aan scherven hebben doen springen.

Kellas gleed uit en tuimelde om in een plak sneeuw. Hij sprong op en sloeg fanatiek de sneeuw van zijn jasje en broek, alsof het een massa giftige insecten was. Licht verblindde hem en hij legde zijn rechterhand boven zijn ogen. Er was een voertuig gestopt op een paar meter afstand. Het stond in de richting van Chincoteague. Na enkele tellen reed het naar voren tot het open chauffeursraampje op gelijke hoogte was met Kellas. Het was een bestelwagentje met de rimpels van tienjarige ouderdom. Een man van in de vijftig of zestig, met wit haar, in een oud ski-jack, keek Kellas aan over zijn ellcboog.

'Waar gaat u heen?' vroeg de man.

'Chincoteague.'

'Dronken?'

'Nee.'

'High?'

'Nee.'

'Is er een medicament waar u high van zou moeten zijn en u hebt uw dosis overgeslagen?'

'Nee.

'Stap in. Kalm aan. De kleine slaapt.' Kellas liep om naar de passagiersplaats, klom naar binnen en sloot de deur. Een enkele bank besloeg de breedte van de cabine, op zijn Amerikaans, en in het midden, tussen Kellas en de bestuurder in, stond een stevig wit draagwiegje, waarin het gerimpelde gezichtje van een baby uit wollen plooien tevoorschijn piepte.

'Dank u,' zei Kellas zacht. 'Ik ben doorweekt. Het is heerlijk om uit de sneeuw te zijn.' Hij kantelde de ventilatiespleten met zijn vinger en voelde warme lucht tegen zich aan waaien. 'Geen bezwaar?'

'Waar gaat u naartoe?'

Kellas noemde de straat.

De man keek een poosje vooruit naar de weg. In de lichtkegel leek de sneeuw zich te delen en tegelijk de weg te wijzen, als de menigte om een lichaam als de politie arriveert.

'Wordt u daar verwacht?' vroeg de man.

'Verwacht?' herhaalde Kellas. Hij wierp een blik op de baby. Die sliep vaster dan hij ooit iets had zien slapen. Twee vuistjes, opgekruld. Er was een aanhoudende duisternis buiten en de truck denderde voort naar het eiland, met een oude man aan het stuur en een slapende baby naast hem.

'Ze is zes maanden,' zei de bestuurder. Hij wierp een blik op Kellas en keek weer naar de weg. 'Ze is niet van u.'

Kellas gaf geen antwoord, niet wetend of hij het verkeerd had verstaan, of dat de bestuurder iets zo vreemds had gezegd dat het Kellas' vertrek zou aankondigen uit het ene leven en zijn intree in een ander, dat reëler en verborgener was. Hij keek naar de oude

man. Hij was lang, voor zover Kellas kon zien; hij moest rechtop staand ruim één meter tachtig zijn. Hij leek weinig vet mee te
torsen onder het ski-jack, dat open was geritst. Eronder droeg hij
een geruit overhemd en een witte borstrok. Hij had een lang, smal
gezicht met een merkteken onder zijn linkeroog, verborgen voor
Kellas zolang hij naar de weg keek. Zijn haar was kort geknipt aan
de zijkanten. Was het bovenop niet dikker en losser geweest, dan
had hij er militair uitgezien. Twee lange lijnen, scherp als sneeën,
liepen langs de zijkanten van zijn gezicht, van jukbeen naar kaak.
Zijn knappe voorkomen had iets algemeens, alsof hij als jongere
man al was begonnen zich ertoe te dwingen op zijn zestigste een
bepaald type gelaatstrekken te hebben, dat hij ontleende aan modellen van het type politiechef, president en generaal zoals die in
Amerikaanse tv-specials werden geportretteerd, en Kellas vond
het moeilijk de vinger te leggen op wát het aan hem was dat het
uiterlijk vertoon achter zich liet en hem diepgang verleende. Het
was, besefte Kellas, dat hij geen spanning in zich leek te hebben,
niet de valse vormen van slechte acteurs die een gewichtige vast-
beradenheid speelden, noch dat opgefokt strakke van nerveuze
westerse zakenmannen en -vrouwen die zich opvraten, die te veel
trainden zonder met de verworven kracht iets reëels te hoeven
doen, en die in de loop van de dag ten slotte onbewust hun spieren spanden, klaar om het monster van ongenoegen te bespring-
en en te wurgen, dat nooit kwam opdagen. Deze man piekerde
over iets, een iets waarnaar Kellas in zekere zin niet durfde raden, hield hem bezig, maar hij piekerde niet met zijn lijf.
    De man wendde zijn gezicht om naar Kellas. Hij had grijze
ogen. Onder het linkeroog was het merkteken, zag Kellas nu, een
getatoeëerde traan. 'Mijn naam is Bastian,' zei hij. 'Herkent u
die?'
    Kellas schudde zijn hoofd en wilde zich voorstellen, maar Bas-
tian onderbrak hem. 'Ik weet hoe je heet,' zei hij. 'Je bent Adam
Kellas.'
    De traan was zo mis, leek zo'n idiote vergissing, dat het Kel-
las eerst onmogelijk was zich te concentreren op wat Bastian zei.
Hij wilde naar de traan vragen, en kon het niet. Langzamerhand

kreeg de vreemdheid dat Bastian hem herkende en vroeg of hij werd verwacht, de overhand op het gekke van de tatoeage. Het echte en verborgen leven was ten slotte bezig te beginnen, nu Kellas smerig en doodmoe was; de mededeling dat het kindje niet van hem was, was een zo duizelingwekkende manier om dingen met elkaar in verband te brengen dat Kellas onwillekeurig zijn handen door zijn haar haalde. De baby murmelde.

'Mijn kant van de situatie is niet zo vreemd als het zou lijken, zou ik moeten zeggen,' zei Bastian. 'Wat er zo vreemd aan is, is niet dat ik je toevallig heb opgepikt. Ik heb Astrid een paar minuten geleden bij de jachthut afgezet. Ze gaat vroeg van huis op jachtdagen. En ik kon Naomi niet alleen in het huis laten. Ik was naar de winkel om melk, en daar stond Renee op haar vlechtjes te kauwen en heen en weer te draaien en ik vroeg wat ze had gedaan, en ze zei, ze had een rare snuiter, in enkel een licht colbertje, de weg gewezen naar Chincoteague, vijftien kilometer door de sneeuw, en pas toen hij weg was beseft dat hij met de bus was gekomen en geen auto had. Ze probeerde uit te denken of ze de politie of een ambulance moest bellen, en ik zei dat ik toch die kant uit ging en zou kijken of er wat aan de hand was. Ik vond je gezicht iets bekends hebben, maar pas toen je in de wagen stapte herkende ik je.'

'Hebben we kennisgemaakt?'

'"Iemand had Paul McIntyre moeten waarschuwen dat hij binnenkort zou worden opgepakt, want hij had veel vrienden bij de politie van wie hij gunsten te goed had, maar toen het zover was, vond ieder van hen zijn eigen manier om te vergeten dat hij ooit had bestaan." Er stond een foto van je op het omslag. Toen Astrid terugkwam uit Afghanistan, vertelde ze mij over je. Ze zei dat je boeken had geschreven. Ik heb *The Maintenance of Fury* op het internet opgespoord. Kostte een hele tijd. Ik vond het goed. Ik heb een sterk geheugen voor eerste zinnen en dit vond ik een goeie. Echo's van Kafka en Tolstoj.'

'Het feit dat ik al ruim een etmaal onderweg ben, heb ik niet nodig als excuus,' zei Kellas langzaam. 'Ik voel me klaarwakker. Maar ik zou honderden eerste zinnen voor boeken kunnen schrijven en nog steeds niet weten hoe ik moest beginnen met de dingen te vragen die ik wil vragen.'

'Neem dan de eerste vraag die in je opkomt.'

'Waarom hebt u een traan op uw gezicht laten tatoeëren?'

De sneeuw was aan het afnemen en een waterig blauw verlichtte de oostelijke horizon.

'Verderop is de dam die mij en Naomi naar Chincoteague brengt,' zei Bastian. 'Ik kan je meenemen naar het eiland, naar ons huis. Dat doe ik met alle genoegen en je bent heel welkom, en dan zie je ook Astrid, de reden waarom je hier bent, denk ik zo. Of, als je het me vraagt, rijd ik je met evenveel genoegen naar Baltimore of DC, nu meteen. Denk erover na. Van de twee wegen raad ik je aan: ga terug. Kom niet naar het eiland. Denk erover na terwijl ik je vraag beantwoord.'

'Goed,' zei Kellas.

'Het was nadat ik de studie eraan had gegeven. Ik had toen een boerderijtje in de heuvels bij San Francisco. Ik kweekte er marihuana, die ik verkocht aan musici in de buurt. Het leverde wat handgeld op en en ik las en schreef en verzamelde boeken. Ik zat veel in de bossen te roken en naar de bomen en het water te luisteren. Een jaar, het zal '68 zijn geweest, kwam er een kerel aanlopen en die bleef. Hij was wat jonger dan ik. Misschien ontdook hij de dienstplicht, dat weet ik niet meer.'

De auto reed over een hobbel. Een doodgereden beest vermoedelijk, een konijn of een grote vogel.

'Hij droeg zo'n geitenleren jasje met franje en jeans, en hij had een baard waarmee hij volgens hem op Anton Tsjechov leek, al vond ik dat hij meer weg had van generaal Custer. In het begin had ik geen last van hem, maar na een tijdje merkte ik dat hij, waar ik ook was en wat ik ook deed, er ook was en hetzelfde deed. Als ik naar de bibliotheek ging om te lezen, dan kwam hij mee, pakte een boek en ging zitten lezen. Hij ging naar bed als ik ging. Als ik ging wandelen, kwam hij achter me aan. Hij zou geen hand uitsteken om met de planten te helpen als ik er niet mee begon. Hij heette Edwin. Een poosje heb ik gedacht dat hij voor het narcogajes spioneerde. Later dat hij gewoon een snotneus was. Maar het was iets anders. Hij wou niks doen en hij wou niks leren; elke keer dat hij achter me aan kwam, deed hij het om naar zichzelf te kijken. Hij was zijn eigen publiek. Hij stond verbaasd van de merkwaardigheid van zijn eigen leven. Alsof de eigenlijke Edwin in een heel andere ruimte op een zachte stoel zat en popcorn in zijn mond schoof en als toeschouwer commentaar leverde terwijl de stoffelijke Edwin met het leven experimenteerde. Stak ik een joint op, dan kwam hij erbij en wachtte tot ik hem doorgaf, en dan zei hij: "Ik ga vandaag zó stoned worden." Ik had het beter kunnen begrijpen als ik hem had horen zeggen: "Wíj gaan vandaag zó stoned worden." Hij was schichtig in het bos. Het lag niet in zijn aard om daar gewoon te zíjn. Hij moest zichzelf en mij aldoor vertellen dat we daar waren en hoe goed dat wel was, iets geweldigs.'

Tussen de mannen in sliep Naomi. Ze stompte wat in de lucht, bewoog haar hoofd en blies een belletje. Kellas probeerde te luisteren naar wat Bastian vertelde. Hij had een sterk verlangen om Astrid te zien en een lafhartig verlangen naar uitstel. Hij voelde zich zoals hij zich had gevoeld toen de oorverdovende motoren van het hagediskleurige transportvliegtuig van toon waren veranderd bij de afdaling naar Faizabad, en hij had uitgekeken naar het landen en uitstappen in Afghanistan, en tegelijk opgezien tegen het einde van het simpele onderweg-zijn.

'Op een dag in de winter stond ik vroeg op, dronk een beetje koffie alleen in de keuken, en ging buiten kijken naar het opkomen van de zon,' zei Bastian. 'En meteen stond Edwin al naast me, koffie in z'n hand. En hij begon zijn commentaar over hoe prachtig het toch was, en hoe één hij zich voelde met de wereld, wat een medelijden hij had met al die kantoorklerken en hun burgerlijke sleur. Het had een macht over me, die bezweringsformules van hem, ik begon te denken dat de zon was ontworpen, gemaakt en op de markt gebracht en dat ik hem kocht, door gewoon daar te staan kijken en te luisteren naar Edwin. En Edwin zei, hadden we niet een fantastisch leven, en ik zei och jawel, ook al twijfelde ik eraan omdat hij het zei. Edwin vroeg wat ik in de toekomst ging doen en ik zei dat ik dat niet wist, misschien hetzelfde als wat ik nu aan het doen was. En Edwin knikte en zei dat hij er precies zo over dacht. Hij zei: "Bastian, als ik ooit hier van de berg af kom en een nette baan krijg in het land van wittebrood en telmachines, wil je me dan alsjeblieft komen zoeken en doodschieten?" Ik keek hem aan en dacht erover na. Ik dacht er serieus over na. Ik was ervan overtuigd dat hij die baan zou krijgen en ik geloofde op dat moment dat het een reëel mogelijke toekomst voor mij was, hem doden zoals hij vroeg. Ik zag mezelf zijn kamer binnenlopen in een of ander kleinsteeds makelaarskantoortje en hem opstaan om me te begroeten, "Hé Bastian, da's lang geleden!", en hem een kogel door zijn bast jagen met een twaalfkaliber. Maar toen dacht ik aan mezelf en mijn eigen zwakheid. Ik kon de toekomstige Edwin doden, maar dat wou ik niet, ik ben geen moordenaar, en ikzelf dan? Ik had me door zijn schaduw zo makkelijk laten stangen. Ik moest terug naar de wereld, maar ik moest mezelf veranderen. Ik moest iets hebben om te voorkomen dat de wereld me opslokte.

'Die dag heb ik die traan laten zetten. Een tatoeage op je wang is moeilijk te verbergen. Het zondert je uit. Ik kon er niet op vertrouwen dat ik een rechtenstudie of de reclame of de journalistiek zou kunnen vermijden... sorry meneer Kellas...'

'Geeft niets,' zei Kellas.

'Ik vertrouwde mezelf niet. En ik wilde niet iemand vragen mij te doden, zoals Edwin. Dus die traan was mijn waarborg. Niet om mezelf te vernietigen, alleen om delen van de wereld voor me af te schermen, buiten de perken te plaatsen. Voor mij geen buitensoos. Voor mij geen golfclub. Voor mij geen makelaardij.' Hij lachte een enkele korte lach. 'Niet in de jaren zestig tenminste. Dus dat is waar de traan voor dient, het afweren van mogelijke zwakheid.'

'Het had ook een...'

'Een excuus kunnen zijn voor mislukken, ja. Maar ik ben niet mislukt. Dezelfde dag dat ik die traan liet zetten, heb ik Edwin mijn huis uit gesmeten en de marihuana gerooid. Een paar weken later zat ik in New York, op zoek naar werk in het onderwijs, schreef korte verhalen, probeerde de kost te verdienen. Ik heb veel te danken aan die tatoeage. Hij zette me terug in de wereld door een grens te stellen aan hoe werelds ik mocht worden.'

'Ik snap wat u bedoelt,' zei Kellas.

'En nu. Nu...' Bastian liet lichtjes Naomi's wiegje schommelen. Na een moment van zwijgen wierp hij Kellas een blik toe. 'Nu denk ik dat het beter is dat wie behept is met zwakheden wordt beperkt, of zichzelf beperkt, door stille maar tastbare barrières als deze.' Hij raakte de traan aan. 'Of door...' – hij zuchtte, een diep inademen gevolgd door een even volledig uitademen – '...onderwerping aan het reglement van een bewaarder. De zwakke plek van barrières is natuurlijk dat ze zo gemakkelijk doorbroken worden. Een zonnebril, en de tatoeage is verborgen. Een dam en een auto...'

Naomi werd wakker en begon te huilen. Ze waren nu bij het water en de dam. Bastian stopte aan de kant van de weg, tilde haar uit het wiegje en hield haar tegen zijn schouder. Hij murmelde sussende woordjes tegen haar en liet haar zachtjes op en neer dansen en het blèren hield op. Buiten was het licht. De hemel werd helder hoewel de zon nog niet op was.

'Bent u Astrids vader?' vroeg Kellas.

'Nee. Dacht je dat ik dat was?'

'In het begin, ja. Ze zei dat ze samenwoonden.'

'Jack Walsh is van de zomer gestorven. Hij was een goeie vriend van me. Luister, ik moet Naomi thuisbrengen. Ik kan je afzetten bij t's Corner, je later oppikken en je naar Baltimore rijden of DC, of je kunt met ons meegaan naar huis. Ik moet je vragen zelf te beslissen. En daarbij in gedachten houden dat ik je sterk aanraad niet naar het eiland te komen.'

'Ik ben welkom als ik meega, maar u vindt het beter dat ik vertrek?'

'Precies.'

'Ik begrijp het niet. Waarom zou ik niet komen?'

'Het gaat om een derde partij die hier niet is om voor zichzelf te spreken.'

'Maar ze heeft me uitgenodigd. Me een e-mail gestuurd.'

Bastian keek Kellas aandachtig aan, met zijn hoofd een beetje schuin gehouden. Hij streelde Naomi's ruggetje.

'Stond er: "Ik wil je nu zien. Ik wil dat je naar me toe komt..."
Ja? Ik zie aan je gezicht dat je het snapt. Wat jammer nou. Je had
beter kunnen weten. Die e-mails vliegen de hele tijd rond. Dacht
je heus dat het een echte was? Wanneer is ie gekomen? Want ze
heeft aan iedereen boodschappen gestuurd om zich te excuseren.'

'Weet u het zeker?' zei Kellas.

'Voor zover mij bekend heeft dat virus die e-mail gestuurd
naar iedereen in haar adreslijst.'

Kellas wreef met zijn vingertoppen over zijn voorhoofd. Het
was slecht nieuws, bitter slecht. Toch dacht hij, in een laatste ver-
schansing van 'niets te verliezen'-synapsen: ze had mijn e-mail-
adres op haar lijst staan.

'Dus u zegt: ik ben hier vanuit Londen naartoe gereisd op
grond van een paar woorden, gefabriceerd door een nummertje
pesterige software?' zei hij. 'Astrid heeft helemaal geen contact
met me gezocht.'

'Daar ziet het naar uit. Het spijt me.'

Kellas knikte terwijl hij nadacht. 'Ik heb het altijd een mooi
woord gevonden, dat *dumb* van jullie,' zei hij. 'Het betekent dom
en onwetend tegelijk.'

'Val jezelf niet te hard. Je hebt nog niets fouts gedaan.'

'U denkt dat ik niet naar het eiland moet komen.'

'Zo is het.'

'U kunt me niet vertellen waarom.'

'Dat ga ik niet doen. Maar nu weet je dat je niet was uitgenodigd.'

'Heeft Astrid ooit tegen u gezegd: "Ik wil Adam Kellas nooit
meer zien"?'

Bastian knipperde met zijn ogen. 'Er zijn hier vier mensen bij
betrokken,' zei hij. 'Eén ervan ben jij.'

'Heeft ze dat, of iets van dien aard, ooit over mij gezegd?'

'Nee.'

'Ik zou Astrid graag zien,' zei Kellas. Hij knipperde met zijn
ogen. Hij was licht in zijn hoofd en zijn pols deed zeer. 'Ik heb

een lange reis gemaakt. Wat ook de situatie is tussen jullie drieën, ik zou haar graag zien en als er plaats voor me is, vannacht blijven slapen.'

'Er is plaats,' zei Bastian. Hij gaf Naomi over aan Kellas, die haar warme zachte gewicht onder haar armpjes aanpakte. Hij hield zijn rechterhand onder haar bips en legde zijn linkerhand op haar rug en liet haar naar achteren liggen over zijn linkerschouder, voelde haar lenige armpjes zich eromheen slaan. Kellas bewoog haar op en neer, maar het deed haar gehuil niet ophouden, veroorzaakte alleen tussenpozen van stilte.

Bastian reed de dam op, die kilometers doorliep in een vlakte van kakikleurige rietgorzen en kreken. Het eiland lag aan de oostelijke horizon en daarachter kwam de zon op en legde over de ruige, korte rietstengels een bronzen gloed. Het zicht op het noorden werd deels versperd door een reeks beschilderde hutgrote reclameborden voor voedsel en onderdak voor toeristen op Chincoteague.

Onder het rijden vertelde Bastian hem dat Astrid al zwanger was geraakt voordat ze naar Afghanistan vertrok, in september, ja nog voor het instorten van de Twin Towers. Het kwam door een vrijage van één nacht; de vader was een Australische wetenschapper die een kort bezoek bracht aan de NASA-faciliteit tegenover Chincoteague en sindsdien was teruggegaan naar Melbourne. Ja, Melbourne. Ze hadden geen contact. Het huis was al eigendom van Bastian sinds de jaren zeventig, toen hij het had gekocht met de opbrengst van een boekcontract dat hij met de overheid had gesloten. Het was te groot voor één mens. Het was een gezinswoning. Jack en Astrid en de andere Walshen kwamen vaak op bezoek en nadat Jack met pensioen was gegaan, waren hij en Astrid erin getrokken.

'Nadat Jacks vrouw zich van kant had gemaakt en zijn zoon naar het noordwesten was gegaan, hielden Jack en Astrid een oogje op elkaar en ik hield een oogje op hen. Van die zelfmoord was Jack heel hard geworden. Hij maakte er een cultus van om hard te zijn. Zwijgen en stugheid was alles wat er was. Hij was niet kregel, hij was ook geen knorrepot, maar hij had de pest aan gesprekken. Alles wat hij kon beantwoorden met ja, was tijdverspilling wat hem betrof. Hij mocht je graag de mond snoeren door nee te zeggen. Als je hem een misschien kon afdwingen, dan was je goed bezig. Astrid kon hem wel aan de praat krijgen, denk ik, maar ja, die was vaak lang van huis. Dus nu Jack er niet meer is, let ik op Astrid en help met de zorg voor de kleine. Alles goed daar? Over tien minuten zijn we thuis.'

'Moet er op Astrid worden gelet?'

Bastian gaf niet dadelijk antwoord. Hij bleef recht voor zich uit kijken terwijl ze via de bult van een draaibrug de laatste diepe vaargeul overstaken naar het eiland zelf. 'Ik spreek niet voor Astrid,' zei hij.

Na de brug sloegen ze linksaf en reden zo'n anderhalve kilometer door een winkelstraat met hotels en restaurants. Hij was smal voor Amerika, de hoofdstraat van een klein kustplaatsje, met een bioscoop en een pompstation en het standbeeld van een paard. De gebouwen waren twee woonlagen hoog en van baksteen of planken. Een dozijn oude bomen, winterkaal, spreidden hun kronen boven de dakranden uit. Groene kerstslingers, kransen en vuurrode strikken waren opgehangen tussen houten telegraafpalen. Sommige huizen hadden door houten latwerkbogen omsloten veranda's, maar niets leek zo oud als een stad aan de oostkust van Virginia zou moeten zijn. Kellas vroeg naar stormen.

'Stormen, branden, overstromingen, we hebben het allemaal gehad. Maar de sneeuw is tegen twaalven wel weg,' zei Bastian. 'Kom kom, schatje, we zijn bijna thuis.' Hij streelde het wangetje van de krijsende Naomi met het tweede kootje van zijn wijsvinger. 'Ze heeft honger. Jij zeker ook.'

Ze sloegen rechtsaf, een brede straat in. 'Maddox Boulevard' stond er op het straatnaambord. Ze passeerden een oude witgeschilderde garage met een meer dan levensgrote sculptuur van een visser in een geel oliepak voor de deur. Op een bord aan de muur stond 'Island Decoy's', te midden van twee Canadese ganzen in de vlucht. Ze zetten nu weer koers naar het oosten, naar de Atlantische Oceaan, en de zon voor hen uit leek alsof hij uit de hemel kon kantelen en de straat in komen rollen. Hier wa-

ren de huizen kleiner en lager, de souvenirwinkels en motels groter en schreeuweriger. Er waren een fietsenverhuur, een Chinees
restaurant, drive-inbanken en een keet die 'Handel in Zeefruit
en Aas voor Hem & Haar' heette. Bastian had gelijk gehad over
het weer. Hoewel de bermen nog bespikkeld waren met klonten
sneeuw, waren de wegen en tuinen en parkeerplaatsen al schoon-
gesmolten. De hals van een fiberglasgiraffe in een minipretpark-
je en de oren van een Afrikaanse olifant glommen waar de zon
hun natheid bescheen. De palmbomen van het parkje waren in
krimpfolie gewikkeld nu het seizoen was gesloten. Na nog een
dikke kilometer kruiste de weg weer een vlakte van rietbos en
kreken. Ze bereikten een rotonde. Bastian sloeg linksaf bij een
dollarbazaar en weer rechts bij een kerk als een fabrieksdepot,
met gotische boogramen die in de vinylbekleding van de topge-
vels waren uitgehouwen, en een dunne witte spits van fiberglas
erbovenop. Hier waren de huizen groter en lagen ze in bosjes van
hoge pijnbomen. Bastian sloeg af naar een weggetje vol gaten en
overdekt met een laag roodbruine dennennaalden. De bomen
wierpen stroken schaduw dwars over de weg. Rechts, door de bomen en achter de huizen, zag Kellas nog meer riet, water en de
groene lijn van een tweede eiland.

'Dat is het eiland Assateague,' zei Bastian. 'Aan de andere kant
is de oceaan. En dit is waar wij wonen. Het spijt me dat Astrid je
niet zelf kon verwelkomen.'

Het huis was dicht omgeven door een opstand van tien meter
hoge pijnbomen, met slanke stammen en hoge heldergroene kronen. Het was een gebouw met twee woonlagen, de kamers onder het dak meegerekend als bovenverdieping, de muren bekleed
met planken van ongeverfd, geïmpregneerd hout en een beschut-
te veranda die aan de voorkant uitstak. Er was een stenen aan-
bouw toegevoegd, met een schoorsteen. Aan één kant lag onder
zakkengoed een stapel houtblokken. Het huis rustte op een ver-
hoogde fundering en een houten trappetje leidde naar de voordeur. Het dak was gestreept met sneeuw die smolt in de zon. Een
oude fiets met een roestend chopperstuur en witgestreepte banden stond bij de deur tegen de muur.

Bastian nam Naomi van Kellas over – ze was nu opgehouden met huilen – en ze liepen over de sneeuwplakken en de dikke deklaag van afgevallen naalden naar de deur. Die was niet op slot. Water klaterde van de bomen om hen heen en druppelde in de regenpijpen. Op de stoep herkende Kellas de puntige laarzen van Astrid, achteloos neergezet, de ene rechtop, de andere op zijn kant. Hij volgde Bastian, deed zijn eigen laarzen uit toen Bastian de zijne uittrok op de stoep, en belandde aan de tafel gezeten in de keuken die naar toast en koffie rook van een eerder ontbijt.

'Ik moet Naomi verschonen en voeden,' zei Bastian. 'Ik ga Astrid pas ophalen over een paar uur. Je hebt helemaal geen bagage, hè? Ik denk dat we wat andere kleren voor je kunnen vinden. Jij slaapt boven. Neem een douche als je wilt, of maak ontbijt voor jezelf – koffie staat daar en de ijskast is vol.'

Het was warm in het huis. Hij hing zijn jasje over de rug van een stoel, rolde zijn mouwen op en zette de koffiemachine aan. Hij liet een beetje boter in een bakpan smelten en brak er een paar eieren in, met wat plakken bacon. Hij bood aan ook voor Bastian te bakken maar die zei dat hij al gegeten had. De twee mannen waren zonder te praten in de weer, Kellas met bakken en Bastian met het verluieren van Naomi en het aanzetten van apparaatjes om haar flesje te steriliseren en haar melk te warmen. Kellas had in de ijskast, toen hij het voedsel eruit pakte, naar dingen gekeken die duidelijk Astrid waren, maar hoe kon hij dat zien? Een pakje rozijnenbagels? Lenteuitjes? Chipotle-saus? De keuken was opgeruimd en schoon. Op een betegelde richel onder het kale raam aan de achterkant dat uitkeek op een houten schuur en een perenboom, lagen de verbleekte opraapsels van de waterkant, schelpen, het bolronde omhulsel van een zee-egel, een groene krabschaal en de tere langwerpige schedel van een vogel. Er zat informatie op de ijskastdeur: een papiertje waarop 'Dokter bellen' stond geschreven, vastgezet met de ijskastmagneet van een springende zalm, een overzicht van jachtterreinen en -data, en een korrelige zwart-witfoto van een stenen tablet waarin letters waren gekorven in twee verschillende alfabetten; het bovenste alfabet leek Grieks.

Kellas zette zijn bord en koffie neer en begon te eten. Bastian gaf Naomi een flesje en Kellas keek naar haar, probeerde Astrid te zoeken in haar poezele kopje en nieuwe ogen. De geluiden in de keuken waren die van Naomi's gemurmel, en Bastians gemompelde liefkozende woordjes, Kellas' bestek op het bord en het zoemen van de afzuigkap die hij boven de kookplaat had aangezet. Hij voelde zich min of meer bestolen van zijn hereniging met Astrid, eerder gepikeerd dat er in dit huis zo weinig voor hem leesbare tekenen van haar leven waren, dan dat hij zich benauwd voelde door Naomi of Bastian, ook al had hij niet verwacht een van hen beiden hier aan te treffen. Er was iets meegaands in de mannelijkheid van Bastian. Als het erop aankwam, kon Kellas zich hem niet vechtend om Astrid voorstellen. Naomi lag ingewikkelder. Van de twee interpretaties van Astrid die zwanger naar Afghanistan ging, de waaghals en de dwarskop, was Kellas evenveel gecharmeerd. Hij was geroerd door de gedachte dat hij met Astrid had geslapen terwijl Naomi in haar groeide. Hij wilde niet dat ze afgetobd was en aan de wieg gebonden, maar het kind gaf Kellas meer tijd, het moest Astrid zo in haar gang vertragen dat Kellas langer naast haar mee kon lopen. Het stilzwijgende aanbod van stiefvaderschap school in zijn achtervolging en hij kon vast en zeker even lief kirren als die forse oude man aan de andere kant van de keukentafel, met zijn neus tegen het giechelende gezichtje van Naomi geduwd, die zij weer tussen de roze sterren van haar handjes klapte.

Er was nog steeds het probleem van het geld.

'Wat staat er op die foto op de ijskast?' vroeg Kellas.

'Het is een tablet uit de tweede eeuw voor Christus. Een edict van koning Asjoka, in het Grieks en in het Aramees gehakt. Het is gevonden in Kandahar en stond in het archeologisch museum van Kabul tot de burgeroorlog in Afghanistan in de jaren negentig. Het is verdwenen.'

'Heeft Astrid die foto daar gehangen?'

'Nee, ik. Voor ze daar naartoe ging, heb ik haar gevraagd om te proberen iets te vinden over waar het kon zijn gebleven. Ik laat hem daar zitten, in de hoop dat ze erover schrijft, want hoewel ze het nooit helemaal tot op de bodem heeft uitgezocht, heeft ze wel de interviews gedaan. Je weet hoe het gaat. Mensen die geen verslaggever zijn, denken altijd dat ze een idee hebben voor een fantastisch stuk. Lees je Grieks?'

'Nee,' zei Kellas. 'Ik wist niet dat er tweeduizend jaar geleden Grieks gesproken werd in Kandahar.'

'O jawel. Na Alexander de Grote. Er waren grote Griekse nederzettingen in Afghanistan. Dat is waar Aristoteles stuitte op de Boeddha. Niet letterlijk, ik bedoel, dat was het trefpunt tussen de Griekse filosofie en het boeddhisme. Daar gaat die inscriptie over. Het waren de Grieken die Boeddha het eerst een gezicht en een lichaam gaven, zijn lijfelijk imago. Elk boeddhabeeld komt van de Grieken van Afghanistan en India.' Bastian liet zijn korte lachje horen. 'Ik herken die uitdrukking op je gezicht. Jij denkt dat de tijd de verkeerde kant op gaat, niet? Dat het oude Kandahar Plato en de Dharma had, dat je in het moderne Kandahar Jehovah hebt die het uitknokt met Allah, het Oude Testament tegen het kalifaat. Wil je spelen, m'n bolletje? Wil je mee uit vissen met Bastian?' Bastian, die Naomi op zijn knie had gehouden, tilde haar omhoog in de lucht en had een kort gesprekje met haar over getijden en kunstaas. Hij zette haar terug en liet haar op en neer wippen. 'Toen ik van Californië naar het oosten verhuisde, was dat het waarover ik zou gaan schrijven. Ik raakte gefascineerd door het idee – waarvoor alleen maar indirecte aanwijzingen zijn – dat Jezus en de discipelen boeddha's waren zonder zo te heten, dat een Griekse boeddhist van ergens tussen Kabul en Peshawar de reis had gemaakt naar de Grieken van Palestina en de jonge Jezus onderwees in zelfverloochening, geweldloosheid, de deugden van armoede, kuisheid en ootmoed.'

'Een roman?'

'Ja.'

'En de held zou die oude Griekse boeddhist zijn?'

'Ja.'

Kellas voelde de duizeling van de millennia en het snakken van de miljarden naar de openbaring van verborgen waarheden. 'Dat had kunnen...'

'Ik had het bijna af,' zei Bastian. 'Toen heb ik het verkocht aan een overheidsinstelling. Ze willen het nog heel lang uit het daglicht houden. De daad van collectieve stompzinnigheid die ze begingen door het te kopen, was beschamender dan wat ook in de tekst.' Hij keek naar de grond en aaide zachtjes over Naomi's hoofd. 'Ik zou je graag vertellen wat er is gebeurd. Ik zie dat je benieuwd bent. Het vertellen is voor mij een boetedoening.'

'Kom maar op,' zei Kellas.

'Mijn leven zou anders zijn gelopen als ik Engels of Frans was geweest,' zei Bastian, 'waar Londen en Parijs het middelpunt van alles zouden zijn. Maar nadat ik naar New York was verhuisd, kreeg ik het gevoel dat ik probeerde overeind te blijven op een steile helling met Washington helemaal onderaan.' Wat Bastian trok, was het idee van dienen, niet iemand te zijn die diende, maar in de 'polis' te zijn waar anderen dat deden. Hij was een vrije denker. 'Ik wil niet opsnijden,' zei hij tegen Kellas, 'maar ik bevond me op een ander plan dan de hippies en de antioorlogskliek, de radicalen tegen de regering, de Amerikaanse amateur-terroristen.' Verzet tegen de overheid, zoals Bastian dat zag, definieerde zichzelf door datgene waartegen het in opstand kwam. Bastian werd aangelokt door de idee van een stad van eeuwig bestuur die een bewind voerde even buiten het Washington van vierjarige verkiezingscycli en hoogdravend gebakkelei over geld, oorlog en ras. Destijds schaamde hij zich voor de visioenen die hem plotseling overvielen op zijn wandelingen door de Village, van mannen in witte overhemden en zwarte dassen, die verzameld op groen gras tussen witte gebouwen lazen in rijen op fris wit papier getypte cijfers, niet om een zaak of een partij te dienen maar ter wille van het dienen zelf; dat de rituelen aangenaam en eervol en goed waren. Hij schaamde zich; zijn vriendin was een feministische actievoerster, zijn vrienden waren muzikanten in leren broeken, ze leidden het studentenverzet en streden voor burgerrechten. Het was om zich tegen de verleiding van functies, overhemden en stropdassen te beschermen dat hij de blijvende traan op zijn gezicht had laten aanbrengen. Hij schaamde zich, tot hij concludeerde dat zijn beeld van Washington subversiever was dan dat van zijn vrienden. Zij wilden het veranderen; hij keek slechts vol verwachting uit naar zijn uiteindelijk verdwijnen naar een ander tijdperk. Het Washington dat hem lokte was een Washington zoals je het over duizend jaar zou kunnen zien, geheimzinnig, gecodeerd, gekostumeerd zoals het oude keizerlijke China, gezien vanuit het nu, zó ver weg dat de bijzonderheden ervan onzichtbaar waren en de schoonheid van zich herhalende patronen eruit tevoorschijn kwam. Successen, deugden en wreedheden, voor zover ze in de herinnering zouden voortleven, zouden geen ontzag of afschuw wekken, maar slechts amuseren. Met die gedachte in zijn hoofd verhuisde Bastian naar DC.

Met die tatoeage bleek het knap lastig een betaalde baan te vinden, maar zijn ervaring en een paar gepubliceerde korte verhalen bezorgden hem op den duur een betrekking als algemeen docent in creatief schrijven in een van de hachelijker wijken van de stad. Hij ontmoette Jack Walsh via een charitatieve instelling die met daklozen werkte. Astrids vader zat in de raad van bestuur. Hij nodigde Bastian uit om te eten bij hem thuis in McLean, een westelijke buitenwijk van Washington, over de grens met Virginia. Kellas rekende uit dat Astrid toen een jaar of acht moest zijn geweest, en Bastian drieëndertig. Kellas verloor voor de duur van enkele zinnen zijn concentratie. Mannen en vrouwen om een tafel, de mannen met haar in krullen tot over de oren, grote dassen en brede kragen. Overdadige oogschaduw. Een ernstig kind dat op de drempel welterusten komt zeggen. Alle gezichten wenden zich om. Een man met een getatoeëerde traan op zijn gezicht. Ze herinnert zich hem.

'Ik wist dat de voornaamste industrie in McLean de CIA was. De hoofdingang daar is tussen de bomen aan de andere kant van de snelweg. Dus ik vroeg me af of iemand van de studenten van de CIA zou zijn, of ermee getrouwd.' Kellas fronste, excuseerde zich en vroeg Bastian even terug te gaan. Bastian herhaalde wat hij daarnet had gezegd; hij had goed overweg gekund met de Walshen en hun kring in McLean, toen een betere middenstandsgemeente, maar nog niet zo gewild als nu. Die tatoeage was in dit geval precies wat ze zochten – een etiket van vrijgevochtenheid op iemand die niet gevaarlijk of stoned was, of eropuit was hen om de oren te slaan met de maatschappij. Ze wilden de tegencultuur niet in de armen sluiten, maar haar de hand reiken, kunnen zeggen dat ze goed met haar bekend waren. Een blanke man met een tatoeage op zijn gezicht was niet zo'n engagement als de kennismaking met een zwart iemand. Het gevolg was dat Bastian een opdracht kreeg om één avond in de week in McLean les te geven in creatief schrijven, samen met anderen die les in Franse conversatie of pitrietvlechten gaven aan verveelde en benauwde burgers.

Er waren zo'n vijfentwintig vaste klanten, voornamelijk vrouwen. Bij de eerste les las Bastian gedeelten voor uit zijn eigen werk in uitvoering, over de Griekse boeddhist die vanuit Kandahar naar het oude Palestina toog, en moedigde hij de studenten aan kritiek te leveren. In de loop van de weken daarna werd er gerouleerd. Elke week las een stel studenten hun inspanningen voor, bespraken ze wat de ander had geschreven, en werden dan onderworpen aan vragen en commentaar uit de klas. Aan het eind van de negende les bleef een van de studenten achter om met Bastian te praten terwij deze zijn boeltje pakte. Hij heette Crowpucker. Hij was jonger dan Bastian, amper dertig en bleek, met hangwangen. Crowpucker deelde Bastian mee dat het volgende week zijn beurt was om te lezen en te worden gelezen, maar dat hij tot zijn spijt de klas moest verlaten, aangezien hij door de aard van zijn werk voor de overheid de bewuste stof onmogelijk openbaar kon maken.

'Ik kan me een beeld vormen van het werk dat je doet,' zei Bastian tegen Crowpucker, 'maar het staat totaal los van wat wij hier doen. Je houdt je in je werktijd zeker bezig met geheime overheidsinformatie. Hier gaat het over jou die fictie en poëzie schrijft, in je vrije tijd. Je kunt die dingen toch gescheiden houden. Niemand, en ik al helemaal niet, die wil dat je hier komt en vertrouwelijk materiaal voorleest.'

Crowpucker lachte, schudde zijn hoofd, schoof met zijn voeten en keek om zich heen. 'Moet u horen,' zei hij. 'Wilt u er een biertje met me over gaan drinken?'

Ze gingen naar een Chinees restaurant en praatten urenlang. Crowpucker zei dat hij geen romancier, scenarioschrijver of dichter wilde worden; wat hij wel had, was interesse voor de verbeelding. Hij haakte aan bij wat Bastian had gezegd: 'Ik kan me een beeld vormen van het werk dat je doet.' Misschien kon Bastian dat ook. Er waren technieken die een overheidsinstantie graag zou onderzoeken. Crowpucker en een groep andere, gelijkgezinde jonge functionarissen hadden steun om op zoek te gaan naar specialisten in deze technieken. Het ging niet om het verzinnen van dingen. Er zouden geen feiten worden gefingeerd. Het was meer de ruimte tússen de feiten, het samenvoegen van de feiten tot een herkenbare vorm, en de richting die aan die vorm werd gegeven, waar het hun om ging. Het was per slot een zaak van nationale veiligheid. Te veel belangrijke informatie ging verloren doordat zij aan degenen die de macht hadden om haar te gebruiken, werd doorgegeven op een manier die vormeloos was, slordig, verwarrend. Of saai! Ook saaiheid kon schadelijk zijn voor het landsbelang.

'Een paar maanden later heb ik getekend,' zei Bastian tegen Kellas. 'Het klinkt gek, maar ik dacht niet aan spionnen en de Koude Oorlog. Ik dacht aan een grote hermetische bureaucratie, een verborgen stad van ambtenaren in witte overhemden die iets eeuwigs en geheims bewaakten. Net alsof ik een bezoeker zou zijn in de kluizen van een strenge kloosterorde. Toen ik er binnenkwam, zag ik waterkoelers en lelijke tapijttegels en hoorde ik gekissebis over wie welke vergaderkamer had geboekt, maar tegen die tijd was ik benieuwd naar wie er zou gaan profiteren van mijn 250 dollar in de week. Het verbaasde me dat ik zo makkelijk door de veiligheidsinspectie kwam. Het bleek dat ik ontheffing kon krijgen op een heel laag niveau. Hetzelfde als de schoonmakers die 's avonds de laagbeveiligde burelen kwamen stofzuigen. Ik had geen strafblad. Ik had de dienstplicht niet ontdoken, want ik was nooit opgeroepen. Ik zag met verbazing het woord "Programma" op het contract. Het leek een ietsje bombastisch. Maar zo reed ik op een ochtend naar Virginia, en langs de portiershuisjes, en zette me met de studenten aan het eerste Programma

Creatief Schrijven van de CIA.'

Er waren maar acht studenten, allemaal mannen. Evenals Crowpucker waren ze jong, met zachte handen en een bleke kantoorteint. Hun gezichten straalden optimisme uit.

'En dan bedoel ik niet hoop,' zei Bastian tegen Kellas. 'Hoop impliceert dat je denkt dat er een kans is dat dingen lukken en een kans dat ze niet lukken. Die jongens hadden een verwachting van triomf. Die stond al vast. Ik kon er nooit achter komen of die triomf die van henzelf zou zijn, of die van de instantie of van Amerika of van de mensheid. Ik weet niet of ze er verschil in zagen.' Ze stelden zich voor en Bastian schetste de manier waarop zijn klassen doorgaans te werk gingen.

'Meneer,' zei er een, 'denkt u dat het altijd waar is dat de geschiedenis door de overwinnaars wordt geschreven? Zouden juist de verliezers niet geschiedenis kunnen schrijven, als ze die echt héél goed schreven?'

Voordat Bastian kon spreken, begonnen de studenten onderling te redetwisten.

'Ze gingen een hele tijd door,' zei Bastian tegen Kellas. 'Ik zat erbij en luisterde. Toen ze ten slotte bedaarden, wist ik dat ik de verkeerde man op de verkeerde plaats was, en dat ik niet terug zou komen. Waar ze over streden, waren gebeurtenissen die zich nog niet hadden voorgedaan, alsof ze zich zeker zouden voordoen, alsof ze zich al hádden voorgedaan. Ik hoorde almaar zinnen als "Wanneer de Sovjet-Unie Iran binnenvalt", "Wanneer de communisten in Italië de macht grijpen", "Wanneer Moskou een zet doet richting IJsland", "Wanneer we wapens gaan leveren aan de moslims in Centraal-Azië." Was ik meer paranoïde geweest, waren die mannen ouder geweest, dan had ik misschien gedacht dat ze wisten waar ze het over hadden. Dat ze wísten dat deze gebeurtenissen ophanden waren, dat ze ze zelfs, wie weet, op gang konden brengen. Zo was de CIA. Maar niet deze jongens. Ze lachten te veel. Het was te gek: ze meenden het tegelijk serieus en niet serieus. Ze meenden het oprecht wanneer ze praatten over wat er in de toekomst ging gebeuren; ze geloofden eerlijk dat deze bestaande landen en volken deze gebeurtenissen zouden meemaken. Maar er waren geen mensen onder deze volken. De landen waarover ze spraken waren vormen op een landkaart, met bepaalde numerieke eigenschappen. Het was een simpele wereld van devianten, conformisten en massa's.'

Toen hij er een woord tussen kon krijgen, zei Bastian dat er misschien toch een misverstand was geweest. Crowpucker verontschuldigde zich en herinnerde hem aan de ontmoeting in het Chinese restaurant. Waarover dit ging, zei hij, was leren hoe je de verbeelding van een schrijver kon inspannen voor de inlichtingendienst.

Bastian zei dat de verbeelding inderdaad kon worden toegepast om te raden wat individuen zouden kunnen denken, hoe ze zouden kunnen zijn en zouden kunnen handelen. Maar die werkte het best wanneer het individu een fictief, samengesteld personage was, gebaseerd op het ervaren van andere, bestaande mensen. Je kon haar niet toepassen op naties of volken, behalve in fantasylectuur, of pulpfictie.

De studenten keken teleurgesteld. Ze maakten aantekeningen. Bastian dacht dat hij misschien toch niet zou hoeven vertrekken; ze zouden hem de zak geven en doorgaan met het toetsen van docenten tot ze er een vonden die hun precies leerde wat ze al hadden besloten dat ze zouden leren.

Crowpucker wilde een debat. Je had immers, zei hij, drie soorten verbeelding. Je kon iets of iemand verzinnen die helemaal niet bestond. Je kon je voorstellen hoe echte mensen in de toekomst zouden handelen. En je had de derde soort, waarbij je je verbeeldde waartoe jij of je organisatie of je land in staat zou zijn, en dan ging je dat doen. Was het niet het ideaal als je in staat was ze alle drie te combineren, verbeelding én handelen? Net als de founding fathers. Die hadden zich een niet bestaand land verbeeld, een democratisch Amerika, en zich een gedragslijn voorgesteld die ze konden volgen om de fantasie te verwezenlijken.

Bastian antwoordde Crowpucker dat hij filosofie en praktisch plannen verwarde met literatuur. Romans en toneelstukken waren er niet om de mensen te laten zien wat ze moesten zijn of te voorspellen wat ze zouden doen. Ze lieten zien wat mensen zíjn.

'Dat is een probleem dat de literatuur moet oplossen,' zei Crowpucker. 'Het ontbreken van een moreel kader. Het gebrek aan modellen voor heldhaftig en patriottisch optreden. Ik zou u voorbeelden kunnen geven van wat er zou moeten zijn. Tolstoj bijvoorbeeld. En u en uw werk.' Crowpucker drong erop aan dat Bastian erkende dat zijn roman over de boeddhistische Jezus meer was dan leesplezier, lyriek of een verhaal over personages. Het was toch meer een soort preek? Een leerrede? Een patroon voor hoe de mensen zich hoorden te gedragen? Niet een waar hij, Crowpucker, iets in zag, maar hij had respect voor de intentie.

'Het was een slimme jongen,' zei Bastian tegen Kellas. 'Het waren allemaal slimme, belezen lefgozers. Hij had me te pakken. Geen schrijver wil worden verweten dat hij een preek heeft geschreven...'

'Nee,' zei Kellas.

'...maar ik kon niet ontkennen dat er iets waars stak in wat hij zei. Ik had zo lang aan dat boek gewerkt, en nog steeds de gedachte niet begraven die er de aanzet toe was, toen ik in de bergen zat te mokken, dat ik werkelijk wilde dat Jezus een boeddhistische jood was. Dat ie, zelfs al was ie het niet geweest, het had moeten zijn, en dat ik er zo'n draai aan kon geven dat ik de gelovigen naar mij toe trok.' Bastian had moeite met een antwoord. Hij had al gemerkt dat Crowpucker een pak met dubbele interlinie betypt papier vasthield, en vroeg of hij het werk had meegebracht dat hij niet in de klas in McLean had kunnen voorlezen, en of hij dat nu zou willen voorlezen, om Bastian en de anderen een beter idee te geven van wat hij bedoelde.

Crowpucker las met genoegen zijn werk voor. Hij legde eerst uit dat het onderwerp van zijn rapport een bestaand land was, en dat alles erin was gebaseerd op feitelijke, ongecorrigeerde informatie, maar dat hij ter wille van Bastian het land zou betitelen als land A. Het verhaal, of rapport, zoals Crowpucker het noemde, beschreef het leven van een jongen, Abdullah, die in de stad K in het land A woonde, wiens vader een succesvolle exporteur van tapijten was, een gelovige moslim en lid van een groep zakenlieden die probeerden de koning ertoe te brengen terug te treden ten gunste van een gekozen parlement. De jongen hield van zijn vader en was vol hoop voor de toekomst van zijn land. Toen, op een dag, met de hulp van geld en wapens uit Moskou, het geteisem de bazaar en een zootje verblinde liberale intellectuelen, pleegden de communisten een coup en grepen ze de macht. De ouders van de jongen werden gearresteerd, zijn tapijthandel werd gecollectiviseerd en de moskee kwam onder het strikte toezicht van de atheïsten. In plaats van koranlessen werd de jongen gedwongen marxistische indoctrinatie te ondergaan. Jaren gingen voorbij; de repressie nam toe, de ouders van de jongen werden terechtgesteld, elk roerseltje van democratie en ondernemerschap werd de kop ingedrukt. De islam werd behandeld als een ordinair bijgeloof. Op zijn zestiende ontvluchtte de jongen de stad K en sloot zich aan bij een bende opstandige strijders in de bergen. Ze waren numeriek in de minderheid en onderbewapend, maar ze streden voor de vrijheid. Het was hangen of wurgen. Moskou hielp de communisten – maar wie hielp hén? In hun grotten in de bergen droomden ze van een machtig land aan de andere kant van de wereld. Waarom kwam Amerika hun niet te hulp? Ze vochten met gestolen geweren voor vrijheid, democratie, kapitalisme en God. Waar bleef de USA? Het verhaal eindigde met de jonge Abdullah, omringd door communisten, zonder munitie, en stervend met het woord 'Vrijheid' op zijn lippen.

Met het applaus kwam ook het einde van de les. Ze zouden over een week weer bijeenkomen en Bastian piekerde nog over de beste manier om eruit te stappen, toen hij een paar dagen later thuis bezoek kreeg van drie ernstig kijkende mannen in pakken en dassen. Ze werkten voor de overheid, zeiden ze, en ze zouden hem graag even spreken. Ze zetten zich in Bastians huiskamer, bedankten voor koffie. Ze waren koel en kwaad. Later kwam het in Bastian op dat ze hem bang wilden maken.

Ze stelden zich voor als Jim, Steve en Don.

'Weet je wat een congressioneel verzuim is, Bastian?' vroeg Jim. Hij haalde een exemplaar van Bastians contract met de CIA uit zijn zak en hield het Bastian voor. 'Hier staat je naam, en je handtekening, ja? Heb je enig idee wat voor teringherrie er ontstaat als uitkomt dat de CIA een verkapt programma heeft opgezet zonder machtiging van het Congres?'

'Een programma in creatief schrijven,' zei Bastian.

'Hou je koest, ja?' zei Jim. Het gesprek werd nog uren voortgezet, en nog vele uren vaker in de erop volgende maanden hervat. De lessen werden beëindigd. Uit zinspelingen en terzijdes leidde Bastian af dat Crowpucker en de andere zeven schrijvers buiten hun gezag, competentie of opdracht hadden gehandeld; ze waren allemaal lagere informatieanalisten. Ze werden geschorst. In de loop van de tijd vernam Bastian dat hij niet in problemen verkeerde, en dat de strenge houding van zijn ondervragers niet bedoeld was om een gedweeë getuige van hem te maken, maar om hem zo te intimideren dat hij allerlei rechtsafstandsverklaringen en vertrouwelijkheidsclausules ondertekende.

'Ze waren bang,' zei Bastian tegen Kellas. 'Ze verachtten Crowpucker en zijn vrienden, denk ik, maar ze waren niet zozeer geïnteresseerd in hen te straffen als wel in… je weet hoe het gaat. Het afdekken. Het was die tussenfase van bestuurlijke wroeging, ná Vietnam en Watergate, maar nog vóór Reagan. Het oog van de kritische blik ging heel even open. Ze wilden alles te pakken krijgen wat in die twee uur van de les was besproken en het begraven alsof het nooit gebeurd was. Waarbij die roman.'

'Ze wilden uw boek kopen?'

'Ze wilden het meenemen. Ik moest ze ervoor laten betalen. Uiteindelijk hebben ze ook betaald. Ze betaalden me een heleboel geld en ik heb alles getekend wat ze wilden dat ik tekende. Ik denk niet dat ze me hadden kunnen dwingen als ik had geweigerd. Ik heb juridisch advies ingewonnen. Ik had ze van me af kunnen slaan. Maar ik heb hun geld aangepakt omdat ik al mijn interesse kwijt was voor dat boek. Ik geloofde er niet in. Ik wou dat het verdween. Ik wou dat het ongeschreven was. Ik wou de woorden pakken en ze terugveranderen in wat ze maar waren voordat het woorden waren. In dat ene opzicht had Crowpucker het bij het rechte eind. Ik schreef niet om mensen aangenaam bezig te houden. Ik probeerde iets als een leefregel te schrijven. Ik dacht: moet ik woorden schrijven om naar te leven als ik dat leven niet leef?'

'Wat is er van Crowpucker en de rest geworden?' vroeg Kellas.

Bastian knikte langzaam. 'Dat was vijfentwintig jaar geleden,' zei hij. 'Ze waren er te vroeg mee en de CIA was het verkeerde milieu voor ze. Er was daar te veel realiteit. Ze zijn nu in de vijftig, in de kracht van hun leven. Ze zijn er nog steeds en voor zover ik kan zien zijn ze in trek. Ze krijgen veel steun. De laatste paar maanden heb ik voortdurend hun namen op de opiniepagina's gezien, waar ze hun verhalen schrijven.'

Bastian bracht Kellas naar een slaapkamer boven onder het dak, met een douchecel ernaast. Hij gaf hem een handdoek en liet hem alleen. De kamer was warm en vol licht van de opgekomen zon. De vloer en de schuine zoldering waren van ongeverfd, dik gevernist hout, dat kraakte toen Kellas erover liep. Kellas deed zijn kleren uit en verwijderde het verband. Een dun, teer korstje had zich over de snee gevormd. Hij douchte en droogde zich af. Het korstje hield het. Hij nam een klein pakje uit zijn jaszak, ging op het laken liggen en trok de deken over zijn lijf en sloot zijn ogen. Hij begon de uren slaap te tellen die hij had gehad sinds hij bij de Cunnery's was vertrokken. Zodra hij begon te tellen, viel hij in slaap.

11

Kellas werd wakker en opende zijn ogen. Astrid zat op het bed naar hem te kijken.

'Hoi,' zei ze.

'Hoi,' zei Kellas. Ze had meer bloed en rauwheid in zich dan hij zich herinnerde. 'Gek je weer te zien.'

'Voor mij nog veel gekker,' zei Astrid. 'Wat kom je hier doen?' Haar stem klonk niet zo warm als Kellas wel wilde. Ze zat op het uiterste randje van het bed, met haar benen in jeans over elkaar en van hem af gewend, haar handen verstrengeld in haar schoot, haar schouders licht gedraaid, zodat ze zijn hoofd op het kussen kon zien.

'Je stuurde me een mailtje,' zei Kellas.

'Ga. Weg!' zei Astrid, met haar tanden op elkaar en elk woord beklemtonend met een harde prik van haar middelvinger op Kellas' dij onder het dekbed. 'Je wíst dat het nep was. Dat virus heeft dezelfde mail gestuurd naar iedereen op mijn adreslijst, en die zijn hier níét. Heb je de boodschap gekregen die ik ze allemaal heb gestuurd om dat te zeggen, alsof het niet al duidelijk was?'

'Ik heb niet meer gecheckt sinds ik de eerste boodschap kreeg,' zei Kellas. Hij ging rechtop zitten en stak zijn hand naar Astrid uit. Ze keek ernaar en hield haar handen ineengeslagen. Ze schudde haar hoofd en kromde haar schouders. 'Wat dacht je dat er zou gebeuren?' zei ze. 'Ik heb niet gereageerd op je telefoontjes, je brieven, je mails. Dacht je: ze is stapel op me en daarom antwoordt ze nooit? Was dat je redenatie?'

Kellas begon te praten over denken dat er van alles ging gebeuren en hoe stom dat was, toen Astrid hem in de rede viel. 'Je kunt niet blijven. Je moet niet blijven en je zou hier ook niet moeten zijn. Je was niet goed snik als je dacht dat ik zou willen dat je kwam, wat er ook staat in een stomme e-mail. Kijk niet zo naar me. 't Is niet eerlijk.'

'Ik was niet goed snik. Maar nu ben ik hier.'

'Bastian zei dat hij je vond in de sneeuw, in alleen een pak en een overhemd, zelfs zonder een tas?' Astrid lachte. Ze hield vlug op, en keek ernstig en bezorgd, maar in die twee seconden van haar lach rekte Kellas' geest zich uit. Hij besefte dat hij in slaap was gevallen met iets in zijn vuist geklemd en hij wist weer wat het was. Hij gaf het aan Astrid.

'Hier,' zei hij. 'Ik had je die batterijtjes nooit teruggegeven.'

Astrid keek naar haar hand die zich om de batterijen sloot en ze zei: 'Waarom doe je dit?'

'Er zijn dingen waarover ik met je moet praten,' zei Kellas.

'Nergens voor nodig,' zei Astrid opstaand. 'Tussen ons is dat nergens voor nodig. We deden wat we deden, en we zijn ieder ons weegs gegaan. Ga me niet proberen een soort namaakband te scheppen omdat we één keer met elkaar naar bed zijn geweest, omdat je hebt wat voor gevoelens je denkt dat je voor me hebt, of vanwege wat dan ook.'

'Ik heb nagedacht over wat er in Bagram is gebeurd.'

'Je haalt je te veel in je hoofd. Je moet zo nodig je iemand anders z'n drama toe-eigenen omdat je eigen stommiteiten niet groot genoeg zijn voor een drama.' Ze haalde haar schouders op. 'Dacht je dat we zouden uithuilen en het afzoenen en onze onderdrukte emoties de vrije loop zouden laten? Daar doe ik niet aan. Ik onderdruk niks en en laat niks de vrije loop. Het blijft me wel bij. Als je denkt dat je hebt meegeholpen aan de dood van die mannen, tja, dat zal best. Ik ook, denk ik zo. Ik ga jou dat niet laten gebruiken als een reden om in mijn huis rond te hangen als je hier niet zou horen te zijn.'

'Is het jouw huis? Of van Bastian?'

'Gaat je geen moer aan. Het waren talibanchauffeurs, hoor je.' Ze deed de deur open. 'Ik moet een hert uitbenen.' Ze ging weg en hij hoorde haar naar beneden gaan.

Kellas stapte uit bed. Een van de bewoners van het huis had

schone kleren neergelegd op een biezen stoel in de hoek; een spijkerbroek, een geel T-shirt en een dikke beige trui met een rolkraag. Daarbovenop lag een doorzichtig plastic zakje met een tandenborstel, tandpasta, een wegwerpscheermes en een tube scheercrème. Kellas' eigen kleren lagen waar hij ze had laten liggen, op een oude ladekast van duimdikke grenen planken. Naast zijn kleren stond een houten lokeend, zo gesneden en geverfd dat hij op een zwemmende taling leek. Bij het bed stond een tafeltje met een lamp en twee boeken. Er hing een foto boven het bed. Kellas hield het erop dat hij eind jaren zestig was genomen. Op de achtergrond, op een grasveld dicht bij een vruchtboom, stond een knappe vrouw in een wijde zomerbroek en een bloesje met korte mouwen, met haar hoofd schuin en haar ogen iets toegeknepen tegen het licht, lachend en met de vingers van haar rechterhand verlegen in haar zak, terwijl haar linkerhand onelegant los hing. Ze leek op Astrid; haar kaak was breder. Halverwege de vrouw en de camera was een jong meisje met een paardenstaart, in een lila polyester T-shirt met een bloemetjespatroon, donkere broek en blote voeten. Kellas herkende het meisje als Astrid. Haar beeld was iets onscherp omdat ze bewoog. Ze leek naar de camera toe te hollen, terwijl haar arm achter haar gestrekt was, haar hand reikend naar de vrouw, die haar moeder moest zijn. Er was iets dubbelzinnigs in de gesuggereerde beweging op de foto. Het leek erop dat Astrid, net voordat de fotograaf afdrukte, haar moeders hand had losgelaten en naar de fotograaf toe was gerend, zodat ze alle drie afgezonderd raakten. Maar ook al was Astrid van haar moeder vandaan gerend, ze had haar hand naar haar uitgestrekt, een gebaar van empathie en uitnodiging. Alsof ze onwillig was geweest om rustig bij haar moeder te blijven, en toch graag met haar zou hollen. Ik zal niet met je stilstaan, maar ik zal met jou bewegen als jij met mij beweegt.

Kellas liep naar het raam, dat uitstak van het dak. Het keek uit op de achtertuin. Hij zag de bleke buik van een koploos hert dat aan zijn voorpoten op een metalen rek hing. Naast het rek had Astrid een klaptafel opgesteld. Daarop lagen een zaag, een hakmes, een slagersmes, een rol keukenpapier, een kom dampend heet water, en de hertenkop op een schaal. Het was geen groot dier. Er stond een grotere teil op de grond onder het karkas. Astrid, in een besmeurd wit schort en met een klein mes tussen haar tanden, peuterde aan een slang in een bloederige opening die ze rondom de anus van het hert had gesneden. Ze draaide er een knoop in.

Kellas douchte vlug, schoor zich, poetste zijn tanden en trok de geleende kleren aan. Hij droeg zijn eigen oude sokken en na enige aarzeling trok hij de broek aan over zijn blote huid, waste zijn onderbroek in de wasbak, wrong hem uit en hing hem over de rail van het douchegordijn. Hij ging naar beneden. Er was de geur van bradend vlees en de geluiden van Bastian die sprak tegen Naomi terwijl hij kastdeurtjes open- en dichtdeed en gerei klaarlegde. In de gang, tussen Bastian en de keuken en Astrid in de tuin, was Kellas overbodig. Zijn enige reden om daar te zijn was het verstoren van iets wat al prima functioneerde. Hij stak zijn hoofd om de keukendeur. Bastian keek op van het fornuis en Kellas vroeg of hij kon helpen, Bastian zei nee, hij was ruim op tijd voor een late lunch of een vroeg avondmaal.

'Als je met ons wilt mee-eten,' zei hij.

Graag, zei Kellas. Bastian tilde Naomi uit haar kinderstoel, reikte haar over aan Kellas en zei hem haar buiten bij haar moeder te brengen. Kellas deed wat hem gevraagd was.

Astrid had het hert opengesneden en ontweid. De ingewanden van het beest glommen in witte vliezen in de emmer onder het karkas. Ze was halverwege het villen. Kellas keek toe terwijl ze de tere pootjes van het hert brak als stokjes, met het kleine mes tussen vel en bot rond de gewrichten sneed en de huid lostrok. Naomi gaf een geluidje en Astrid keek om. Ze begroette Kellas en haar dochter. 'Ha schatje!' zei ze. Ze sloeg het hertenvel over de hoek van het metalen rek. Haar handen en polsen waren bebloed. Ze kwam naar hen toe en wreef met haar neus tegen die van Naomi, haar armen opzij houdend, en ging toen het huis in. De kop van het hert had de ogen open en die waren nog steeds wonderlijk helder. De tong hing opzij uit de bek. Astrid had hem tegenover het rek gezet, zodat het was alsof hij naar zijn eigen rode, gevilde lichaam keek. Zijn ogen schenen naar zijn lijk te staren met dezelfde lieflijke domheid die hij niet lang daarvoor naar de zon had gericht die op de smeltende sneeuwsporen viel in het bos.

Kellas hoorde stemverheffing in het huis. Hij kon de woorden niet verstaan. Hij hoorde wat klonk als Astrid die Bastian in de rede viel. Bastian kwam uit het huis, nam Naomi over van Kellas en ging weer naar binnen. Astrid kwam even later weer naar buiten en begon in de emmer met ingewanden te vissen.

'Meestal ontwei ik het hert in het bos,' zei ze. 'Minder gewicht om mee naar huis te slepen en minder kans op bederf. Maar ik raakte hem toevallig dicht bij de weg. Bastian kwam me een handje helpen. Ik dacht: ik kan in een halfuur thuis zijn, het daar doen. Nu heb ik van mezelf een troep gemaakt. En de huid onder het bloed, had 'm moeten laten zitten om uit te hangen.' Astrid nam twee bloederige donkere vleesklompen uit de emmer, sneed ze bij met het mes, en legde ze in een kom. Ze roerde ze om met het lemmet, keerde ze, hief de kom naar haar neus en snoof.

'Is dat lever?' zei Kellas, en kwam dichterbij om in de kom te kijken.

'De lever en het hart,' zei Astrid. 'Je moet ze controleren op ziekten. Als het erop lijkt dat je een ziek hert hebt, kun je de organen opsturen naar de provinciale veearts, en dan krijg je van hem een nieuw kaartje op je vergunning. Hetgeen betekent dat je er nog een mag doden. Ze zijn ook lekker om te eten.'

Kellas bood zijn hulp aan en Astrid schudde haar hoofd. Ze ging nu opruimen en het hert afhangen in de provisiekamer. Ze spoelde haar handen af in het warme water en droogde ze. 'Naomi is mooi, vind je niet?'

'Ja, zeker.'

'Ik hou heel veel van mijn meisje. Ze is nu het enige wat er is. Ik wil niet dat jij haar vasthoudt. Ik ken je niet zo goed dat jij haar mag leren kennen. Dus pak haar niet weer op.'

'Nee,' zei Kellas. Zijn stem beefde en hij keek naar de grond.

Astrid begon het hertenkarkas van het rek te halen en Kellas ging terug naar de keuken, waar Bastian de tafel had gedekt.

Toen Astrid binnenkwam, had Bastian Naomi in haar kinderkamer te slapen gelegd.

'Heeft ze al gegeten?' vroeg Astrid.

'Mm-mm,' zei Bastian.

'Ik ga wel even kijken.'

'Hoeft niet.'

Astrid ging zitten. Zij en Bastian praatten over Naomi's volgende afspraak met de dokter en over de noodzakelijke veegbeurt van de schoorsteen. Bastian zette een kan water op tafel, diende het voedsel op en legde zijn handen plat op tafel aan weerszijden van zijn bord. Astrid deed hetzelfde en Kellas volgde. Bastian zei: 'Adam, Astrid en ik, Bastian, spreken onze nederige dankbaarheid uit dat we goed mogen eten en drinken, in welgezind gezelschap, in de blinde luister van de wereld, in de korte spanne die ons is vergund tussen het onbekende vóór ons begin en het onbekende voorbij ons einde. Tast toe.' Bastian had wildbiefstuk bereid met een saus van jeneverbessen, van het vorige hert dat Astrid had gedood.

'*White-tail*, van Assateague,' zei Bastian. 'Je mag daar maar twee dagen per jaar jagen op *white-tail*.'

'Het smaakt fantastisch,' zei Kellas. 'Ik heb wildragout gegeten in Londen – wat is het vandaag, dinsdag? – zondagavond. Er zaten daar geen jagers aan tafel, geloof ik niet, volgens mij kwam het vlees gewoon van Waitrose. Dat is een chique supermarkt, grootgrutter, in Engeland.'

'Zondagavond,' zei Bastian. 'Wanneer ben je dan vertrokken?'

'Gisterochtend. Een paar uur nadat ik kreeg wat ik dácht dat een e-mail van Astrid was.' Kellas keek naar het eten op zijn bord. De woorden waren minder stroef vandaag. Hij mocht Bastian, zijn rustige peinzen gaf hem het idee dat verhalen die je hem vertelde, veilig bewaarde en met verstand behandelde verhalen waren. Het leek niet te hinderen wat Astrid hem hoorde zeggen. 'Het was een nare avond. Ik verloor mijn beheersing.'

'Soms, als mensen dat zeggen, bedoelen ze dat ze hun beheer-

239

sing verloren, en soms dat ze besloten hun beheersing uit te schakelen,' zei Bastian.

'Ik verloor hem,' zei Kellas. 'Ik zag mijn beste vriend voor mijn ogen zijn vrouw belazeren, en zonder dat zij het in de gaten had. Een gewezen vriendin schoffeerde me. Een van de gasten was een sociopaat, een misogyne, fascistische fotograaf. En de gastheer was een linkse journalist die om het even welk land idealiseert dat zich opstelt tegen jullie land, zonder ooit zichzelf en zijn vrienden te ontrieven door er te gaan wonen. Het werd me te veel tegelijk. Ik heb hun servies en hun glaswerk kort en klein geslagen en de tafel omgekieperd en een kop van Lenin door hun erkerraam gekeild.'

'Ik heb altijd gedacht, als je iemand niet mag, kun je maar beter diens gastvrijheid mijden,' zei Bastian.

'Wacht,' zei Astrid. 'Je hebt een kop van Lenin door die gast z'n raam gekeild. En wat heb je toen gedaan?'

'Ik ben weggelopen. Ik heb overnacht in een hotel. Daar heb ik je e-mail opgepikt. Bastian heeft gelijk. Ik wou dat ik niet gegaan was. Ik had Liam z'n uitnodiging aangenomen omdat ik zijn vrouw graag mag, omdat mijn vrienden er ook zouden zijn, omdat Liam artikelen van me geplaatst heeft en omdat ik denk dat we, als het aankwam op de barricaden en de harde tijden, aan dezelfde kant zouden staan. Hij heeft in Nicaragua gewoond onder de sandinisten toen Reagan ze op hun nummer zette.'

'Dus hij heeft wél in een van zijn geïdealiseerde landen gewoond,' zei Bastian.

Astrid keek Kellas aan en lachte, zoals toen ze hadden gepraat op het kale grasveld voor de compound in Jabal os Saraj. 'Je loopt zomaar weg uit de ravage die je hebt aangericht, je leest een e-mail en je stapt op een vliegtuig,' zei ze.

'Die boodschap kwam op een speciaal moment. Ik voelde me vrij. Ik voelde me ongebonden,' zei Kellas. Het ging zoals hij had gehoopt. Terwijl hij zijn verhaal deed, werd het al geschiedenis. Die gekke ouwe Kellas! Ken je die nog? Een tiep, een relschopper. 'Ik had het aanbod van een flink voorschot van een uitgever voor mijn volgende boek en ik had net mijn baan opgezegd. Ik ben eersteklas naar New York gevlogen. En toen ik daar gisteren aankwam, hoorde ik dat de uitgever was opgekocht en dat ze het niet zouden uitgeven.'

Astrid lachte. 'Eersteklas! Nou, laat 'ns kijken: je bent je vrienden kwijt, je bent je baan kwijt, je zit zonder geld en de liefdesbrief waar je achteraan ging bleek nep? Ben je nóg goed terechtgekomen.'

Kalles lachte met haar mee. Haar ogen waren nu weer op hem gericht, met de intensiteit die van hem verlangde haar aandacht te beantwoorden en zich begeerd te voelen.

'Het spijt me,' zei Astrid, 'maar ik zal deze man mee uit wandelen moeten nemen.'

'Je was van plan op Naomi te passen als ik naar de Axiters ging,' zei Bastian.

'Ik ben van plan veranderd.'

'Mij leek het een goed plan.'

'Ben je de keren aan het tellen dat ik van plan verander?'

'Je hebt het heel lang niet gedaan.'

'Dan gebeurt het nu.'

'Dat zie ik,' zei Bastian. 'Wanneer ben je...' Hij zweeg. 'Het is jouw keus.' Hij boog licht zijn hoofd.

'Wanneer we terug zijn? Geen idee.'

Het buigen van Bastians hoofd toen Astrid haar wensen doordreef, spleet Kellas in tweeën. Hij had het eerder gezien, wanneer een man een vrouw die hij liefheeft laat gaan met een andere man. Hij was beide geweest; had nooit het gebaar bij zichzelf gezien, maar had het zeker gemaakt, onwillekeurig, het gebaar van mannelijk onderschikken in de kudde. Het maakte hem beschaamd en oerdierlijk trots de overwinnaar te zijn. Die twee, schaamte en trots, nestelden samen, spiegelend in aangrenzende kamers van zijn hart.

Astrid kwam binnen in haar te grote anorak, de jas die ze in Afghanistan had gedragen. Ze hield Kellas een parka uit de legerdump voor. 'Hier,' zei ze. 'Laten we gaan. Bastian, tot later.'

'Pas je op, liefje,' zei Bastian met stemverheffing toen Astrid door de gang naar de deur liep. De intensiteit waarmee Bastian de vier woorden uitsprak, trof Kellas, alsof ze een code waren die duidden op een boek met instructies die zij moest opvolgen om in leven te blijven. Terwijl hij de parka aandeed, vroeg hij Bastian of hij hulp nodig had met het opruimen.

'Nee,' zei Bastian. 'Als je haar maar veilig terugbrengt.'

Kellas volgde Astrid de deur uit naar de weg. Ze was al op pad gegaan in de richting die Kellas en Bastian die ochtend hadden gereden. Hij haalde haar in en ze liepen een poosje samen zonder te spreken. Hun voetstappen werden gedempt door dennennaalden. Het was vier uur en de zon stond al laag in het westen. De laatste sporen sneeuw waren verdwenen en de lucht was zachter. Het rook naar vochtige aarde.

Kellas vroeg naar Bastians tafelgebed voor de maaltijd. Astrid wierp hem een blik toe en glimlachte, zei toen dezelfde woorden op. Ze legde uit dat Bastian niet in God geloofde maar dat de gebreken en beperkingen van de mens van hem vroegen dat hij een manier had om te voldoen aan de behoeften waarin anders de religie voorzag. Dat waren hoop, dankbaarheid, ootmoed, zelfbedwang, getuigenis en verzoening. Hij had voor zichzelf zo'n manier gevonden en die kwam tevoorschijn in zijn tafelgebeden, zijn gesprekken en zijn overleg.

'Wat bedoelt hij met "blinde luister"?' vroeg Kellas.

'De blinde luister van de wereld... hij bedoelt dat we beleven hoe mooi en rijk de wereld is, haar luister zien, en dat is ook terecht; maar dat we moeten begrijpen dat de wereld geen luister ziet in ons.'

'Heeft hij dat opgeschreven?'

'Hij heeft, lang geleden, bijna een heel boek geschreven. Een roman. Maar hij heeft het verkocht met een heel bizarre afspraak...'

'Heeft hij verteld.'

'En nu keert hij zich tegen opschrijven wat hij gelooft. Het moet leven, zegt hij, en het kan alleen leven en waar zijn als het niet is opgeschreven, als het niet eens bestaat als een serie woorden. Hij denkt dat het fout gaat als je een credo opschrijft. Dan wordt het vastgelegd en gevaarlijk. Elk woord is als een spijker die iets levends op een vaste plaats timmert.'

''t Is een geheime leer.'

'Geen sprake van. Bastian houdt niet van geheimen. Hij zal je vertellen wat hij gelooft. Maar hij zal ook zeggen dat het beschrijven van het geloof niet het geloof ís. Hij zal het elke keer anders beschrijven. Overlappend, maar anders. En je krijgt een goed beeld, ook al zal het niet precies de zaak zelf zijn. Hij zal je vertellen dat het zijn ideaal is dat het onmogelijk wordt om dat wat hij doet te onderscheiden van wat hij gelooft.'

'Je klinkt als zijn discipel.'

Astrid lachte en haakte haar arm in de zijne. 'Ik ben niet zijn discipel en hij probeert niet bekeerlingen te maken of aanhangers te werven. Hij is een wijze man die probeert een goed leven te leiden.'

'Ben je met hem naar bed geweest?'

'Jawel, lang geleden. Ik zal een jaar of drieëntwintig zijn geweest, en hij was eind veertig. Sindsdien niet meer, na die paar keer.'

'Ik ben jaloers.'

'Ah, omdat ik nu zo oud ben!' Ze bereikten de kerk en Astrid leidde Kellas erlangs, over het voorplein van de dollarbazaar en de weg op die naar de stad voerde. Hij voelde de warmte van Astrids armen door de anorak heen. Hij en Astrid waren bijna even lang, alle twee op hun laarzen, alle twee met lange benen, en ze liepen gemakkelijk in de pas.

'Ik herinner me hem van toen ik klein was,' zei Astrid. 'Hij was een goede vriend voor mijn vader. Hij was loyaal aan hem, ook al was Bastian toen ik opgroeide tijdenlang op reis. Hij was altijd onderweg, over de hele wereld, en las waar hij maar ging. Er was altijd die lopende band met pakketjes van boeken, een rij pakketjes op weg naar hem toe en een rij pakketjes onderweg terug. Toen was ik degene die reisde. Ik heb een tijdje in New York gewoond. Ik heb er gestudeerd. Daar heb ik Bastian opnieuw ontmoet. We spraken af voor koffie en gingen terug naar mijn flat. Het leek..'

'Ik wil niks meer horen.'

'...goed om te doen. Dat is het, meer is er niet.'

'Jullie moeten een knap stel hebben gevormd.'

'Ik weet niet of het zo'n geweldig idee is om jaloers te zijn op andermans vroegere leven.'

'Is hij nog verliefd op je?'

Astrid gaf geen antwoord. Ze schopte een dennenappel in de groezelig kale struiken aan de kant van de weg. Ze staken nu het moeras over. De ondergaande zon streek over het riet en een windvlaag duwde erdoorheen als vingers door een gouden vacht.

'Volgens mij wel,' zei Kellas.

Ze liepen binnen de doorlopende witte streep die aan weerskanten van de weg was getrokken en een meter ruimte overliet voor lopen en fietsen. Nu en dan reed er een SUV of een bestelbusje langs. De meeste hadden getinte ruiten, die hun inzittenden onzichtbaar maakten. Er waren gebouwen verderop aan de andere kant van de rietgorzen, maar het verkeer veranderde niets aan de indruk dat Astrid en Kellas als enige levende mensen op pad in de schemering waren.

'Het zal wel lastig zijn, één auto met z'n tweeën,' zei Kellas.

'Ik heb een fiets,' zei Astrid verstrooid. Ze keek hem aan. 'Wat jij bedoelt is, hoe komen Bastian en ik aan geld? Dat vroeg je toch? Bastian is slim en heeft geluk gehad. Hij erfde geld van zijn ouders en hij kreeg het geld van zijn boek van je weet wel wie, en dat heeft hij in vastgoed gestoken. Hij vangt huur voor een aantal panden.'

'Schrijf je nog stukken?'

'Waar zou ik de tijd vandaan halen? Ik heb een dochter.'

'Bastian helpt je.'

'Ze neemt alle tijd in beslag die ik heb, en ik vind het niet erg. Ik heb nooit verlangd naar een kind, maar nu, ja, het ís wonderbaarlijk.' Astrid sprak half verstrooid, ze keek naar iets aan de andere kant van de weg. 'Zie je dat gebouw daar? Dat is een hotel. Dat houten gebouw met een etage erop, aan de rand van de kreek. Zullen we een kamer nemen?'

Ze staken de weg over en liepen over het onverharde parkeerterrein van een restaurant. Achter het terrein was een opening in een laag houten hek. Ze liepen erdoor en kwamen bij het hotel, dat onder even hoge dennen stond als die om het huis van Astrid en Bastian. Er stonden twee schuren en een colamachine voor en het parkeerterrein was leeg. Een paartje zwarte eekhoorns scharrelde rondom de wortels van een van de bomen.

'Vraag om een kamer boven,' zei Astrid. 'Vraag om een efficiency.' Ze liep naar een trapje naar de bovenverdieping, aan het dichtstbijzijnde eind van het gebouw, weg van de hoofdingang.

'Waar ga je naartoe?'

Astrid grijnsde en legde haar vinger op haar lippen. 'Ik zie je boven. Zeg maar dat ik je vriendin ben!'

Kellas betaalde negentig dollar met zijn kaart voor een nacht in een 'efficiency', hoewel hij niet wist wat een 'efficiency' was.

'We zijn met ons tweeën,' zei hij tegen de manager, een magere, zorgelijke vrouw met een omzwachtelde voet. 'Mijn vriendin komt later.'

'Jullie hebben het rijk alleen,' zei ze. 'Ik krijg hier morgen eendenjagers, maar dat is het, tot aan het weekend. Als je iets nodig hebt, ik ben thuis. Het huis aan de overkant van het parkeerterrein. Nou, welterusten.'

Het hotel stond op in het moeras verzonken palen. Het stak uit boven het riet, de onderste verdieping een meter boven zwart, haast vloeibaar slik. Er was één rij kamers op elke verdieping, te betreden door glazen schuifdeuren die uitkeken over het moeras. Tussen de deuren en het slik was een terras met een balustrade, gemaakt van dezelfde degelijke, ongeverfde, grijs geworden houten planken. Een T-vormige steiger leidde van het hotel naar de kant van een kreekje, een meter of veertig verder weg. Toen Kellas het open trappenhuis beklom in het midden van het hotel, zag hij een rij Canadese ganzen langs de steiger de kreek op zwemmen. De zon was onder en een halvemaan stond nu boven de weg. Astrid wachtte hem op in een van de zware houten tuinstoelen, die waren bestreken met gebarsten verf in de kleur van roest en die voor elke kamer stonden. Ze lag bijna horizontaal in de stoel, met haar voeten op de balustrade en het eind van het koordje van haar anorak in haar mond. Haar anorak was open. Ze droeg jeans en een wit truitje en een donkerblauwe sweater onder de jas.

Ze liet haar voeten op de grond glijden en keerde zich om. De kluisters op Kellas' geluk sprongen open. Astrid boog voorover om hem te kussen. Ze kusten lange tijd.

Hij haalde de kamersleutel uit zijn zak. Ze stonden buiten voor die kamer.

'Goed gegokt,' zei Astrid.

'Nou en of.' Kellas ontsloot de deur en schoof hem open. 'Is Naomi hier gemaakt?'

'Misschien.'

'Je kent de manager hier.'

''t Is een klein plaatsje. Je kent iedereen en iedereen kent jou. We liggen elkaar niet zo.'

Een 'efficiency' was een suite met drie vertrekken, een met een kookplaat, een koelkast en tafel en een bank, een was de badkamer, de andere de slaapkamer. Er was televisie in elke kamer. De muren waren behangen met prenten van eenden en ganzen in de vlucht, en een schilderij van een rood-witgestreepte vuurtoren, uitgevoerd op een stuk drijfhout. Kellas nam Astrids hand en probeerde haar naar de slaapkamer te trekken, maar ze plofte op de bank en bleef daar naar hem omhoog zitten grijnzen. Kellas schudde verwonderd zijn hoofd. Er was een plaats voor hem op dit eiland. Drie generaties in één groot huis. Hij zou de bult in het midden zijn, totdat, wie weet, de basis van de piramide zich verbreedde met extra Kellas-Astridjes. Hij zou een harde dobber hebben aan Bastian, maar hij zou hem voor zich winnen. Hem vleien – beter nog, hem eren – door hem als leraar te aanvaarden. En hij zou Astrid volgen op de jacht.

Astrid tastte in haar zak, haalde er een biljet van vijftig dollar uit en gaf het aan Kellas. Hij begreep het niet.

'Er is een pompstation op Maddox,' zei ze. 'Je gaat terug naar de weg en dan links, in de richting die we liepen. Je ziet het aan de linkerkant. We moeten wat te zuipen hebben.'

'Ga je mee?'

'Het zijn sufkoppen daar.'

Kellas keek omlaag naar het briefje. Hij had het uitgespreid als een minilandkaart. Hij las het getal '50' telkens opnieuw.

'Daar krijg je vijf flessen rooie wijn voor,' zei Astrid.

'Vijf?'

'We drinken niet álles vanavond nog op!' zei Astrid, en ze stak haar voet uit en schopte hem zachtjes tegen zijn scheen.

Kellas vertrok en kocht vijf flessen Californische rode wijn. De vrouw achter de toonbank leek geen sufkop. Ze was beleefd en vroeg niet of hij een feestje had. Hij kocht een paar zakken nacho's en potjes dipsaus en sjouwde de spullen in twee tassen terug naar de kamer. Hij wilde drinken met Astrid, maar onder het gewicht van de tassen en het rinkelen van de flessen toen hij de trap opklom, begaf de moed hem.

Het was donker. Een rij lampen verlichtte het terras, één buiten elke kamer, en Kellas zag het licht naar buiten stromen door de glazen deuren van de kamer die ze hadden gehuurd. Aan de andere kant van het moeras, voorbij de bomen, zwaaide de straal van een vuurtoren over het beschot van de wereld. Astrid zat op de bank waar hij haar had achtergelaten, keek naar Cartoon Network en draaide aan een verchroomde kurkentrekker in haar handen. Er stonden twee plastic tumblers op de tafel. Astrid stond op, zoende hem op zijn mond, streelde zijn zij en begon een van de flessen open te trekken terwijl Kellas de andere uit de tas haalde en naast elkaar op tafel zette. Hij vroeg of ze bezwaar had als hij de tv uitdeed, en ze schudde haar hoofd. Ze reikte hem een vol glas wijn, klonk, heette hem welkom in Chincoteague en nam een slok. Ze gingen zitten met de fles op de grond tussen hun voeten.

'Kan ik bij jou blijven?' vroeg Kellas.

'Waar zou je van leven?'

'Ik moet mijn oude redacteuren bellen. Ze nemen mensen niet zo makkelijk terug, maar mij misschien wel voor de oorlog. Ze hebben veel geld in mijn opleiding gestoken.'

'De nieuwe oorlog.'

'Ja, de nieuwe oorlog. Wat kan ik anders doen? Ik zit in de schuld, diep in de schuld. Ik ben niet zo'n goeie jager. Misschien wil jij het me leren.'

247

'Ik jaag in mijn eentje.'

Kellas streelde Astrids schouder. 'Ik wil je huid weer zien. Ik ben verliefd op je huid,' zei hij.

'Verliefd!'

'Dat was nog een flinke sprong van je, uit die helikopter, voor een zwangere dame. Was wel bijna twee meter.'

'Dat was láng geen twee meter! Het deed geen pijn. Het was een ritje voor de kleine.'

'Dus je bent later vertrokken.'

'Veel later.'

'Wanneer?'

'In juni.'

'Naomi is in Afghanistan geboren?'

'Gebeurt zo vaak.'

'En nu ben je blij me te zien.'

'Ik herinner me niet dat ik dat heb gezegd.' Astrid verborg haar grijns achter haar glas. Ze had haar laarzen uitgedaan. Ze trok haar knieën tegen haar borst en legde haar voeten voor zich op de bank.

'Herinner je je die dag, toen je eruit sprong?'

'Ja hoor. Ik herinner me dat we allemaal schreeuwden tegen de vent die onze auto pas van het logement wou laten vertrekken als we hem tien dollar hadden gegeven.'

'Ik herinner me dat jij bij het logement opdaagde, net toen die helikopter ging landen.'

'Ik herinner me hoe jij schreeuwde: "We maken je af!"'

'Ja.' Kellas bloosde en keek naar zijn wijn.

'Ik vond het zo grappig dat je zei: "We maken je af." Niet: "Ik maak je af." Je gaf hem een doodvonnis uit naam van de hele groep.'

'Hij was niet geschrokken, denk ik,' zei Kellas lachend.

'Nee,' zei Astrid. Ze lachte ook. 'Het was die genezen kogelwond in zijn wang, waar hij dwars door zijn gezicht was geschoten en het had overleefd. Daardoor dacht ik dat hij niet schrok van je doodsbedreiging. En toen gaven we hem zijn geld en stapten in de helikopter en jij zei: 'Volgende halte, de bar, hotel Tadzjikistan.'

248

'Heb ik echt geschreeuwd?' zei Kellas. 'Niet geroepen? Ben je daarom weggegaan? Omdat ik een van mijn driftbuien had?'

'Mag jezelf bedenken,' zei Astrid. Ze dronk haar glas leeg en schonk hun beiden bij. 'Ik word liever beoordeeld naar wat ik doe dan naar wat ik zeg dat ik doe.'

'Ik was blij je te zien. Ik heb overal in Kabul en Mazar-i-Sharif naar je gevraagd. Niemand wist waar je was. Tot ik in het Intercontinental een vrouw van AZG ontmoette die zei dat ze je in Bamiyan had gezien, had ik gedacht dat je dood was of terug was gegaan naar huis. Je verdween nadat we die kerels in de truck hadden vermoord.'

'Die hebben wij niet vermoord. Dat is alweer die ijdelheid van jou.' De uitdrukking in Astrids ogen was zo intens, en gaf Kellas zozeer het gevoel dat hij deel van de wereld was, dat hij heel even een extatisch besef van ontdekking ervoer, alsof hem was gebleken dat iets wat hij altijd had gekend en waarnaar hij altijd had verlangd, hem al lang toebehoorde, en dat het hem enkel ontbrak aan de woorden om het op te eisen. 'Wij hebben ze niet vermoord,' zei Astrid weer. 'We hebben er de hand in gehad, dat is alles, een klein aandeel. Heb je erover geschreven voor je krant?'

'Nee.'

'Waarom niet?'

'Ik schaamde me. Ik wou niet dat de mensen slecht over me dachten. En daarbij, hoe kon ik het waarmaken? Als ik het hele verhaal had verteld, had het geen plaats gehad in een krant. Ik had moeten schrijven over de manier waarop ik me gedroeg zoals ik deed. Ik had moeten schrijven dat ik onder invloed van liefde was.'

'Dat moet je niet zeggen!'

'Waarom niet?'

'Ik wist dat je het te serieus nam. Ik wist dat je zou proberen het te gebruiken als een bloedband tussen ons.'

'Hoe kon ik het niet serieus nemen dat twee mannen voor mijn ogen verbrandden?'

'Ik weet wat er is gebeurd. Ik weet dat ik een fout heb gemaakt. Ik draag het met me mee. Maar het is míjn last, Adam, niet de ónze. Wat jij je het meest aantrekt, is niet de dood van die twee kerels. Wat jij je zo aantrekt, is dat het gebeurde terwijl wij twee-en daar waren, nadat we de nacht samen hadden doorgebracht en jij denkt: hoe erger wat er gebeurde, des te nader bracht het ons tot elkaar.'

'Nee. Zo was het niet.'

'Ik weet dat je tegen me loog toen je zei dat je me wou neuken. Ik weet dat je iets meer van me wilt, je wilde dat liefdegedoe. Iedereen wil dat. Iedereen denkt dat iedereen het heeft, dus wil iedereen het hebben. Ze zien het als een recht. Iedereen wil zó graag liefde dat wat ze ook krijgen, dat noemen ze liefde. Het is de nieuwe religie. Liefde is God.'

'Wat die truck betreft heb je het mis,' zei Kellas koppig. 'Voor mij was het belangrijk.'

'Wat heb je eraan gedaan?'

'Ik ben de gezinnen van de chauffeurs gaan zoeken.' Hij moest het herhalen voor Astrid, die het eerst niet begreep. Toen hij het een tweede keer zei, boog ze naar voren en zoende hem op zijn voorhoofd. Ze ging nog een fles wijn openmaken. Kellas stond op en ging naar de slaapkamer met zijn glas. Hij zette de kussens rechtop tegen het hoofdeind van het bed en ging er met zijn rug tegenaan zitten. Na een ogenblik kwam Astrid met de tweede fles en ging naast hem zitten. Kellas sloeg zijn arm om haar heen en ze legde haar hoofd tegen hem aan terwijl hij haar vertelde over de weken die hij zonder haar had doorgebracht in Afghanistan, na Bagram. Hij zag hen beiden gespiegeld in het grauwgroene vierkant van de uitgeschakelde tv op de ladekast aan het voeten-eind van het bed. Eenmaal, terwijl hij praatte, zag hij Astrid naar hem opkijken, toen ze niet doorhad dat hij het zag.

Na een poosje liet Astrid zich uit Kellas' arm glijden en ging rechtop zitten. Ze hadden de derde fles opengetrokken.

'Doe je jeans uit,' zei Kellas.

Astrid rolde van het bed, maakte haar riem los en trok haar jeans omlaag. Kellas deed zijn jeans en sokken uit. Astrid moest lachen toen ze zag dat hij geen onderbroek droeg. Net een porno-film, zei ze, toen ze naast hem kwam zitten.

'Ik héb tegen je gelogen,' zei Kellas. 'Ik was toen verliefd op je. Ik ben nu verliefd op je. Daarom ben ik gekomen.'

'Toen ik jou ontmoette in Afghanistan, praatte je alsof je niet geloofde dat iemand ooit een ander kon kennen,' zei Astrid. 'Toen we naar het Italiaanse ziekenhuis op weg waren, klonk je als iemand die de mogelijkheid van liefde ontkende. Je snapt waarom ik zo verbaasd ben, nu je uit het niets komt opdagen en zegt dat je verliefd op me bent. Toen klonk je als iemand die gekwetst en ontgoocheld was, en wijzer geworden. Nu klink je als een tiener. De man leek iemand die ik kon vertrouwen. Van deze nieuwe jongen ben ik niet zo zeker.'

'Ik had het mis,' zei Kellas. 'Ik was vergeten dat er andere manieren waren om iemand te kennen behalve kijken en aanraken en luisteren.'

'Tuurlijk. Je hoeft ze maar te verzinnen. Is dat wat je nu doet. Mij verzinnen?'

'Welnee.'

'Een mooi verhaal van mij maken?'

'Nee!'

'Er is hier een derde persoon, Adam,' zei Astrid. 'Er is een merkwaardig amalgaam van wat jij je verbeeldt dat ik ben, en wat jij je verbeeldt dat jij bent, dat in bed tussen ons in ligt, en je bent mij te geïnteresseerd in dat verzinsel. Dat kunnen we niet zijn. Daarbij, ik zei het al. Ik ben graag bij jou, op de meeste manieren, behalve op die manier. De liefdemanier, wat dat ook is.' Astrid trok haar knieën op en vouwde haar armen over haar borst. Ze drukte zich dichter tegen Kellas aan. 'Mijn moeder was bezeten van het idee dat ze niet dicht genoeg bij mij kon zijn, of dat ik dichter moest zijn bij haar. Ze wilde alleen zijn, maar wel alleen zijn met een andere identiteit, een tweeling, een schaduw, een spiegelbeeld. Een satelliet. Dat was haar idee. Ze zei eens dat haar ziel te groot was om in één iemand te passen. Ze had een dikke ziel, zei ze.'

Kellas lachte.

'Ja, het was grappig. Ze wás grappig. Maar ze was ook eng. Waarmee zij ons intiemer met elkaar wilde maken – soms was het liefde en soms was het de dood. Een paar keer heeft ze geprobeerd zich van kant te maken tewijl ik erbij was. Eén keer slikte ze een handje pillen terwijl ik in het bad zat en zij bij de wastafel stond, een andere keer sneed ze haar polsen door in de keuken. We zaten aan tafel te praten terwijl zij worteltjes hakte, en ze keek me zo aan en haalde het mes over haar pols. Het was zwaar en scherp en het gewicht sneed in haar zonder dat ze hard hoefde te duwen. Twaalf was ik toen. Ik heb me vaak verwonderd over die frase dat zelfmoord een kreet om hulp was. Als kind dacht ik altijd dat het een oproep aan kinderen betekende om hun moeder te komen helpen zich van kant te maken. Ze wilde me altijd al in haar activiteiten betrekken. Iets van moeder en dochter. Ze raakte in de war, denk ik. Dood of liefde, dat was één pot nat. Allebei leken het schuilplaatsen en haar leek het natuurlijk dat ze mij daarin betrok.'

'Jou betrekken in waar zij mee bezig was? De dood dus.'

'Ik weet dat het idioot klinkt. Ik wou niet met haar mee!'

'Nee.'

'Ik kan wel naar iets toe bewegen, maar ik wil er niet aankomen. Ik wil niet klem zitten. Het voelt te veel als doodgaan.'

'Is oké, Astrid.'

'Maar daar ben ik opgegroeid, snap je? Een gezin met een lid dat altijd op het punt stond van vertrekken, op het punt ergens naartoe te gaan waar ze niet mocht gaan, en waar ik haar niet mocht volgen. Alsof je in een huis woont met een extra deur. Er is de voordeur, en de deur naar de tuin, en de deur naar de zolder, en er is de deur naar de dood. En geen van die deuren zit ooit op slot.' Ze keek Kellas aan. 'Ik wou helemaal niet dood, Adam. En mijn pa ook niet, die ging gewoon rustig in zijn slaap. En mijn broer, die wil ook niet dood. Maar als je opgroeit in zo'n huis met een extra deur naar de dood – dan ben je daar thuis. Dat lijkt dan bekend.'

Ze lagen er stil, luisterend naar elkaars ademhaling.

Kellas kuste haar en fluisterde: 'Zou je me geloven als ik zei dat jou daar héél zacht aanraken, zo zacht als dit, terwijl ik in je ogen kijk, me gelukkiger heeft gemaakt dan wat ook?'

'Misschien. Doe het nog maar eens en dan weet ik het zeker.'

Iets in Kellas vroeg zich af of het niet beter zou zijn nu geen seks te hebben met Astrid, nu ze allebei aangeschoten waren, in de naklank van haar herinneringen. Dat het, als hij zich inhield, iets zou kunnen bewijzen. Maar hij wilde het en zij ook, en ze deden het. Genot was niet vrijgesteld van evolutie. Geen menselijk genot had zich kunnen handhaven als het geen troost beloofde die vervulling ver te boven ging.

12

Achter de kater, toen Kellas ontwaakte, was een vrees die hij nog even op een afstand hield, onbenoemd. Toen hij zijn ogen opende, zag hij de ventilator aan het plafond hangen. Daar zweefde hij, iets donkerder dan het donker en als een reusachtige asterisk. Kellas greep naar een glas water dat op de plank bij het bed stond. Hij dronk het leeg en voelde zich beter, maar zijn hart schopte nog tegen zijn ribben, als een man die een toeval heeft in een cel die te klein is om in te gaan liggen. Astrid lag niet naast hem. Ze was niet in de kamer. Hij zou moeten opstaan om haar te zoeken. Maar hij wilde niet. Hij was bang. Hij hoorde geluiden aan de andere kant van de slaapkamerdeur. Hout dat over hout schraapte, en iets krakends. Hij moest gaan kijken wat het was maar hij wilde niet. Met tegenzin deed hij het nachtlampje aan. Hij telde de lege flessen in de kamer. Er waren er drie, plus een lege in de kamer ernaast. Kellas was er zeker van dat hij niet meer dan anderhalve fles had gedronken. Astrids laarzen stonden nog op de grond. Ze was in de buurt.

Hij was niet minder ten prooi dan wie ook aan de angsten die zich aan mensen opdringen in de kleine uurtjes van de nacht, en toch drukte er een scherpkantig, granieten gewicht op de gedachte die nu in zijn hoofd gestalte kreeg. De geest tekende patronen uit geïsoleerde omstandigheden, coïncidenties en vermoedens. Dat patroon woog zwaar. Het bestond echt. Hij kon met zijn ogen knipperen en diep ademhalen en het lampje aandoen, maar de angst bleef.

Astrid was een alcoholica.

Hoe hard hij het ook verwierp, hoe hard hij ook probeerde zich wijs te maken dat het aan het donker lag, het patroon volhardde in zijn realiteit. Dat Astrid een alcoholica was die haar uiterste best deed, voor zichzelf en als moeder, om geen alcoholica meer te zijn. Die op een eiland woonde en, zoals Bastian hem had willen vertellen, zich aan het bewind van een oppasser onderwierp vanwege haar zwakheden. Dat was zijn woord ervoor. Een eiland, nu hij eraan dacht, met een beperkt aantal cafés en slijterijen, waar je makkelijk de toegang geweigerd werd, eigenlijk overal, vrijwillig of anderszins. Sufkoppen. Een eiland trouwens zonder openbaar vervoer, maar waar Astrid geen auto had en niet reed. Waarom zou ze dat doen als haar rijbewijs niet was afgepakt?

De angst van de herstellende alcoholist voor het zuipen. Was er gezopen? Wat een prachtig idee moest het hebben geleken toen Astrid na 11 september niet ongesteld werd en merkte dat ze zwanger was. Om het grote verhaal van haar generatie te coveren voor haar magazine, en tegelijk haar ongeboren kind te beschermen tegen de verleiding van haar moeder, in een islamitisch land waar alcohol verboden was. Een oord waar, zoals Astrid hem had gezegd, haar kwaal niet gedijde. Ze vloog naar Doesjanbe en nam haar intrek in hotel Tadzjikistan. Dáár was ze doorgezakt. Dat was haar toestand toen hij haar in Faizabad had ontmoet, kotsend in het ravijn: de kater. Natuurlijk was er drank in Afghanistan, een verstokte zuiplap met dollars kon makkelijk vinden wat hij nodig had, maar Astrid vocht ertegen en het kind in haar was een bondgenoot van haar wil. Ze had Kellas tweemaal verlaten. Wat had dat met de alcohol te maken? Niets, helemaal niets. Behalve dat de eerste keer, na het oversteken van de Anjoman-pas, was geweest toen ze merkte dat hij een liter whisky bij zich had, en de tweede in de helikopter, toen hij tegen haar had gezegd: 'Volgende halte, de bar, hotel Tadzjikistan.' En zij was in Afghanistan gebleven.

Kellas stond op, hees zich in de kleren en deed het grote licht aan. In de normale helderheid leek het patroon minder zwaar en onvermijdelijk. Malloot! Astrid lustte wel een slokje. Een van de redenen waarom de alcoholtheorie nergens op sloeg, was dat die hem, Kellas, tot de vijand maakte, een slang. Die haar niet van Bastian afwon voor zichzelf. Haar stál van Bastian en Naomi, en haar uitleverde aan de drank. Nog averechtser zelfs, de koude, vijandige Astrid die hem had begroet toen hij aankwam, zou de goede Astrid zijn en de lieve, lachende Astrid van de laatste paar uur zou de zwakke, de verslagen, de gulzige zijn. Nee, dat was niet logisch. Het zou hetzelfde zijn als je verbeelden dat er in al Astrids verlangen, in de jacht op het hert en de seksuele vervoering, in het streven naar kennis in de woeste uithoeken van de mensheid en het mysterie in het donker, een kern zat van haar snakken naar een glas verdunde ethanol.

Hij ging naar de zitkamer. Het gordijn was dichtgetrokken voor de ruit naar de terraskant. Alle lampen brandden en het was er koud. De vierde lege fles was waar ze hem hadden laten staan. De vijfde fles stond er niet. De snacks die hij had meegebracht, lagen onaangebroken in hun kleurige zakjes op tafel. Het was middernacht. Hij had uren geslapen. Hij opende de deur naar de badkamer, bang en hoopvol. Astrid was er niet. Hij hoorde het gordijn wapperen en ging de badkamer uit. Het was de wind; de schuifdeur moest wijd openstaan. Kellas liep erheen en rukte het gordijn opzij.

Astrid zat op de balustrade met haar rug naar het slik, haar blote voeten raakten net het terras terwijl ze lichtjes zwaaide. Haar hoofd hing voorover. Hij kon haar gezicht niet zien, alleen de kruin van haar hoofd. Haar linkerarm hing slap omlaag, als uit de kom geschoten. Haar rechterhand omklemde een plastic tumbler die ze op de rand van de balustrade had gezet, maar die was omgevallen. Te oordelen naar het donkere vlekje dat in het hout was gedrongen bij de rand van de tumbler, was hij bijna leeg geweest. De vijfde fles, die leeg was, stond tussen de stoelen.

Kellas stond in de deur en keek naar haar. Als hij sprak, kon ze zomaar bijkomen en vallen. Hij hoorde het schuren van haar ademhaling. Ze maakte slagzij, ademde scherp in, boerde en mompelde iets. Kellas deed twee stappen naar voren en legde zijn handen stevig op haar schouders. Astrids hoofd schoot rechtop en hij keek in haar gezicht en zag dat zijn vrees was bewaarheid.

Ze was dood en levend tegelijk. Er liep een korstige vloedlijn van zwarte wijnresten over haar lippen en haar neus en ogen waren rood. Ze had een beurse plek op haar linker jukbeen. Ze was wakker, maar opereerde in het secundaire bewustzijn van iemand die gewend is geraakt aan huizenhoge alcoholinfusen. Kellas had ze gezien, de gedaanten van mannen en vrouwen die in pubs naar hem toe kwamen om acht uur in de avond, wanneer ze vanaf 's ochtends aan het drinken waren geweest. Eerst leken ze nuchter, alleen grauw en rood en bedachtzaam in hun praten, totdat het tot hem doordrong dat ze dezelfde zinnen eindeloos herhaalden, en dat er niets van hen over was dan net voldoende motorisch en zintuiglijk functioneren om hun simpele behoeften mee te delen aan barpersoneel en taxichauffeurs. In wezen waren ze al voor driekwart dood en Kellas had altijd gehuiverd bij het geleidelijk besef dat hij sprak tegen het vat om iemand die hij kende wanneer die persoon er niet aanwezig was. De koude, hagedissige leegte van de ogen vergat je niet makkelijk, ook wanneer de mens erin terugkeerde, en nu keek hij in Astrids ogen en die waren al net zo. Hij had de vrouw door deze ogen gezegd dat hij van haar hield, en nu keken de ogen naar hem maar de vrouw was er niet.

Astrid gooide haar hoofd hard naar links en Kellas probeerde haar van de balustrade te trekken, maar ze spartelde en noemde hem een stomme klootzak.

'Kom maar schatje,' zei Kellas. 'Een tijdje overgeven onder toezicht, en een heleboel water.' Hij zou nog moeite krijgen zich de reptielenblik en de slappe kaak niet te heugen.

'Haal me van dit klote-eiland af, lul. Waar is Naomi? Ik hou van mijn meisje. Blijf van me af!' Astrid schopte Kellas hard in zijn maag en hij week naar adem happend achteruit. Zijn hoofd herinnerde hem eraan hoeveel hij had gedronken.

'Hé, en ik heb je niet eens de kiekjes van Naomi laten zien,' zei Astrid met sinistere helderheid. Kellas ademde met diepe teugen. Astrid groef met haar linkerhand in haar jeans en pakte met haar rechter de tumbler op. Ze keek erin en bracht hem naar haar mond, hem verticaal kantelend met haar hoofd achterover, haar andere hand nog wroetend in haar zak. Kellas zag dat ze op het punt stond haar evenwicht te verliezen, schoot naar voren om haar tegen te houden en tuimelde bijna achter haar aan over de balustrade. Astrid viel zonder een woord of kreet en de plons van haar lichaam in het moeraswater bespatte Kellas' gezicht met koude, natte drab. Het geluid wekte een alarm van ganzengegak en panisch klapwiekende veren.

Kellas rende naar de trap en omlaag naar de steiger. Het gesnater van de ganzen smoorde elk geluid dat Astrid zou kunnen maken. Haar naam roepend hurkte Kellas neer aan de rand van de steiger, tolde om zijn as, zette zijn handen plat op het plankier en sprong met een zo zacht mogelijke afzet in het riet.

Zijn voeten werden omsloten door koude zwarte derrie en hij zonk tot het water net boven zijn knieën kwam. Er was geen stevigte onder zijn voeten, alleen het verstrakken van het meeverende lagere slik tot het punt waar hij een voet kon optillen zonder dat de andere veel dieper wegzakte. Hij besefte dat hij zijn laarzen had moeten uitdoen. Hij bleef Astrid roepen terwijl hij verderstapte. Hij kon haar niet horen door het misbaar van de ganzen en het gespat en geplas van zijn eigen voortgang. De lampen van het hotel waren door de uitstekende terrassen afgeschermd van het slik; ze deden Kellas' nachtzicht teniet zonder het riet te beschijnen waar Astrid was gevallen.

De kakofonie van de ganzen begon te bedaren en voor zich uit hoorde Kellas een onheilspellend geluid, alsof er iemand onder water kotste. Hij probeerde van waden over te gaan op een sukkeldrafje en viel voorover in het water en, een halve meter eronder, het zwarte slik. Even hield de dode, passieloze weekheid zijn gezicht in haar slijmerige greep. Hij worstelde op zijn knieen en stond weer en was met nog twee stappen bij Astrid. Ze lag voorover, hield haar hoofd uit het water met haar stijfgestrekte armen, als een vrouw die zich opdrukt. Haar schouders schokten van de inspanning en haar gezicht was donker en druipnat, alsof ze zich nog maar net had kunnen verheffen uit het slik. Ze hoestte, jankte, haar rug boog in een kramp en toen ze kokhalsde, bezweken haar ellebogen en ging ze kopje-onder. Kellas hurkte, zette zich schrap, klampte zijn armen vast om Astrids borst onder haar oksels en hees haar op. Hij had niet de kracht of het hefvermogen om haar op haar voeten te krijgen, dus ging hij achteruit en knielde tegelijkertijd neer, tot ze alle twee samen op hun knieën in de modder lagen, het water tot hun middel.

'Hou je handen thuis,' zei Astrid.

'Nee,' zei Kellas, en omarmde haar vaster. Hij voelde haar lichaam verstrakken en kokhalzen en ze spuugde. Een vloeiende stroom braaksel spatte in het water.

'La me los, la me lós!' riep Astrid. Haar stem steeg tot een schreeuw, bijna een blaf. Ze kronkelde in Kellas' omarming, raakte hem met haar ellebogen en gooide haar hoofd achterover, mepte hem hard op de rug van zijn neus. Ze rukte zich los en kwam overeind en begon in de richting van de kreek te waden. Kellas trok zijn laarzen uit en ging haar achterna. Zijn neus werd warm en hij voelde bloed over zijn bovenlip druppelen. Hij veegde het weg met zijn doorweekte mouw en begon te rillen. De kou stelde hem nu op de proef. Astrid viel en stond op, maar ze had een voorsprong. Hij schreeuwde haar toe terug te komen en ze antwoordde met een krijs die een woord had kunnen zijn, niet een woord dat hij herkende.

Toen hij haar bereikte, vochten ze. Ze raakte hem met haar knieën en ellebogen en vlakke hand, en hij wilde haar terugslaan maar kon niet goed naar haar uithalen. Hij probeerde haar vast te grijpen, haar maaiende armen toe te snoeren met de zijne en haar terug te sleuren naar de steiger. Terwijl ze vochten en Kellas opklom tot Astrids peil van razernij, in de hoop dat het hem zou helpen haar te verslaan, in het donker, in de geur van bloed en slijm en kots, en terwijl zijn hysterie bleef stijgen totdat het daveren van het water en de toeterende ganzenfanfare werd overstemd door het gekrijs van een man en een vrouw over stomme klootzakken van teringwijven, zag Kellas de lichten van auto's langskomen op de weg nog geen tweehonderd meter daar vandaan, in het spoor van hun lichttunnels, die niet reikten tot de twee gekken die vochten over niets in een donker, ijskoud moeras.

Astrid werd het eerst moe en toen slap. Ze begon te huilen. Kellas hield haar een poosje stil, leidde haar toen langzaam, snikkend en sidderend, naar de steiger, die vlakbij was. Met zijn hulp hees ze zich op het plankier en zat met haar benen bengelend over de rand. Toen Kellas eindelijk uit het water was en voor haar stond, had ze haar hoofd achterovergegooid en jammerde: 'Mamma', en dat ze er spijt van had.

'Je mamma is weg,' zei Kellas. 'Jij bent nu mamma. Sta op, je kunt hier niet blijven.' Maar Astrid hield op met huilen en ging op de steiger liggen met haar ogen dicht en weigerde te bewegen.

De pre-Irak-cursus hoe te handelen in een vijandige omgeving was nog maar een paar weken geleden, voor Kellas een te korte tijd om te vergeten hoe je een gewonde kameraad in veiligheid bracht. Van alle kunstjes die hun waren geleerd, had dit wel het minst nuttige geleken. Als het erop aankwam, zou hij hooguit een fotograaf aan zijn kraag een paar meter achter een muur sleuren. Nu ging hij liever op zijn hurken en hees Astrid op zijn rug en droeg haar over de steiger, dan dat ze stikte en in haar eentje stierf van kou terwijl hij hulp ging zoeken.

Hij droeg haar door de foyer, de deuren opentrappend onder het lopen, de stoep af en over het parkeerterrein, waar het grind in zijn blote voeten sneed. Een licht brandde in het huis van de manager. Een oude houten slee, behangen met witte schaatsen, stond rechtop voor het huis gepoot, bij wijze van kerstversiering. Kellas liet Astrid zo ver van zijn rug glijden dat de grond iets van het gewicht opving, en sloeg hard op de deur van de manager. Astrid steunde en hoestte en Kellas streek met zijn vinger over zijn gezicht om zo veel mogelijk aangekoekt bloed en slik weg te vegen. De deur ging open en de manager stond voor hen met een strak gezicht, in een vest van synthetische fleece over een pyjama.

'Astrid Walsh,' zei ze. 'Wel godverdomme, kind. Wat is er toch met mijn hotel? Je was zo'n brave meid nu, dacht ik. O god!' Ze trok haar sloffen uit en deed laarzen aan. 'Hoeveel hebt u haar laten drinken?'

'Ik schat drieënhalve fles.'

'Waarvan?'

'Wijn!'

'Wijn is niet zo erg. Maar u meneer, u hebt geen reden om trots op uzelf te wezen... reken maar! Jezus christus, in de kreek gelegen? D'r zijn makkelijker manieren om eenden te vangen dan ze midden in de nacht op te jagen met je blote handen in het riet. En blote voeten ook nog, lieve god. Hou 'r vast. Denk maar niet dat je erin komt.' Ze begon heen en weer te lopen. Ze bracht hun elk een deken en overschoenen en een grote beker met iets erin en een emmer.

'Laat haar dit opdrinken en spugen in de emmer,' zei ze. 'Ik ga de auto klaarzetten.' Ze reed de auto achteruit tot dichter bij het huis en begon kranten over de bank uit te spreiden.

'Het is heel vriendelijk van u,' zei Kellas. 'Het spijt me erg.'

'Eventuele schade aan de kamer gaat van je kaart af,' zei de manager. 'Voor de rest moet je je bij Bastian verantwoorden. O Astrid Walsh, ik zag je zaterdag nog met je dochter in Parks Market en ik dacht, het gaat de goeie kant op met die twee.'

'Slapen,' zei Astrid. 'Ik wil naar Naomi.'

''t Zijn twee van de zwaarste voltijdbanen van de wereld, moeder zijn én aan de drank,' zei de manager. 'Ik ken er zat die geprobeerd hebben ze alle twee te houden en het is dag- én nachtdienst doen, het een na het ander.'

Astrid mompelde een reeks onsamenhangende grove syllaben, en Kellas probeerde haar aan het drinken te krijgen. Ze slokte wat teugen naar binnen, beefde en boog voorover. Kellas hield de emmer onder haar en kots spatte met genoeg kracht om terug te sproeien over de rand.

'Goed zo, liefje,' zei de manager. 'Kom op, meneer! Je was mans genoeg om haar aan te moedigen toen ze de drank erin goot, je kunt haar best een handje helpen nu ze het kwijt probeert te raken.'

'Drink nog wat, Astrid,' zei Kellas en hield het glas tegen haar mond. 'Je kunt beter zo veel mogelijk overgeven.'

Astrid nam nog een slokje vocht, spuugde het uit en keek Kellas aan. Een speekselsliertje rolde uit de hoek van haar mond, die openhing. Ze zat onder de opdrogende modder en kots, en haar haar leek wel een roerdompnest. Haar ogen stonden flets en dof, haar huid was wasbleek en ze bewoog ongecoördineerd, als een marionet aan één touwtje.

'Naomi,' fluisterde ze.

De manager keek naar hen met haar handen op haar heupen. De deuren van haar auto stonden open.

'Weet je zeker dat dit hetzelfde meisje is waar je gisteravond zo naar verlangde?' zei de manager. 'Heel zeker? Misschien zijn ze wel omgeruild.' Ze lachte. 'Dat is wat je nu denkt, hè? Je mooie vriendinnetje meegenomen terwijl je sliep, en een geschifte moerasheks voor je achtergelaten.'

'Doe me een plezier,' zei Kellas.

'Je hebt je pleziertjes gehad,' zei de manager. 'Instappen alle twee.' Ze zette Kellas en Astrid achter in de auto, Astrid met de emmer op haar schoot, Kellas met instructies haar zo nodig bij te sturen. Ze reden weg. Kellas' kater was inmiddels present en de braakselstank uit Astrids emmer deed hem vrezen dat hij eraan zou moeten bijdragen. Hij keek naar Astrid en wendde zijn blik af. Hij zag Astrid niet in deze Astrid. Wat hij had gedacht dat ze was, bleek een kostuum over een schil van een vrouw. Bastian! Die, sluw, gewíld had dat dit zou gebeuren, de zelfgeschapen monnik. En waar was de andere Astrid gebleven? Ze had zo reëel geleken. Hij herinnerde zich haar zo goed, en toch bleek ze nu niet te bestaan. Hij was verliefd op haar geweest. Hij was nog steeds verliefd op haar, en hij zou nooit een vrouw om lief te hebben kunnen vinden in het dronken lor op de bank naast hem. Het was uitzichtloos. Hij was nooit bij Astrid binnengekomen en nooit uit zichzelf getreden.

'Had u die emmer nodig?' zei de manager, die hem via de spiegel had bekeken.

'Nee. Het gaat.'

Ze kwamen bij het huis en de manager zette hun af op enkele meters van de deur. Kellas bedankte haar en de manager verzocht hen voor zichzelf te zorgen en niet terug naar haar hotel te komen en reed weg. Toen ze naar de deur liepen gingen er lichten aan en werd de deur geopend. Bastian had verwacht een auto te horen. Hij stak zijn hand in de grens tussen het donker en het licht vanuit de deur en nam Astrid van Kellas over, moeiteloos en licht, en begon haar weg te leiden. Toen Kellas hen volgde naar binnen, hoorde hij Bastian tegen Astrid murmelen dat Naomi sliep, en Astrid op een luidere, kribbige toon, die niettemin een toon van onderwerping inhield, zeggen dat ze haar wilde zien. Bastian keek over zijn schouder en vroeg Kellas de deur dicht te doen.

'Wil je niet weten wat er gebeurd is?' vroeg Kellas.

'Als je het nu vertelt, helpt het dan jou of Astrid sneller schoon te krijgen?'

'Wat ga je met haar doen?'

'Haar schoonmaken.'

'Dat doe ik wel.'

'Zorg jij maar eerst voor jezelf.'

Kellas ging achter hen aan. Hij volgde hen naar de badkamer en zag hoe Bastian Astrid bij de hand nam en op het dichte wc-deksel zette. Ze zakte in en haar hoofd viel voorover.

'Hoeveel heeft ze gehad?' vroeg Bastian en begon Astrids kleren uit te doen.

'Drieënhalve fles merlot.'

'En jij?'

'Anderhalf. Waarom heb je niks gezegd?'

'Waarom heb ik wat niet gezegd?'

'Dat ze alcoholica was.'

'Ik vind dat geen prettig woord.'

'Kieskeurig, hè? Als je me dat verteld had, was er niks gebeurd.'

'Dan was je meteen weggegaan, bedoel je, zoals je was gevraagd?'

'Dat zei ik niet.' Kellas zag Astrid voor zich ontdaan worden van haar ondergoed tot ze daar zat, wit en naakt in schel licht, met haar handen tussen haar dijen geklemd, haar wervels uitstekend van haar gekromde ruggegraat als de knoppen aan een twijg in de winter. Haar smerige kleren werden in een bergje op de glanzende vloertegels gelegd. 'Moet jij dit doen? Je bent haar vader niet. Je bent haar partner niet.'

Bastian zette de douche aan. 'Ik heb je de keus gegeven om te komen of te gaan, voordat je over de dam was,' zei hij. 'En Astrid heeft je gezégd dat je weg moest.' Hij pakte Astrids pols. Door de vanzelfsprekendheid waarmee de knokkels van zijn grote verweerde oude handen de binnenkant van Astrids bovenbenen aanraakten en indrukten toen hij haar hand ertussenuit trok, begon Kellas' hart te bonzen en steeg de woede in hem op.

'Dat hoor ík te doen,' zei hij toen Astrid opstond en naar de douche wankelde, aan de hand van Bastian. Bastian droeg een oude slobbertrui over een gestreepte pyjama.

'Ga boven jezelf opknappen,' zei Bastian. 'Denk erover na. Kom op, liefje. Doe je hoofd er maar onder.' Het water stortte op Astrids hoofd achter het gesloten douchegordijn. Bastian haakte een flesje douchegel van de roe en wipte het open met zijn duim. Kellas kon door het gordijn niet zien wat hij deed met zijn andere hand. Hij zag een beest in de spiegel en dat was hijzelf.

'Geen gore alcoholica!' krijste Astrid door de damp en het water heen.

'Ik kom zo beneden,' zei Kellas en ging naar de kamer boven, waar hij de vorige dag had geslapen. Hij deed zijn kleren uit, maakte er een bundel van en legde ze bij de deur. Hij douchte en zag de opgeloste modder en spikkels opgedroogd bloed wervelen in het afvoergat. Het water stroomde minutenlang door zijn aangekoekte haar voordat het helder werd, en hij deed er shampoo op. Zijn zere hoofd was bedaard tot een heldere, eenvoudige pijn. Hij dronk een glas water en deed een kamerjas van zwarte badstof aan die hij aan de achterkant van de douchecel vond hangen. Hij raapte de vuile kleren bij elkaar, deed het overhemd erbij waarin hij Londen had verlaten en ging naar beneden. De badkamer waar hij Astrid en Bastian had achtergelaten was leeg, het licht uitgedraaid. Kellas luisterde. Er was geen geluid in het huis. Hij ging naar de keuken. Die was donker. Een digitale klok op het fornuis wees 1 uur 45 aan.

Nog met de kleren in zijn handen slofte Kellas op zijn blote voeten door de gang. De kale, geverniste planken gaven krakend mee. Hij opende deuren en tastte naar lichtknopjes. Hij vond

Bastians bibliotheek, een breed vertrek met twee niveaus, bekleed met boekenplanken van vloer tot plafond. Het had een zitje in de vensterbank en leren leunstoelen met bleekgesleten plekken, bij een open haard. Een enkel kooltje gloeide in de as op het rooster. Er stond geen bureau. Een laptop lag op te laden op een kleedje. Hij vond Astrids werkkamer, met ingelijste A4-foto's van vluchtelingen in Kosovo, stapels tijdschriften en open notitieboekjes, die daar lagen alsof ze werden uitgetypt op de computer. In de rommel op haar werktafel zag hij het elektrische blauw van een onbewerkt, ongepolijst brok lazuursteen. Hij vond de bergruimte en zag Astrids kleren in een wasmand op de wasmachine.

Hij liep terug naar boven en vond de kamer waar Astrid en Bastian sliepen. Die lag aan het andere eind van de gang van zijn kamer. De deur was niet helemaal dicht. Kellas duwde hem open en toen zijn ogen waren gewend aan het donker, zag hij een tweepersoonsbed met twee gedaanten onder een gewatteerde sprei. Hij kwam dichterbij en bleef staan om te luisteren. Hij kon hen horen ademhalen. Hij kon niet zeggen hoe dicht ze bij elkaar lagen. Waarom deed het ertoe? Hij ging toch weg. Hij zou nu weggaan als hij schoenen had.

Hij vond de schakelaar en drukte erop. Astrid jankte, rolde om en trok de sprei over haar hoofd. Bastian ging rechtop zitten, knipperend. Nu het licht aan was, zag Kellas dat er ruimte tussen hen was geweest. Bastian droeg zijn pyjama.

'Ik was op zoek naar de wasmachine,' zei Kellas. 'Ik kon hem niet vinden.'

'Dat kan wel wachten tot morgen,' zei Bastian en wreef in zijn ogen.

'Astrid zei dat jullie niet samen sliepen.'

'Dat is ook zo.'

'Je moet geen misbruik van haar maken.'

'Er moet op haar gelet worden.' Bastian gaapte. 'Ze heeft nog heel wat alcohol in haar lijf.'

'Ik zou bij haar moeten slapen, niet jij.'

Bastians ogen gingen iets wijder open en hij keek Kellas aan, wakker nu. 'Naar mij dunkt heb je mijn vriendin en kamergenote vannacht als alcoholverslaafd afgeschreven.'

'Je ontkent niet dat ze dat is?'

Bastian zwaaide zijn benen uit bed en liep Kellas voorbij, knikte hem toe te volgen. Kellas liep achter hem aan naar het berghok en ze deden de vuile kleren in de wasmachine en zetten hem aan.

'Ik ga terug naar bed,' zei Bastian. 'Als ik jou was, deed ik hetzelfde.'

'Ik ben niet moe. Ik heb het grootste deel van de avond geslapen.'

Bastian keek Kellas aan. 'Ik weet dat het hard voor je is,' zei hij. ''t Komt hard aan als iemand niet is zoals je je had voorgesteld. Het is erg verleidelijk, te geloven dat de fout ligt bij het doel van je plannen, en niet bij jou.'

'Wat ben je weer wijs vanavond.'

'Het is een zware beproeving om jou als gast hier in huis te hebben.' Bastian balde zijn vuist, hield hem voor zijn gezicht en keerde hem in het licht alsof hij een stuk antiek taxeerde. 'Vroeger gebruikte ik deze,' zei hij. 'Ik had er twee van en ik gebruikte ze allebei. Dat is geen bedreiging. Ik gebruik ze nu niet meer.'

'Ga je gang.'

'Nee. Met iemand als jij hier weet ik weer waar ik ze voor gebruikte en hoe ik ze gebruikte.' Hij keek Kellas aan. 'Ik meen het dat je naar bed moet. Anders wordt Naomi vroeg of laat wakker en dan kom ik eruit om voor haar te zorgen en zien we elkaar weer.' Bastian draaide zich om en liep weg. Kellas stopte zijn handen in de zakken van de kamerjas en leunde tegen de machine. Hij was een beetje slaperig. Zijn ogen deden nu net zo zeer als zijn hoofd. Als hij naar bed ging, zou hij na een uur al weer wakker worden. Opgesloten in een koud, zwaar pak van angst, het pak waarin ze je staken voor de nachten nadat je alles had verloren, je hoop op liefde, je hoop op goed werk, je geld en je vrienden. Je waardigheid en je fatsoen. Wat Kellas nu ook deed, je zou nooit kunnen zeggen dat Kellas zich fatsoenlijk had gedragen tegenover de meedogenloze ontferming van zijn gastheer. Mannen begonnen met zoeken naar liefde en eindigden met zoeken naar waardigheid.

Hij slofte het berghok uit naar Astrids werkkamer. Hij zou niet proberen te slapen, maar het was niet makkelijk om wakker te zijn in de kleine uurtjes ten plattelande. Hij beefde inwendig, sidderde haast, als van de reactie op een opgewonden, zinloze ruzie met een onbekende op straat. Als van de reactie toen bij de Cunnery's. Hij wist niet zeker welke dag dat was geweest. Hij kon zich ervan vergewissen, hij kon het uitrekenen, maar hij had het liever niet op een speciale dag. Hij had in die verzenuwde toestand verkeerd, toen hij daarvandaan kwam en Sophie M'Gurgan had geschreven. Hij drukte zijn ogen dicht en ontblootte zijn tanden. Hij deed zijn ogen weer open en begon in oude nummers van DC *Monthly* naar Astrids artikelen te zoeken. Hij vond er enkele en nam ze mee naar de keuken. Hij ging aan tafel zitten en las Astrids reportages vanuit Afghanistan. Er waren er vier; op de laatste na telden ze elk zo'n vijfduizend woorden. Eén ging over de vrouwen in het dal van de Panjsjir, en over alles wat ze hadden doorstaan en verloren tijdens de oorlogen tegen de sovjets en de taliban. Een andere was geschreven vanuit een Amerikaanse eenheid die op jacht was naar Osama bin Laden in het zuidelijk gebergte. De derde over een Afghaanse soldaat, een Darisprekende Tadzjiek uit het noorden, die voor het eerst in zijn leven naar het Pasjtun-rijk van Kandahar was getrokken met de aftocht van de taliban, en toen was teruggekeerd naar zijn dorp, waar zijn oom opium was gaan verbouwen.

Kellas hoorde Naomi huilen. Bastian bracht haar naar de keuken en maakte een flesje klaar en liet haar drinken. Geen van de mannen sprak. Kellas las Astrids vierde verhaal, een korte schets aan het begin van het magazine over de ervaring van bevallen in een Afghaanse kraamkliniek, waar 'alles in orde was, behalve het inbakeren', en hoe moeilijk het daarna was geweest de documenten te bemachtigen die bewezen dat Naomi háár, Amerikaanse, baby was. Er werd niets over gezegd, maar er was iets als een verzwegen metgezel in het laatste artikel, en misschien in het derde. Er werd gerefereerd aan een vriend.

Bastian bracht Naomi weg en kwam alleen terug. Hij vulde een glas aan de kraan en zette het op tafel recht tegenover de plek waar Kellas zat. Hij ging zitten, nam een slok water, sloeg zijn armen over elkaar en keek Kellas aan.

'Ik was Astrids artikelen uit Afghanistan aan het lezen,' zei Kellas.

Bastian knikte. 'Mm-mm.'

'Ze zijn steengoed. Dat laatste, over Naomi mee naar huis nemen, was heel grappig. Ze had er vast heel wat meer over kunnen schrijven.'

'Had gekund. Naomi meenemen uit Afghanistan was niks vergeleken met haar het land in krijgen. Ze kreeg een zetje naar huis van de behulpzame kant van de Amerikaanse bureaucratie, maar toen ze hier landde, geviel het zo dat ze werd betrapt door de argwanende kant. Toen ging de sociale dienst zich ermee bemoeien. Telefoontjes met de NASA, bloedproeven, bevestigingen per FedEx vanuit Australië. Toen ze eindelijk geloofden dat het heus haar kind was, waren ze inmiddels gestuit op andere dossiers van Astrid. Twee keer rijden onder invloed, beschadiging van eigendommen, in de publieke ruimte schieten met een vuurwapen.'

'Heeft ze iemand bezeerd?'

'Dat was tien jaar geleden. Ze schoot een pistool leeg in iemand z'n auto, buiten voor een café, om te voorkomen dat hij achter haar aan reed. Er zat op dat moment niemand in die auto. Hij had haar de hele avond lastiggevallen. Ze draaide niet de bak in, maar de sociale dienst was niet blij. Het vrome bijgeloof van de verlichten. Die hadden haar moeder gekend. Ze fluisterden over kwaad bloed. Het was een nare zomer, met die toestand van Naomi thuisbrengen en Jack z'n dood. En vanaf de dag dat ze terugkwam uit Kabul tot vanavond is ze droog gebleven.'

'Je probeert me schuldgevoel aan te praten.'

'Voel je je dan schuldig?'

'Natuurlijk voel ik me schuldig. Ik weet dat als ik hier niet was gekomen, jullie commune nog steeds zou draaien.'

'Ik noem Astrid liever geen alcoholica omdat het me te veel klinkt als het eind van het verhaal.'

'Is het niet juist bedoeld als het begin van...'

'Ik wéét wat de AA zegt,' onderbrak Bastian met stemverheffing. 'Ik kan je niet beletten haar een alcoholica te noemen. Ik ga niet beweren dat ik haar nooit zo heb gezien. Ik zal je nog meer vertellen: ze heeft nooit gezégd dat ze te veel drinkt. De enige manier waarop ze erkent wat ze doet, is hoe ze probeert te voorkomen dat ze het doet. Ze is nooit naar een bijeenkomst geweest en opgestaan om te zeggen: "Ik ben verslaafd aan alcohol." Als je zegt dat ze dronken is, zal ze zeggen dat je kunt oprotten. Drieënhalve fles wijn, nou, in december 2002 is dat een borrel. Twee, drie jaar geleden was dat haar glaasje limonade midden op de ochtend geweest.'

De reptielenogen. 'Als je haar zo ziet, al is het maar één keer... ik weet hoe slap het klinkt,' zei Kellas, 'maar ik heb haar nu gezien, en de alcoholist, dat is de echte Astrid.'

'Kijk uit het raam,' zei Bastian. 'Denk je dat het donker de dag is die voor nacht speelt? Is de dag alleen maar het donker, verborgen achter licht? Waar zie je dat aan? Astrid was vanavond dronken, maar dat was ze vanmorgen niet en dat zal ze straks ook niet zijn. Ze zullen haar een alcoholica noemen en dan proberen haar daarvan te genezen. En daar houdt het niet mee op. Ze zullen al haar zwakheden constateren, een medisch etiket plakken op alles wat haar menselijk maakt, en ze zullen niet rusten voor ze haar hebben genezen van de ziekte die Astrid-Walsh-zijn heet.'

Kellas knikte en keek naar de tafel. Hij beet op zijn lip.

'Je valt me tegen,' zei Bastian. 'Je moet zelf je geliefde maken voor je haar kunt kennen. Iedereen doet dat. Wat kun je anders doen? Maar je moet wel ruimte overlaten voor de echte vrouw om binnenin te groeien. Anders eindig je alleen.'

'Net als jij.'

'Er wonen drie mensen samen in dit huis.'

Kellas stond op, spoelde zijn glas om en zette het in het rek naast de gootsteen. Hij vroeg Bastian om zijn glas en Bastian gaf het hem aan en Kellas spoelde het om.

'Je bent niet lelijk,' zei Bastian, 'maar niet zo volmaakt dat een vrouw je alleen al zou willen om mee te spelen.'

'Hoe bedoel je?'

'Het blijkt dat Astrid niet is wat je verlangde. Maar wat waren háár verlangens?'

'Aan mij heeft ze niets.'

'Dit is je eerder gebeurd,' zei Bastian. 'Je bent een soortement -oholicus. Ze zouden dat ook een etiket geven en je proberen te genezen als ze konden.'

Kellas draaide zich om en stond met zijn handen achter zijn rug tegen het aanrecht geleund. 'Nee,' zei hij. 'Ik heb het genoeg ruimte en tijd gegeven met mijn ex-vrouw en mijn Tsjechische vriendin en met een vrouw op wie... met een Engelse vriendin.'

'Ik dacht al dat er meer was.'

Kellas lachte, ging zitten en haalde zijn vingers door zijn haar. Hij zuchtte en hield zijn handen open naar Bastian. 'Wat wil je weten?' zei hij. 'De details van mijn jongensromance?'

'Was het een jongensromance?'

'Nee,' zei Kellas. Hij likte over zijn lippen en fronste. 'Ik heb het altijd als liefde beschouwd. Iets totaals, echt een ziekte, die me veranderd heeft. Ik heb het nooit meer zo gevoeld totdat... Ja. Maar dat was twintig jaar geleden.'

'Oké. Jullie gingen samen uit toen jullie op school zaten, en dat was het.'

'Nee, we hebben nooit verkering gehad. Ik was te verlegen om haar aan te spreken. Ik smachtte een jaar vanuit de verte naar haar, ik adoreerde haar, ik schreef haar gedichten. Ik stond versteld van de macht die ze over me had.' Ze had met beide handen de wereld vastgepakt toen hij er was, en die uitgeschud tot alle plooien klapten en blonken als een vlag in de wind. 'Maar na een jaar ging ik naar de universiteit en zij bleef achter.'

'Je hebt haar nooit meer gezien.'

Kellas merkte dat hij vlug met zijn ogen knipperde toen hij Bastian aankeek. 'Dát heb ik niet gezegd. Ze zocht contact met me, zomaar opeens, twaalf jaar geleden, nadat ze mijn naam boven een artikel had gezien. We zijn iets gaan drinken en ze ging met me mee naar huis. We zijn niet met elkaar naar bed geweest. Ze zag er nog net zo uit en praten ging goed, maar die wereldschokkende macht had ze niet meer. Ze zag er nog precies zo uit, en toch was ze gewoon geworden. Ze is met een taxi naar huis gegaan. Einde verhaal.' Hij haalde zijn schouders op. 'Als ik zeg einde verhaal, bedoel ik einde van dát verhaal, de liefdesgeschiedenis. Ik zie haar nog steeds, vaak zelfs, maar nu heb ik niet die gevoelens voor haar. Ze is getrouwd met een vriend van me, Pat M'Gurgan, de schrijver over wie ik het gisteren had.'

'Hoe heet ze?

'Ik zie niet in waarom jou dat kan schelen.'

'Vertel.'

'Sophie.'

'Je bent jaloers op je vriend omdat hij met je oude vlam getrouwd is.'

'Ik ben jaloers op mijn vriend omdat hij een manier vindt om bij een vrouw te blijven van wie hij niet meer houdt.'

13

Kellas stond met het morgenlicht op en vond kleren en schoenen waar Bastian hem had gezegd te gaan zoeken. De schoenen waren van Bastian, een paar oude gympen, een maat te groot, maar met een paar dikke sokken en de veters strakgetrokken kon hij erop lopen. Hij haalde alles uit zijn portefeuille en spreidde de biljetten uit op de ladekast om te drogen. Hij wikkelde zich in een grijs-zwartgeruite overjas met olievlekken, stopte het mobieltje, nog uitgeschakeld, in zijn zak en verliet het huis voordat er iemand anders op was. Hij liep naar de hoofdweg en ging over de dijk naar Assateague terwijl de onbewolkte hemel lichter werd. De wind tegen zijn wang was bijna warm. Kellas volgde de weg naar de dennen van het buitenste eiland, passeerde een paar lege tolhuisjes die de grens van het wildreservaat markeerden, en sloeg het aangegeven pad naar het strand in.

Hij moest de eerste mens buiten zijn. In een bocht van de weg zag hij verder vooruit een hert, een gevlekt dier van nog geen meter hoog. Het wendde zijn kop naar hem om, spande zijn dijspieren, dook met klikkende hoeven van de asfaltweg en plaste door de poelen aan de andere kant. De zon bescheen een trio zilverreigers, die luierden in de holte van een pijnboomtak, en op gezette afstanden langs de oevers van het waterland hadden zich blauwe reigers geposteerd, als de verweerde palen van een verdwenen dijkweg. Het geboomte hield op en de weg voerde rechtstreeks oostelijk naar de duinen. In het open water naar het zuiden stonden de gecamoufleerde kubussen van jachthutjes. Vanuit de verte kwam een geluid als van een naderende forensentrein. Kellas keek naar het noorden en zag een witte wolk opstijgen, kantelen, omkrullen en toespitsen. Het waren duizenden witte vogels, schetterend in hun vlucht: sneeuwganzen. Het lichter worden van de atmosfeer kwam niet alleen door de opkomende zon, maar van het afvlakken van het land naarmate hij de zee naderde. Hier aan het uiterste oosten van het vasteland was het licht koud en parelmoerachtig, beloofde het grote wonderen, op zijn eigen tijd, voor de geduldigen onder de mensen. In de luwte van de duinen stond een bezoekerscentrum met een hoge vlaggenstok. Er was genoeg wind om de stars-and-stripes te doen golven, wapperen, inzakken en weer golven. Kellas bereikte de duinen en sjokte eroverheen en omlaag naar de oever.

Het was een effen, schoon strand van fijn, bleek zand. De branding rees tot middelhoogte, sloeg om en siste, en een zwerm vogels met walnootgrote lijfjes repte zich rap als spinnen heen en weer, om in het opgewoelde zand te speuren naar eiwit met het opkomen en terugtrekken van elke golf. De zee bulderde uit dezelfde rauwe reuzenkeel, altijd drinkend en nooit slikkend, als die waarmee Kellas was opgegroeid. Hele avonden had hij op het strand gezeten, het dichtst bij zijn huis in Duncairn, het jaar voordat hij er wegging, op het moment dat het laatste licht geel neerstreek over de stad en de eerste ster rees boven het woud verderop langs de kust. Hij had op het zand gezeten, met zijn handen erin gegraven, en gevoeld dat hij een dichter en een minnaar begon te worden, terwijl hij geen van beide was. Net als Pat M'Gurgan geloofde Kellas dat het licht hem toebehoorde, maar Kellas had bemind willen worden omdat hij het begreep, niet omdat hij het met anderen deelde.

In zijn nachtelijk gesprek met Bastian had hij nog steeds de zestienjarige Sophie 'het meisje' genoemd en de getrouwde Sophie Sophie. Het viel hem makkelijker aan hen te denken als twee mensen, de ene die hij zich had verbeeld, die hij had aanbeden en van wie hij afstand had gehouden, en de andere die hij kende, zijn intelligente hardwerkende vriendin, die nooit had moeten horen hoe het hem ontviel dat ze gewoon zo'n vrouwtje was dat dingen voor elkaar kreeg. Het was idioot geweest om dat te zeggen. Ze was niet gewoon. Ze was de vaste spil waaraan de overspannen medewerkers van haar radiostation zich altijd vastklampten in hun solipsistische rampen en ruzies, ze had een zoon grootgebracht, ze had twee stiefdochters haar als hun moeder leren beschouwen, en ze had M'Gurgan de afgelopen twaalf jaar afgemeerd gehouden in de schijn van een veilige haven. Het woord 'gewoon' was een naklank van het woord dat Kellas door het hoofd was geschoten in 1990, toen Sophie hem had opgespoord en ze elkaar één avond hadden ontmoet.

Hij was verrast geweest door de moed en de driestheid waarmee ze contact met hem had gezocht nadat er zoveel tijd overheen was gegaan, toen ze niets van hem wist behalve zijn slechte gedichten over haar, zijn gehang rond haar huis in de hoop haar buiten school te treffen, zijn obscure roman en een paar artikelen die ze had gelezen. Het was uit nieuwsgierigheid, zei ze. In de nacht en de dag voor hun ontmoeting, in een café in Clerkenwell, draaide er een lopende band van mogelijkheden rond Kellas. Dat hem een grote weldaad was vergund, een tweede kans. Dat ze onherkenbaar zou zijn veranderd, dik geworden of verslonsd door drugs. Dat ze die avond met elkaar naar bed zouden gaan. Dat ze de moed zou verliezen en weg zou blijven. Dat hij haar zou kunnen bellen en afzeggen. Dat hij, of hij nu zeventien was of zesentwintig, nog steeds verlangde naar een meisje van zestien.

Hij was laat. Toen hij het café naderde, zag hij haar in de verte naar hem toe komen. Er was zo te zien niets opvallends in haar veranderd, in haar trekken, haar uitdrukking, de manier van bewegen. Toch zag hij, toen ze vlak voor elkaar stonden, dat iets in haar, een verborgen hoedanigheid die hij eens zo hevig naast zich had gewenst, er niet meer was. Ze praatten de hele avond en er werd aan weerskanten niets scherps gezegd en het lukte Kellas het woord 'gewoon' niet uit te spreken, maar ze zag dat hij teleurgesteld was, en was gekrenkt, en hoe gekrenkter en teleurgestelder ze was, des te warmer trachtte ze te zijn. Tegen het eind deed Kellas zijn best om te blijven praten terwijl hij wilde, woedende gedachten had over hoe de Sophie die daar had moeten zitten, om hals was gebracht door deze Sophie. Ze stonden voor Kellas' deur, en toen Sophie besefte dat Kellas zelfs geen zin had om haar te zoenen, zei ze: 'Nou. Dit is niks geworden, hè?' En liet ze hem daar staan. Hij keek haar na toen ze wegliep, en zei tegen zichzelf dat hij achter haar aan moest rennen, als om te zien of zijn lichaam op eigen kracht zou handelen; alsof zijn benen de wil zouden vinden die zijn hart niet had. Maar hij verroerde zich niet, totdat ze uit het zicht was.

Op het strand liep Kellas langs de rand van de vloedlijn, het ingedikte natte zand. Er waren schelpen, fijne sint-jakobsdekseltjes, zwarte en witte. Na een halfuurtje lopen zag hij dat er een soldatenhelm was aangespoeld en deels in het zand lag begraven.

Hij kwam naderbij. Als er vroeger verf op had gezeten, was die nu weggesleten tot op het materiaal eronder. Hij leek niet gemaakt van het gebruikelijke synthetische composiet. Het was metaal als brons, met een licht rossige glans in het bruin ervan. Hoe had hij kunnen drijven zonder te zinken? Hij was iets ovaal van vorm, vanboven ingedeukt, alsof wie hem ook had gedragen een geweldige klap op zijn kop had gekregen. De vorm was een afgevlakt halfrond, met een verheven richel om de rand. Hij leek op de helmen die sovjettroepen vroeger hadden gedragen en die waarmee Kellas Russen en Tsjechen in Grozny had gezien. Misschien dat een cohort van nieuwe Amerikaanse bondgenoten hier op oefening was geweest, Azerbeidzjaanse mariniers of Ethiopische zeelui.

Hij zette de punt van Bastians sneaker tegen de helm. Bij de eerste aanraking begreep hij dat het toch geen metaal was. Hij drukte iets harder en duwde om de helm ondersteboven te keren. Zijn buik trok samen door een kramp van schrik en hij deed een snelle stap achteruit, ontblootte zijn tanden. Wat de helm bezette en ermee versmolten was, was het overschot van een arthropode, een beest van wel twintig centimeter lang, als een schorpioen zonder kop, met tien of twaalf gelede poten en de stekelstaart van een demon. Het visioen dat op dat moment in Kellas' hoofd opdoemde, was dat van het hoofd van een gewonde soldaat, dat met zijn eigen bloed verkleefd was geraakt met het materiaal van zijn helm, en van een aasdier op het slagveld dat tevoorschijn kroop en het van binnenuit opvrat tot het hoofd volledig was verteerd.

Het visioen duurde maar een seconde, maar lang genoeg om Kellas een schok te bezorgen, en zelfs nadat hij had gezien wat de helm en zijn eigenaar eigenlijk waren, bleef het visioen hem bij.

Dit schepsel kwam al langer dan de mensen naar deze kusten, en zou hier nog steeds zijn als de mensen waren verdwenen. Tenzij de evolutionaire aanleg van de mens tendeerde naar die van de hoefijzerkrab, en twee schepsels één werden. Waarom niet? De mensheid was toegerust met een uitmuntende bescherming voor zijn geest in de vorm van een schedel, had niettemin de bescherming inadequaat bevonden en dikkere, grotere extra buitenschedels ontworpen, helemaal van staal en kevlar. In de loop van de tijd zou de mens wellicht het voordeel leren inzien van grotere helmen, die steeds meer van het lichaam bedekten en doorlopend werden gedragen, totdat de les van de hoefijzerkrab ten volle tot hem doordrong, namelijk dat het beter was, wilde je honderden miljoenen jaren blijven bestaan, dat je permanent leefde in een dikke, allesomvattende helm, ziende maar zelf ongezien, en je geborgen wist.

Goed voor de soort, zij het duidelijk niet voor al haar individuele leden. Kellas zag nu dat dit deel van het strand bezaaid lag met dode hoefijzerkrabben, sommige door het zand bedolven, andere ondersteboven en in stukken gebroken. Het leek op de woestijn in Koeweit in 1991 na de massale overgave van het Irakese leger, toen de soldaten hun helmen hadden afgeworpen nadat hun wapens waren ingenomen en ze werden afgevoerd. Onder de groeiende duisternis van de dag, toen de oliebronnen brandden, had Kellas er een opgeraapt als souvenir, met het idee dat hij er gaten in kon boren en hem als bloemenmandje gebruiken, wetend dat dit iets was wat hij nooit zou doen, en dat hij hem open en bloot in zijn flat wilde leggen om indruk op meisjes te maken. Hij was zevenentwintig. Toen hij ermee thuiskwam, hing hij hem inderdaad zichtbaar aan een spijker in zijn woonkamer, en merkte dat bezoekers met weerzin reageerden, in de veronderstelling dat hij hem van het lijk van een soldaat had weggenomen. Hij had hun de waarheid verteld, maar ze geloofden hem niet, en ten slotte haalde hij hem eraf en gooide hem weg.

Toen ze door de Saoedische- en Egyptische linies en door de stellingen van de Amerikaanse mariniers waren gereden en op weg waren naar Koeweit-Stad, passeerden Kellas en zijn kameraden groepen Irakese soldaten in groene werkpakken die zich hadden overgegeven en wier polsen strak achter hun rug waren gebonden met plastic handboeien. De Amerikanen hadden hun bevolen naar het zuiden te marcheren en dat hadden ze gedaan, zonder water, zonder te weten waar ze heen gingen. Kellas en de reporter met wie hij reed, waren gestopt om met een man te praten die alleen liep, geboeid, uitgeput, mager en ongeschoren, met schuinhangend hoofd, alsof iemand het per ongeluk had afgebroken en teruggezet, in de hoop dat het niemand zou opvallen. Hij sprak geen Engels. Ze hadden hem water gegeven en waren doorgereden en pas achteraf was het in hen opgekomen: waarom hadden ze die plastic boeien niet doorgesneden en zijn handen bevrijd? Hij was ongewapend en alleen en ze hadden hem een fles water kunnen meegeven om bij zich te dragen. Kellas besefte dat dat was wat de soldaat had gezegd, de Arabische zin die hij almaar herhaalde en die Kellas niet begreep, toen de man zelfs het mogelijk gebruik van gebarentaal ontnomen was: 'Maak mijn handen los.'

Kellas nam de mobiele telefoon uit zijn zak, zette hem aan en ging op een verbleekt stuk boomstam zitten. Hij zette de telefoon een eindje verder op het zand en wachtte. De telefoon begon de boodschappen te tjilpen die in de afgelopen drie dagen waren gestuurd. Hij ging minutenlang door. Toen de telefoon stilviel, pakte Kellas hem op en toetste het nummer van zijn oude krant. Hij sprak een halfuur met verschillende redacteuren, en wachtte toen tot ze hem terugbelden. Ze konden hem zijn oude baan niet geven; ze konden hem geen enkele baan geven. Het enige wat ze konden doen, was hem een kort contract aanbieden om de invasie in Irak te verslaan, die naar hun verwachting in het voorjaar zou plaatsvinden. Kellas stemde toe, onder voorwaarden, en na wat bedenkingen en overleg gingen ze akkoord.

Kellas zette de telefoon uit en stopte hem weg. Hij liep terug. Anderen waren inmiddels aangekomen op het strand. Een vrouw liet een rode setter uit en twee vissers hadden plastic handkarretjes tot dicht bij de waterkant getrokken en zetten nu hengels op in het zand. Kellas stak de duinen over en keerde terug naar de weg. Na twintig minuten zag hij Astrid komen aanrijden op haar fiets. Ze fietste naar hem toe en stopte met één voet op de grond en één voet op de trapper. Ze begroetten elkaar. Kellas haalde zijn handen uit zijn zakken en stak ze weer terug.

Astrid was bleek en had blauwe kringen onder haar ogen. Verder was ze weer de oude. De bries vlaagde en woei haar haar in haar ogen en ze schudde het weg. Ze was teruggekeerd van de onderwereld waar de zielen der lavelozen verblijven in de uren van hun verdoving. In de duisternis van het moeras had Kellas het voor zeker gehouden dat de alcoholische korst van deze vrouw de eigenlijke Astrid was, en dat wat hij dacht dat hij liefhad, net als zijn herinnering aan de zestienjarige Sophie, een door zijn eigen halfwassenheid opgeroepen geest was, en in Astrid nooit meer dan oppervlakkig aanwezig. Nu hij haar in de ochtend voor zich zag, fier en nerveus, was het moeilijk haar drankzucht te zien als iets anders dan een steeds terugkerende wond die onvoorspelbaar openging en bloedde, maar even vast en zeker zou genezen. Dat de Astrid die hij had liefgehad echt bestond, zij het niet als een volwaardige mens – als die al bestonden. Hoewel hij haar verschrikkelijk was afgevallen, kwam er een gevoel van lichtheid over hem. De voorwaarden waren gewijzigd. Het was niet langer een vraag of hij naar een als Astrid vermomde alcoholica keek, of een Astrid die de littekens droeg van een drinker. Nu kon de vraag alleen nog zijn wie Kellas was – de Kellas die was afgestoten door de dronken Astrid, of de Kellas die amper de sporen kon zien die het drinken had achtergelaten in de nuchtere vrouw van woensdag, of een Kellas die inzag dat zowel Astrid als hijzelf niet moest worden waargenomen als de monsters en meisjes van dit of dat moment, maar als de lange kronkelende vormen die ze uitslepen in de tijd waar ze doorheen slingerden.

'Een vriend van ons rijdt straks naar Baltimore,' zei Astrid. 'Hij kan je op het vliegveld afzetten. Er is een vlucht naar Londen vanavond. Bastian heeft op het internet gekeken.'

Kellas knikte. Hij vroeg Astrid hoe ze zich voelde.

'Katterig.'

'Weet je het nog?'

Astrid sloeg haar ogen neer en peuterde aan haar nagels. Ze ontmoette eventjes Kellas' ogen en wendde zich vlug af, keek van links naar rechts alsof ze voor een forum van ondervragers stond. Ze zei met een stem zo zacht dat hij haar amper verstond: 'Een patrijs te midden van kippen.' Ze stapte van de fiets en liet hem op de weg kletteren en Kellas sloeg zijn armen om haar heen. Hij voelde een traan van haar gezicht in de kraag van zijn jas vallen en afglijden langs zijn rug. Ze stapte achteruit en veegde haar ogen af.

'Ik heb *The Citizen* gesproken,' zei Kellas. 'Ze nemen me terug voor de oorlog.'

Astrid glimlachte, nog ietwat betraand. 'Dus heb jij er nu belang bij dat het zover komt.'

'Zou kunnen,' zei Kellas. Zo had hij er nog niet aan gedacht. 'Het staat wel vast, toch? Wat ze ook zeggen.'

'Raar, zoals we dat allemaal weten, en er niets aan doen als ze zeggen dat het nog niet is besloten.' Astrid stak haar handen in haar zakken, trok haar schouders op en beschreef met haar voet een boog op de weg. 'Wat gaat er gebeuren, denk jij?'

'Ik heb geen idee,' zei Kellas. 'Maar ik probeer niet afhankelijk te zijn van de uitslag.' Hij vertelde Astrid dat *The Citizen* ermee had ingestemd hem naar een stoomcursus Arabisch te sturen wanneer hij weer in Londen was. Hij zou een huis huren in Bagdad, na de invasie, als de boel tot rust was gekomen, ergens dicht bij de rivier. Hij zou leven als balling, niet proberen Irakees te zijn, niet proberen zonder comfort te leven, verre van dat. Hij zou daar Adam Kellas zijn. Hij zou zijn kennis van de taal en de kunst en de recepten van de streek verdiepen. In het begin zou hij zijn brood verdienen met het schrijven van een wekelijkse column, dan, na een jaar, als de Britse lezers hun belangstelling voor Irak hadden verloren, zou hij een boek schrijven en proberen werk te vinden aan de universteit van Bagdad als docent. Wie weet konden ze hem gebruiken. Hij zou vroeg opstaan, 's middags slapen en 's avonds luisteren naar de verhalen van oude mannen in koffiehuizen. Waar een hele buurt vol middle class Schotse atheïsten misschien aanstoot kon geven, zou hem als een van hen die in hun midden woonde, het schild van de zonderling worden verleend. Misschien dat hij een boodschapper kon worden – meer niet, geen pleitbezorger, geen afgezant of middelaar, alleen een boodschapper – tussen de wereld waar hij was geboren, en de wereld waar hij woonde.

'En wat ga je doen qua vrouwen?' vroeg Astrid.

'Ik red me wel.'

'Je plan deugt niet. Dat kun je wel zeggen maar je houdt het niet vol.'

'Je begrijpt het niet,' zei Kellas geduldig. 'Ik maak me er los van, van die waandenkbeelden. Ik ga me losmaken van het idealiseren en het demoniseren. Ik ga niet leven zoals zij en ik ga niet veranderen. Ik ga daar leven als de man die ik ben.'

'Dat niet-idealiseren van jou is gewoon een ander soort idealiseren,' zei Astrid. 'Jij denkt dat je aan de fantasieën van onze kruisvaarders en de openbaringen van onze doemdenkers voorbij bent, dat jij echt bent geworden. Nou, ik vertel je dit gratis voor niks, als jij zegt dat wij ons hebben verkeken op Irak, is dat niets bij hoe Irak zich verkijkt op ons.'

'Maar dat is juist waarom ik in Bagdad ga wonen. Na de invasie.'

Astrid schudde haar hoofd. Ze keek Kellas aan van onder haar pony, ademde in en opende haar mond om iets te zeggen, maar bedacht zich. Met haar mond nog steeds iets open wendde ze zich naar de zon om zich te bezinnen, en het licht bescheen haar gezicht.

'Van waaruit begin je?' vroeg ze.

'Koeweit.'

'Hm.'

'Ze zijn daar behoorlijk streng over drank.'

'Mm-mm.'

'We zijn geen vriendjes, hè,' zei Kellas.

'Nooit een vriend gehad als jij, in elk geval.'

'Of een stel.'

'Niet een dat een crashtest zou doorstaan.'

'We zoeken elkaar niet. Ik zocht jou, en ik heb je helaas gevonden.'

'Ik vroeg niet om te worden gevonden.'

'Dus zijn we klaar, dacht ik.'

'Wegen kruisen,' zei Astrid.

'En laten het toeval beslissen.'

'Ja. Maar het kán gebeuren dat ik mijn pad een ietsje verleg.'

Kellas trok zijn wenkbrauwen op. 'En Naomi dan?' zei hij.

'Het was voor mij erger geweest als mijn moeder niet in de buurt was geweest toen ik klein was,' zei Astrid. 'Maar ik was misschien beter af geweest als ze vaker van huis was gegaan. De treurnis die in haar groeide als ze op één plaats bleef. Ik voelde dat het in haar groeide en dat ze wilde dat iedereen om haar heen de last met haar deelde.'

'En Bastian?'

'Die is te wijs om te denken dat hij me hier kan houden door lief voor me te zijn. Hij weet dat ik terugkom.'

Een passerende auto op weg naar het strand toeterde tegen Astrid en ze zwaaide. 'Kom mee, we moeten terug naar huis,' zei ze. 'Stap maar op.'

Het lukte hun getweeën op het zadel te hangen. Astrid trapte en Kellas hield zich zo goed hij kon vast. Het zat ongemakkelijk en ze wiebelden woest toen ze het fietspad volgden door het bos naar de dijkweg. Een paar keer schreeuwde Kellas het uit toen Astrid bijna haar houvast verloor en hij zich voelde wegglijden. Eenmaal op de dijk ging het makkelijker, en toen ze van de afrit omlaag sjeesden, kraaide Astrid het uit en Kellas lachte. Eenmaal bij het vlakke stuk begon Astrid weer te trappen en Kellas keek opzij naar de schaduw die ze wierpen. Het was een breed schepsel. Het moest een dikke ziel hebben gehad. Maar enkele seconden lang leek hun schaduw op twee in één versmolten mensen, een enkel wezen dat voortraasde over het riet.

14

Kellas landde de volgende ochtend nog voor het eerste licht op Heathrow en nam de ondergrondse naar Bow. Hij douchte, trok schone kleren aan en zette koffie. De magere melk die hij zondag had gekocht, was nog te drinken en de flat had geen tijd gehad om de lucht van verwaarlozing te krijgen. Net voordat hij het huis verliet, ging de vaste telefoon. Hij keek ernaar, aarzelde, en vertrok zonder op te nemen. Het was midden in de spits toen hij de ondergrondse in westelijke richting nam, met zijn rug hard tegen de deur en zijn hals zo dicht overgebogen naar de rechterwang van een kantooremployee dat hij elk poederkorreltje op het moedervlekje op haar kaak kon tellen. Hij probeerde bij Moorgate over te stappen op de Northern Line, maar bij Angel had iemand zich onder de trein gegooid en de dienst was ontregeld. Hij liep omhoog naar de straat. Op de trottoirs en de kruispunten wemelde het van de zwarte jassen en hongerige stappen, die door de motregen sprongen naar het ochtendlijke inloggen. Hij kocht een nummer van *The Citizen* en stapte op bus 205. Hij klom naar het bovendek en vond een plaats naast een vrouw die gebogen zat over een heel klein boekje met een leren omslag en kleine lettertjes in een ongewoon alfabet. Ze bewoog zwijgend haar lippen onder het lezen en wiegelde voor- en achterwaarts. De ruiten waren beslagen. Sommige passagiers trokken met hun handen kringetjes in de wasem en andere niet, maar toch keken ze door de ramen, alsof alleen het verstrooide grijsblauwe licht al genoeg te vertellen had.

Kellas bekeek eerst de sportpagina's. Hij las graag de uitslagen van obscure sporten die hij nooit zou zien of beoefenen: kanoën, shinty, vrouwencricket. Het feit dat zoveel mensen zoveel tijd, inspanning en geestdrift konden wijden aan krachtmetingen volgens een stel willekeurige spelregels, gaf hoop aan de ongelovigen. Toen de in memoriams, de ingezonden brieven, de columnisten en het nieuws. Driekwart van de vrouwelijke militairen van de VS voldeed aan de criteria voor eetstoornissen. Michael Caine had de producenten ertoe weten te bewegen de filmversie van *The Quiet American* uit te brengen, nadat ze die eerst hadden tegengehouden, bang dat het onvaderlandslievend zou lijken na 11 september. Het Witte Huis hoonde de Verenigde Naties, die zeiden dat de Irakezen medewerking gaven aan hun inspecteurs. Enkele honderden Britse officieren gingen naar Qatar om deel te nemen aan de Amerikaanse oorlogsoefening, maar volgens het ministerie van Defensie had dat niets te maken met Irak. Zevenenveertig procent van de Britten zei dat Saddam Hoessein met geweld moest worden weggewerkt, en zevenenveertig procent vond van niet. Een criticus van Sky Movies werd geciteerd omdat hij na een voorvertoning zou hebben gezegd dat de regisseur van *The Two Towers*, het tweede deel van *The Lord of the Rings*, 'een aantal van de gruwelijkste slagveldscènes vastlegt die ooit zijn verfilmd, en zijn camera midden in het bloed en ingewanden plaatst'.

De bus klom omhoog naar Angel, daalde af via Pentonville Road en laveerde door de pylonen en tijdelijke betonnen afscheidingen rondom King's Cross. Nog maar twintig jaar geleden hadden mensen van Kellas' leeftijd zich afgevraagd of, zo ze de eenentwintigste eeuw mochten halen, ze zouden schrijven bij het licht van lappen die waren gerukt van de lichamen der doden, of van opgeraapt papier, met kostbare pennen, terwijl ze op het blad kruimels van hun eigen vergruizende vlees achterlieten om te worden weggeveegd. Maar de lichten waren integendeel feller geworden, en het vermaak prachtlievender. Het script voor de invasie waaraan hij had toegezegd deel te nemen, was geschreven voor een publiek dat evenveel af wist van orks en Sauron als van Irakezen en Saddam; toch was het voor zijn eigen land méér. Overal zag hij deze ochtend nieuwe tekenen van algemene welvaart doorbreken: een nieuw Europees eindstation dat bij St. Pancras verrees, een nieuw ziekenhuis in een wolkenkrabber hoog boven Euston, de hijskranen die het oude Wembley-stadion omsingelden ter voorbereiding op de sloop en de bouw van een nieuw, voor een gigantisch bedrag. Toen zijn trein de stad verliet, flikkerde een van de nieuwe sneltreinen die hem zouden vervangen voorbij, als een afgezant uit het jaar 2000, waaraan Kellas, hoewel dat nu in het verleden lag, nog steeds nostalgisch dacht als de toekomst. Een nodeloze oorlog waar de enige slachtoffers vrijwilligers of vreemdelingen waren, was de laatste luxe in een eeuw die niet kon aanvaarden dat zij meer geld had dan waar ze zichzelf mee kon troosten. Het was een poging ernst te kopen met andermans bloed; in je mond de tekst van de klassieke tragedie te proeven en te genieten van je eigen ondergang en overmoed, en toch op het allerlaatst opzij te springen en een speerdrager het mes te laten opvangen dat jouw fouten voor je hadden opgeroepen.

Kellas wachtte met ongeduld op het begin.

Zijn trein stevende naar het noorden als een schraper die de regenwolken van de natte mortel van de Midlands krabde. De laaggelegen velden stonden blank en de buiken van het vee waren bespat met modder. De ene stad ging over in de andere, hoogspanningsmasten hesen hun kabels nuffig tot hoog boven het slik, geen groen veld ging onbekeken langs een raam; het sprak van de smalheid van het eiland. Kellas dommelde. Benoorden Preston werd het land vertrokken en geplooid en rezen de heuvels tot boven de trein, geel en kaal. Ze passeerden backpackers op het perron in Oxenholme. Dichter bij het spoor waren dennen en stekelbrem en stenen muurtjes en de autobaan die de trein schaduwde door het Pennine-gebergte. In Carlisle stapte Kellas over op een lokaaltrein in een paars-met-gele livrei die vlugger dan hij zich kon of wilde herinneren door de groene wadgronden rond de Solway Firth zoefde, de grens overstak en hem midden op de middag afzette in Dumfries.

Hij stak de voetgangersbrug over, kwam het station uit en sloeg linksaf de weg in naar Lockerbie. Er lag iets stils over de zware roodstenen terrassen en bungalows, een blindheid in alle ramen, wat kwam, wist hij, doordat bijna alle bewoners op hun werk of school waren of naar de middagtelevisie keken, maar wat hij ondanks zichzelf voelde als een wachten op zijn komst, als de stilte in de gang en de wachtkamer naar een plaats waar hem een finale afrekening zou worden overhandigd.

Kellas naderde de rommelige heg om het voortuintje van de M'Gurgans. Hij lichtte de klink van het halfhoge hek van gebogen ijzeren staken. Zijn hand beefde. Het hek ging open met het roestige tweetonige miauwen dat hij kende en hij nam de drie passen naar de deur. Hij zette zijn vinger op de bel, het witte plastic knopje in het zwarte plastic kastje dat hij vroeger zo achteloos indrukte, en keek naar rechts. Een vakantiesouvenir uit een ver verleden lag binnen op de vensterbank, tussen het raam en de jaloezieën: een beschilderde rode houten vis met een gat erdoor in het midden. Zolang als hij hier over huis kwam, had die vis daar gelegen, om geen betere reden dan dat niemand geneigd was geweest hem er weg te halen. Het viel Kellas zwaar zich het geweld te herinneren waarmee hij de levensloop van de vijf mensen in dit gezin al had verstoord. Hij had zijn daad begaan, en of hij aanbelde of niet, die kon niet ongedaan worden gemaakt.

Hij drukte op de bel. Hij hoorde de tussendeur opengaan, de echo van de stroeve kruk in de betegelde ruimte van de vestibule, en toen keek M'Gurgan hem aan. Uit M'Gurgans aarzeling, de vlugge flits van zijn ogen op en neer van Kellas' schoenen en terug naar zijn gezicht, begreep Kellas dat de brief was aangekomen en dat over de inhoud was gesproken.

De twee mannen stonden elkaar zwijgend op te nemen.

'Het spijt me,' zei Kellas.

'Je agent zei dat je naar Amerika was,' zei M'Gurgan.

'Ik ben vanmorgen vroeg teruggekomen.'

M'Gurgan draaide zich om en beduidde Kellas met een knikje hem te volgen. In zijn zwijgen weerklonk een eerdere strijd. Hij ging voor naar de keuken. Achter hem zag Kellas aan de keukentafel Sophie uitkijken om te zien wie het was. Haar ogen waren rood. Toen ze zag dat het Kellas was, sloeg ze haar armen over elkaar, keek recht voor zich uit en kantelde haar stoel op twee poten achterover. Op tafel lagen twee mobieltjes, twee handenvol ver-

285

frommelde papieren zakdoeken en de doos waaruit ze kwamen, een keurig stapeltje ongelezen ochtendkranten, een fles champagne en Kellas' brief.

'Wij zijn zelf vanmorgen pas thuisgekomen,' zei M'Gurgan.

'Er lag heel wat post te wachten,' zei Sophie zonder een van beiden aan te kijken. 'Merendeels troep, maar niet alles.' Haar stem klonk schorrig en beefde.

Kellas stond op de drempel. Het leek aanmatigend om te gaan zitten of zijn jas uit te doen. Ook M'Gurgan kon niet gaan zitten. Hij stond bij het aanrecht, balde zenuwachtig zijn handen en strekte zijn vingers, keek van Kellas naar Sophie.

Kellas liep op Sophie toe en legde zijn rechterhand op haar schouder.

'Het spijt me,' zei hij. 'Ik heb spijt van wat ik zondag heb gedaan, en ik heb spijt van die brief.'

'Wat heb ik aan spijt?' zei Sophie en keek naar hem op. Haar ogen begonnen te glinsteren. 'Zeg het maar. Ik weet niet eens op wie van jullie ik kwaad zou moeten zijn.' Ze pakte nog een tissue. 'Op deze hier omdat ie vreemdgaat, of op die omdat ie het verklikt heeft? Hou je fikken thuis en ga zitten. En doe je jas uit.' Kellas deed wat hem gezegd was. Hij ging zitten, met een stoel tussen hem en Sophie. Ze wendde zich naar hem toe. 'Vijf uur geleden zat ik in een vliegtuig me druk te maken over jou, me af te vragen waar je naartoe was en waar je verstand was gebleven. Waarom stuur je mij zo'n brief? Hoe dacht je dat ik daarmee gediend was? Hoe dacht je dat híj ermee gediend zou zijn? Hij is toch je vriend? Ik bedoel...' – Sophie snoof, veegde haar neus en ogen af en kromde haar hand om de tissue – '...ik ken de antwoorden, maar ik wil horen wat jij te zeggen hebt. Kom op.' Ze lachte en weer kwamen de tranen. 'Kom op.'

Kellas beet op zijn lippen, dacht na.

'Kom op!' Sophie verhief haar stem. 'Zeg het!'

'Afgunst,' zei Kellas. 'Ik was jaloers op Pat en z'n boek.'

Sophie en M'Gurgan riepen: 'O!', en wendden tegelijkertijd hun hoofd af. Sophie zei dat hij loog dat hij zwart zag, en M'Gurgan lachte precies zo'n lach als Kellas een oude joodse man die iets afgrijselijks had overleefd, had horen lachen bij het beschrijven van een wel heel absurde moordpassage.

'Ik was jaloers omdat Pat Lucy versierde,' zei Kellas.

'Daar heb je meer reden toe, maar je zit er nog ver naast,' zei M'Gurgan, en hij pakte uit de ijskast een fles witte wijn, die voor twee derde vol was. Hij zette drie glazen neer en schonk ze in terwijl hij sprak. Sophie keek toe. 'Wat doe je nou? Hij is nog steeds de geëerde gast, ja?'

'Adam, elk jaar ben je met een allesovertreffend, god zal me liefhebben wat een stúk komen aanzetten...' zei M'Gurgan.

'O ja?'

'...en mij zie je, voor één keer in mijn leven, de interesse van een meisje wekken...'

'Lúl,' zei Sophie. Kellas had haar nog nooit zo grof in de mond gehoord.

'...en ik zie niet waarom het de wateren van je jaloezie zo in beroering brengt.' M'Gurgan begon in de ijskast te scharrelen.

'Je zou godverdommes veel kwaaier op hem moeten zijn,' zei Sophie. 'Je gaat me toch geen kaas pakken?'

'Wat was het dán?' zei Kellas, en hij greep een glas wijn en nam een slok.

'Sophie,' zei M'Gurgan, en hij knikte naar zijn vrouw, maar bleef Kellas aankijken. Hij ging zo zitten dat hij tegenover hem en even ver van hen beiden zat, en nam een glas. Hij sneed voor zichzelf een stuk kaas af. 'Je bent nog steeds gek op haar.' Hij dronk en schrokte van de kaas. 'Ben je nooit overheen gekomen.'

'Jézus,' zei Sophie, en ze legde haar handen plat op tafel en bonkte erop met haar voorhoofd, 'je wou toch niet...'

'Luister,' zei Kellas met stemverheffing om Sophie in de rede te vallen. Ze sperde haar ogen en mond open en keek hem aan, een sarcastisch gespeelde verbazing.

'Luister nou,' zei Kellas weer. 'Ik ben hier niet gekomen om me te verontschuldigen. Ik heb er spijt van en ik wou dat ik die brief nooit had geschreven, maar het is waar wat je zegt, aan mijn spijt heb jij niks. Ik kwam zeggen, Sophie, dat ik Pat al ken sinds we jongens waren, en diep in mijn hart weet ik het zeker: wat hij ook deed met dat ene meisje op die ene avond, de enige vrouw van wie hij houdt en altijd zal houden, ben jij.' Hij eindigde, blij dat hij het had gezegd zonder horten of terugkrabbelen of afdwalen. Sophies uitdrukking was van gespeelde in oprechte verbazing overgegaan. Kellas wendde zich tot M'Gurgan voor de vereiste bevestiging. Bastian had hem laten zien hoe het mogelijk was om nieuwe parareligieuze rituelen te verzinnen, en het voordeel ervan was dat ongelovigen, net als echte gelovigen, niet hoefden te geloven in de waarheid achter de woorden; ze hoefden alleen maar te geloven in de woorden.

M'Gurgan hief zijn glas, keek erin, walste het restje erin, dronk het leeg, zette het hard op tafel en leunde achterover op zijn stoel. Het zweet brak Kellas uit. Enkele dagen daarvoor had hij voor M'Gurgan en Sophie de grenzen verlegd voor de hoeveelheid verwoesting die een man in een huiselijke omgeving zou kunnen aanrichten. Maar toch, hoe kon M'Gurgan de kans op vrijspraak die Kellas hem had geboden, laten lopen? Op dinsdagochtend, onderweg door de sneeuw naar Chincoteague, had Kellas zich verbeeld hoe zijn brief dit gezin zou verwoesten, en had hij gedacht dat door het verbeelden ervan de verwezenlijking werd bezworen van juist datgene wat hij zich had verbeeld.

'"Diep in je hart",' zei M'Gurgan. 'Kun jij je hart zo laten werken? Ik heb het mijne altijd een onnauwkeurig instrument bevonden.' Hij sloeg met zijn vuist op zijn borst. 'Je boft met zo'n betrouwbaar hart. Het mijne heeft de grootste moeite om te blijven kloppen. En wat het meten van liefde betreft zou ik beter af zijn met een passer, of een liniaal of een weegschaal. Ik zal een second opinion nodig hebben, vrees ik. Een hersenscan of een röntgenfoto, me een colonoscoop in m'n reet laten steken, me een lavement en een portie barium laten geven.' Hij schonk zichzelf nog eens bij. 'Een biopsie. Een speekseltest. Een bloedmonster. Transplanteer je hart in mij en dan mag jij het mijne hebben. Maar je moet uitkijken, want mijn hart is een leugenaar. Het is een dichtershart en dichters zijn leugenaars. Wist je dat de Egyptenaren tot hun hart baden voor ze doodgingen, omdat ze er niet op vertrouwden dat het niet over hen loog tegen de goden. "O hart," zeiden ze, "wil me niet verraden".'

Hij zou zo nog doorgaan, maar Kellas onderbrak hem en Sophie begon erdoorheen te praten en Kellas gaf toe.

'Ik snap niet hoe jullie tweeën ooit vrienden zijn geworden,' zei ze. 'Jullie horen jezelf veel te graag praten.' Ze sprak tot Kellas. 'Jij luistert niet naar wat hij zegt omdat je te druk bezig bent met piekeren over wat jij dan weer gaat zeggen.' Tegen M'Gurgan: 'En jij zet bij Adam de knop om en je laat hem stilletjes doorpruttelen als een radio op de achtergrond tot het moment komt dat jij je mond weer opendoet. Ik heb het gezien. En nu heb ik jullie allebei horen zeggen dat de ander mij wil hebben, terwijl de zaak is dat geen van jullie tweeën dat wil. Adam is niet geïnteresseerd in mij, Pat. Hij haat mij omdat ik niet meer dat meisje van zestien ben dat hij nooit heeft aangesproken, want daar had ie het lef niet voor...'

'Dat is niet waar,' zei Kellas.

'...en hij is jaloers op jou omdat hij weet dat al zijn denkbeeldige vrouwen zullen veranderen in doodgewone, alledaagse vrouwtjes zoals ik, en hij gelooft dat jij een of andere dichtersalchemie hebt ontdekt om van mij te houden vanwege mijn o zo mooie innerlijke wezen. Daarom heeft ie z'n gemene brief geschreven. Kijk, hij zegt niet dat het niet waar is. Nou, Adam, dat heeft ie niet. Kijk, als hij van me hield,' ze zette een elleboog op tafel en leunde naar Kellas over, 'dan had hij niet zijn pik gestoken in een meisje dat niet veel ouder dan zijn dochters is, terwijl ik in hetzelfde huis was. Toch?'

'Ik word wee van al dat gepraat over liefde,' zei M'Gurgan. 'Hebben we nog brood?'

'Er zijn crackers in de broodtrommel,' zei Sophie.

Kellas had een opwelling om te vertrekken, de benen te nemen. Het was niet zijn huis. M'Gurgan zette een bord met het knäckebröd en meer kaas op tafel en begon een nieuwe fles wijn open te trekken. Sophie nam een stukje knäckebröd, brak het in tweeën, brak een hoekje van een helft en stak het in haar mond.

'Ik vraag me af of ze er lol van had,' zei ze. 'Die leuke Lucy van je. Zo'n goeie minnaar ben je ook weer niet.'

'Ben ik slechter geworden?' zei M'Gurgan, weer met zijn lach van afgrijzen.

'Nonchalanter, zou ik zeggen.'

'Godallemachtig, na twaalf jaar weet ik wel hoe je clitoris smaakt.'

'Je weet ook hoe bacon smaakt en dat belet je niet het door je dikke strot te douwen.'

'Ik moet weg,' zei Kellas. Hij stond op.

M'Gurgan stak zijn hand uit en duwde hem terug op zijn stoel, en richtte zich tot Sophie. 'Wil je dat ik bij je wegga? Want dat wil ik niet.'

'Dat overleef je niet,' zei Sophie. 'Ik herinner me de toestand waarin je was toen ik je vond. Er woonden beestjes in je doorligplekken.'

'Je hebt de vraag niet beantwoord.'

'Ik wil niet dat je vreemdgaat!'

'Wil je dat ik je bewonder? Ik bewonder je. Wil je dat ik je lof zing? Ik zing je lof. Wil je met mij op reis? Ik wil met jou op reis. Wil je mijn bed delen? Ik wil jouw bed delen. Wil je mijn leven delen? Ik wil jouw leven delen. Is dat alles bij elkaar niet genoeg voor jou?'

'Je hebt mij niet in je boek gezet.'

'Het was uit voordat jij mij vond.'

'Ik wíl niet wezen wie jullie allebei denken dat ik ben!' schreeuwde Sophie. Haar gezicht kleurde. 'Hoe denk je dat het voelt voor een vrouw als een dichter zakelijk met haar wordt? Ik wil niet wezen wie ik ben. Ik wil niet echt zo zijn. Ik wil één moment de vrouw zijn die híj dacht dat ik was.' Ze prikte met haar duim in Kellas' richting.

Ze hoorden de voordeur opengaan en Angela kwam de keuken binnen in haar schooluniform. Iedereen stond op en Kellas had tijd om de flits van schrik op haar gezicht te zien voordat Sophie haar knellend in de armen sloot. Na haar bevrijding werd Angela aandachtig gezoend door Kellas en haar vader.

'Herejeetje,' zei Angela. 'Jullie zullen me vast nooit alleen op vakantie laten gaan als jullie me zo om de hals vallen als jullie maar een paar dagen weg zijn geweest.'

'Waar is je zusje?' zei Sophie.

'Geen idee. Wat was dat voor kabaal?' Ze bestudeerde de gezichten, de glazen, de houdingen. De drie volwassenen gingen weer zitten en zeiden nee niets en kom er toch bij Angela.

Angela kneep haar ogen half dicht. 'Jullie tweeën hebben ruzie gehad en híj heeft er iets mee te maken.' Knikkend in Kellas' richting. 'Zitten midden op de middag te hijsen en elkaar ergens van de schuld te geven.' Ze schudde haar hoofd. 'Niemand is hier onschuldig. Jullie hebben allemaal schuld omdat jullie oud zijn.'

Angela ging naar boven. Kellas, Sophie en M'Gurgan wisten ieder dat de eerste impuls van noodzakelijke ontkenning niet was 'ik heb geen schuld' maar 'ik ben niet oud', en het besef hiervan sloeg hen met stomheid. Een gevoel van solidariteit schoot door hen heen.

'Ik heb dit nog nooit gezegd,' zei Kellas tegen Sophie, 'maar ik heb het altijd vreemd gevonden dat jij mij opzocht en toen Pat, nog in hetzelfde jaar.'

'Kun je zien wie ze het liefst had,' bromde M'Gurgan.

'Ik heb me wel afgevraagd of je niet bij mij kwam om hém te vinden. Ik heb je zijn adres gegeven,' zei Kellas. Hij bediende zichzelf van meer wijn en een cracker met kaas.

'Als je bedoelt dat ik net zo'n idealistische malloot was als jij, dan heb je gelijk,' zei Sophie. 'Je bent wijzer geworden, nu je terug bent uit Amerika, hè? Waar was dat voor? De vrouw die je in Afghanistan hebt ontmoet?'

'Astrid.'

Sophie vroeg hoe het was gegaan.

'Het bleek dat ze een baby had. Het bleek dat ze een drankprobleem had. En het bleek dat ik bereid was haar te laten stikken zodra ik erachter kwam.'

M'Gurgan en Sophie schoten in de lach, verontschuldigden zich toen, en keken berouwvol.

'En heb je dat gedaan?' zei Sophie.

'Nee,' zei Kellas, 'nee, dat niet.'

'Dat klinkt als niets voor jou.'

'We zien elkaar wel weer. Maar niet om iets te gaan drinken.'

Fergus kwam binnen met een jongen van zijn leeftijd en lengte. Ze droegen boodschappentassen. Fergus begroette zijn ouders en zei: 'Is het goed als Jack en ik het eten maken?'

'Ik weet niet of je me zoveel helpt als je misschien denkt door me nu te onthanden,' zei Sophie. 'Heb je genoeg voor iedereen? We zijn met ons... zevenen geloof ik.'

'Aja,' zei Fergus. 'Kalkoenschnitzels en croûte met een cranberry-jus.'

'Noem je dat eten?' zei M'Gurgan. 'Hé, Jack, kalm aan daarmee.' Fergus' vriendje had een roestvrijstalen lemmet van twintig centimeter van onder zijn blazer getrokken.

'Dat is mijn koksmes,' zei hij. 'Voor mijn verjaardag gekregen. 't Is een Sabatier.'

De drie volwassenen keken zwijgend toe terwijl de jongens elkaar witte schorten voorbonden en aan het werk togen, zwierig en op hun gemak met hun gereedschap, als jonge slagers.

'Doe je das af, Fergus,' zei Sophie.

'Ik heb Liam gisteren gesproken,' zei M'Gurgan. 'Hij belde op. Hij dacht dat jij misschien contact zou zoeken.' Hij keek Sophie aan en wendde zich weer tot Kellas. 'Je hebt hem niet gesproken sinds je terug bent? Hij gaat die cheque wel innen, je hebt heel wat schade aangericht. Maar dat met Tara was loos alarm. Ik zou zeggen dat Liam je vergeven heeft. Meer dan vergeven. Hij vindt dat je iets flinks hebt gedaan. Ik moest jou zeggen dat hij begreep wat je probeerde te doen.'

'De rotschoft.'

'Adam, de jongens.'

'Mensen als Liam worden niet zo vaak blootgesteld aan eerlijke woede,' zei M'Gurgan. 'Speciaal van zo'n aardige middle class kerel zoals jij. Hij voelt zich... vereerd. Hij is echt blij dat je hem hebt laten voelen wat een slachtoffer voelt. Hij zei: "Eerst was ik kwaad, en toen besefte ik dat mijn kwaadheid dezelfde was als de woede van een Afghaan of een Irakees wiens huis zomaar was gebombardeerd, en begreep ik wat Adam me probeerde te vertellen." Hij gaat er een stuk over schrijven.'

'Wat is het toch een zak. Wat verbeeldt hij zich dat hij mij begrijpt. Als ik terugga en zijn huis in de as leg, hem vermoord en zijn vrouw en dochter verkracht, zal hij dat begrijpen?'

'Adam, hou op!'

'Ja nou,' zei M'Gurgan. 'Over Margot. Dat is niet zo'n vrolijk bericht. Die zal je niet vergeven. Daar is ze heel stellig over. Ze wil je niet meer zien. Zoals zij het ziet, heeft de oorlog je nooit opdracht gegeven namens hem op te treden in haar huis. Je was een bedrieger, zei ze.'

'Dat woord gebruikte ze?'

'Ze zei dat je recht noch reden had om je voor te doen als een oorlogsengel des verderfs. Het was iets als godslastering, zei ze.'

'Zei ze dat echt? Godslastering?'

'Ze was heel hard, Adam. Moet ik doorgaan?' Kellas knikte. 'Ze zei, als iemand een bom laat vallen, maakt het geen enkel verschil of die het doet om je huis te verwoesten of om je te laten zien hoe het is als je huis wordt verwoest. Het enige wat er is, is de bom.'

'Als zij denkt dat dat verwoesting was...'

'Ik vertel alleen wat zij zei. Ze zei dat je besmet was. Je hebt iets opgelopen. Misschien in de oorlogen, misschien al eerder. En wat het ook is, die besmetting, volgens Margot, het symptoom is dat grote verlangen naar stilte. Wat vreemd is voor iemand die woorden aan elkaar rijgt voor zijn brood. Maar op de een of andere manier, zei ze, ben je aangestoken door die afschuw van meningsverschil en overreding. Je vindt het onverdraaglijk dat mensen die krukkige instrumenten moeten gebruiken om tot elkaar te komen. Ergens onderweg, volgens Margot, misschien toen je van die bewogen berichten schreef over hoe vreselijk het allemaal was, ben je er verslingerd aan geraakt, aan de verwoesting, vanwege de stilte die erna komt. Voor jou kwam geweld gelijk te staan met waarheid, want het is definitief, en erna komt enkel stilte.'

'Je hebt opgenomen wat Margot zei, ja, en uit je hoofd geleerd?'

'Je hoefde het niet te horen.'

Kellas keek naar Sophie. De jongens rammelden voortvarend met messen en kommen en snijplanken. 'Was jij erbij toen Margot dat zei?' vroeg hij.

Sophie boog naar hem over en dempte haar stem zodat Fergus en Jack het niet konden horen. 'Ik herinner me de eerste keer dat je me een gedicht stuurde. Ik zag je de dag erna en kon maar niet begrijpen waarom je dat schreef, zo hard je best deed om die hartstochtelijke regels te schrijven, en dan nóg niet tegen me sprak. Nu begrijp ik het natuurlijk, het ging niet over mij.'

'Niets van waar,' kraste Kellas. Zijn mond was uitgedroogd en hij spoelde hem om met wijn. Allemaal waren ze nu lichtelijk aangeschoten. Hij merkte op dat Jack en Fergus zich hadden voorzien van glazen waaruit ze nu en dan een verfrissende slok namen tijdens het bereiden van het eten.

'Om af te maken wat ik aan het zeggen was,' zei M'Gurgan, 'Margot wilde je laten weten dat ze wel de negatieven heeft van de foto's die je kapotgeslagen hebt, maar de afdrukken zelf, die je verruïneerd hebt, waren uniek. Blijkbaar gaat het zo in de kunstfotografie. Ze heeft die afdrukken zelf gemaakt en ze kan dezelfde omstandigheden geen twee keer reproduceren.'

'Zei ze iets over de Sixtijnse kapel?'

'Ze vergeleek het met iets wat dichter bij huis lag. Ze zei, stel je voor dat ze het bestand wiste waarop jij een van je boeken had bewaard. Hoe zou jij je voelen, zei ze, als zij dat deed en dan 'Geeft niks' tegen je zei, want je had het verhaal en de personages immers in je hoofd en je kon het toch gewoon wéér opschrijven? In die wereld betekent ze meer dan ik wist. Die afdrukken waren per stuk tienduizend pond waard, en ze wil dat je haar dat geld betaalt. Een hap uit je grote voorschot.'

Kellas grijnsde en schudde zijn hoofd. 'Er is iets moois gebeurd,' zei hij. 'Frankrijk en Amerika hebben de handen ineengeslagen om te voorkomen dat Europa en Amerika een oorlog zouden beginnen.' Hij vertelde Sophie en M'Gurgan over Karpaty Knox, en zijn plannen met het Arabisch en Irak. Hij voegde er een nieuwe verfraaiing aan toe, die zo-even in hem opgekomen was. Hij zou zijn flat in Londen van de hand doen, zijn schulden afbetalen en een paar flats kopen in Bagdad, direct na de invasie, wanneer de prijzen laag waren en er vraag was naar vreemde valuta. Zijn vrienden luisterden. Toen Kellas aan het eind kwam van wat hij te zeggen had, voelde hij de pijn in zijn buik van het onherstelbare onrecht dat hij had begaan. De kwellende gedachte dat hij tot de dood toe niet zou worden vergeven door een vrouw die hij graag mocht, deed zich voelen en zou blijven knagen.

Jack verscheen bij Kellas' schouder met een bord bruschetta, dat hij op tafel zette met een griezelige achteloosheid, alsof de keuken van M'Gurgan een hectisch eetcafé was waar hij elke avond tientallen van dat soort schalen door het gedrang serveerde.

'Dank je wel,' zei Kellas.

'Ze groeien rap op,' zei M'Gurgan en nam een stuk.

'Pa, Jack krijgt nog twintig pond van je voor de boodschappen,' zei Fergus.

'Wát?' zei M'Gurgan scherp, opstaand. 'Ik had zestig pond achtergelaten voor jou en je zusjes.'

'Angela heeft er twintig van gepikt.'

'Waarvoor? Hou je ogen op die ui terwijl je snijdt.'

'Weet ik niet.'

M'Gurgan beende weg en het geschreeuw op de trap nam een aanvang. Sophie stond op en schoof door naar de stoel naast Kellas en hield haar gezicht vlak bij het zijne, sprak zacht, bijna fluisterend.

'Op elk ander moment zou ik ongerust zijn omdat je naar Irak gaat,' zei ze. 'Nu doet het me niets. Ik heb mijn eigen problemen. Dit kan de doorslag geven. Ik zou bij hem weg kunnen gaan. Ik zou het moeten doen. Ik hou van de kinderen maar ik wil niet dat ze me gevangenhouden. Onze vrijgezelle vrienden komen in de keuken zitten, net als jij, en ze kijken ernaar alsof het hier een dierentuin is. En ik weet niet aan welke kant van de tralies ik zit.'

'Ik heb te veel vrijheid voor welk dier dan ook,' zei Kellas. 'Ik hoop dat jullie niet uit elkaar gaan.'

'Dat moet jij zeggen, natuurlijk,' zei Sophie. 'Als het zover komt, dan zul je hém opzoeken en niet mij.'

'Het gaat niet alleen om mijn geweten. Ik hoop echt dat jullie bij elkaar blijven.'

'Ik heb je hoop niet nodig. Ik heb behoefte aan iets concreters. Ik wil hier niet blijven zitten als een zeemansliefje terwijl hij rond de wereld aan de rol gaat met een bestseller en een midlife-libido. Wat kun jij me vertellen? Was dit eenmalig? Is ie al jaren aan het rondneuken?'

De waarheid was dat Kellas het niet wist. Hij vermoedde zo wel dat M'Gurgan dat had gedaan en ook zou blijven doen. Hij keek Sophie in de ogen. 'Nee,' zei hij. Ze wendde haar blik af. Ze wilde hem geloven.

'Misschien praten we het uit,' zei Sophie.

'Hoe lang zou dat duren?'

'Zo'n jaar of veertig, denk ik.'

'Is het dat? Is het de tijd?' zei Kellas. Een golf van opwinding ging door hem heen. 'Is dat de taal die ik moet leren? Niet Arabisch?'

'Tijd is moeilijk te leren. Het duurt zo lang,' zei Sophie. Ze glimlachte, voor het eerst die avond zonder wrok. 'Dat Irak-avontuur van je. Het gaat over geld, hè? Niet over een of andere lullige oefening in boete doen?'

'Ik hoop dat jullie allemaal op bezoek komen in Bagdad zodra ik gesetteld ben,' zei Kellas. 'Volgende herfst misschien, als het koeler is, of voorjaar 2004. Misschien dat ik iets kan krijgen met een zwembad. Ik weet niet of ze nog huizen hebben met colonnades en binnenplaatsen. Dat zou ik wel willen. Met een fontein in het midden. Schaduw is alles. Goeie schaduw, stromend water en een goeie bibliotheek. En geduld. Kijk niet zo naar me! Je moet niet denken dat ik niet tegelijk Arabisch en geduld zou kunnen leren. Je moet niet denken dat ik Bagdad geen veertig jaar zou kunnen geven.'

Sophie schudde haar hoofd. 'Je bent er zelfs nooit geweest. Je weet niet hoe het er is.'

'Dit is het verschil,' zei Kellas. 'Mijn denkbeeldige Bagdad vraagt niets van de Irakezen, alleen van mij.'

'Het vraagt dat ze je in leven laten.'

'Ik moet er eens vandoor,' zei Kellas. Fergus en Jack hielden op met hakken, keken om, keken elkaar aan en hervatten hun werk.

'Blijf,' zei Sophie.

'Word ik gestraft of vergeven?'

'God nog aan toe!' zei Sophie, terwijl ze haar handen op zijn schouders legde en hem door elkaar rammelde. 'Gewoon, om hier te zíjn!'

Angela kwam binnen, gevolgd door M'Gurgan. Ze tierden tegen elkaar en Sophie mengde zich erin. De zaak was dat M'Gurgan, ware er een keus geweest tussen de twee, liever had gehad dat Angela drugs had gekocht dan een tatoeage, maar een tatoeage was wat ze had gekocht; M'Gurgans boosheid werd versterkt doordat de tatoeage op zo'n intieme plaats zat dat Angela weigerde hem te laten zien wat ze voor zijn geld gekregen had.

Carrie stak haar hoofd om de deur, keek naar de drie ruziënde mensen en de twee jongens die stonden te hakken met hun messen, gaf Kellas een knipoog en ging naar boven. Kellas lachte terug, maar ze was al weg. Ze leek op haar moeder. Dat dunne zwarte lijntje om haar ogen en de bleke lippen. Maar Sophie wás toch Carries moeder niet? Een stroom van woorden kwam uit de monden van M'Gurgan en Angela en Sophie. Morgen zouden ze al die pinnige welbespraaktheid zijn vergeten. Ze zouden haar over een paar uur al zijn vergeten. Kellas stond op. Iets zou blijven, een contour zonder betekenis op zichzelf, maar hij zou niet op zichzelf staan. Een rivier moest je leren kennen aan zijn loop, niet door elke druppel te proeven die voorbijstroomde als je langs zijn oevers liep. Nadat hij bij de jongens had geïnformeerd, begon Kellas met grote zorg de tafel te dekken voor het eten.

Maart 2003

15

De zilverkleurige Tahoe die Rafael, Zac en Yehia vervoerde, stopte een eindje verderop. Drie van de portieren gingen tegelijk
open en de mannen stapten uit en liepen langzaam terug naar de
Mitsubishi van Kellas en Astrid. Rafaels ogen waren dichtgeknepen tegen het licht en zijn hoofd was voorovergebogen. Hij wilde beraadslagen over waar ze nu naartoe zouden gaan, en hij had
nog het een en ander op zijn hart. Hij was dag en nacht uren in de
weer op zijn Thuraya, in overleg met zijn collega's rondom het
oorlogsgebied en in Amerika. Hij kreeg weinig slaap.

Hun twee auto's waren gestopt even voor een viaduct dat een
wadi overspande en voor zover ze zagen naar Basra voerde. De
weg was een rechte, goed aangelegde streep van teermacadam,
zwart tegen de korrelige, met onkruid bezaaide golvingen van de
woestijn. Er waren geen andere voertuigen op de weg. Er waren
geen mensen of gebouwen en er was geen wind of geluid. Kellas zette de motor af en hij en Astrid stapten uit. Ze stonden met
hun vijven dicht bij elkaar, naar binnen gekeerd, waarbij ze zich
ieder telkens omdraaiden om de horizon af te speuren op iets als
beweging of rook, behalve Yehia, die zijn oog hield op de gezichten van de andere vier. Kellas voelde de hitte van de zon op zijn
rug. Hij had zijn scherfvest uitgetrokken. Hij was de enige die
nog zijn helm droeg. In het zuiden, waar ze vandaan waren gekomen, zag hij twee gewapende heli's van de marine, zo ver weg dat
hun wieken niet te horen waren, en nog maar net herkenbaar aan
hun askleurige contouren, verschroeide vlokken weggewaaid van
een ver verwijderde brand. Na een paar seconden verdwenen ze
uit het zicht.

Yehia en Zac rookten. Rafael was bang dat Basra zou vallen en dat hij het zou missen. Ook Kellas wilde erbij zijn, om de Britse tanks knarsend door de hoofdstraat te zien denderen, de commandanten grijnzend onder hun zwarte baretten, met flitsende tanden in zongebruinde gezichten, en de menigte juichende mensen, tien rijen dik, de bloemen die van de pantserplaat afstuiterden, de meisjes in hun voorjaarsjurkjes die op de gevechtskoepels klauterden om de soldaten te zoenen, en de man in het witte pak die de vrijheid uitriep. Het was makkelijk om je te verbeelden omdat het niet echt verbeelding was, maar herinnering, en zelfs niet de herinnering aan iets wat hij had gezien, maar de herinnering aan clips uit filmjournaals van Britse tanks die in 1944 Europa bevrijdden, behalve de man in het witte pak, want die kwam uit *Casablanca*. Hier droegen de meisjes geen voorjaarsjaponnetjes en zoenden ze geen vreemdelingen, en waar zouden ze bloemen vandaan halen?

Astrid had een landkaart. Ze wees aan waar ze dacht dat ze nu waren. Naar Basra was het nog maar dertig kilometer.

Rafael verplaatste zijn gewicht van de ene voet op de andere, liet de Thuraya tollen in zijn hand met de antenne omhoog als een dirigeerstok, en riep shit over zich af. 'Ik weet het niet. Ik zie dit al morgen op de één van de *Post*,' zei hij. 'Ik móét die dateline halen, godverdomme.'

'Dit is een uitstekende weg,' zei Kellas. 'Hij loopt regelrecht naar Basra. Daar zitten vijftigduizend Britse en Amerikaanse troepen die Basra willen innemen. En toch zijn wij maar de enige mensen op deze weg.'

'Volgens mij is het al achter de rug,' zei Zac. 'Als je de BBC mag geloven, is de Amerikaanse divisie al halverwege Bagdad.'

'Die zijn pas eergisteravond de startstreep gepasseerd,' zei Kellas.

'Laten we dichter bij Basra zien te komen,' zei Astrid. 'We doen het voorzichtig. Doe het zo: doorgaan, stoppen, rondkijken, doorgaan.'

'Met tweehonderd liter benzine in een SUV ben je nooit voorzichtig in deze streken,' zei Kellas. Ze hielden op met praten, keken om zich heen, luisterden, nerveus.

'Hoor je dat?' zei Kellas.

'Ja, klinkt als een veldleeuwerik, hè?'

'We zouden dat niet moeten kunnen horen in de ruimte tussen twee legers. Het is een slecht teken.'

'Ach, als de Irakezen terug gingen vechten, hadden ze het nu wel gedaan.'

'Op dit moment zijn zij degenen om wie ik me minder druk maak,' zei Kellas. 'Is je niet opgevallen wat die marinier ons een uur geleden nog vertelde? Een beetje problemen bij Zubair, zei hij.'

'Dat is Zubair.'

'Hij had het ook over "vuurlinies".'

Ze keken allemaal op. De hemel was helder en stil, afgezien van het zingen van de leeuwerik.

'We hebben toch de oranje platen op de voertuigen,' zei Rafael, nu enigszins narrig.

'Wat is dat, de nieuwe Ghost Dance?' zei Kellas en hij schoot in de lach. 'Kogels stuiten af?' Zijn stem klonk hoog en hij dacht dat hij klonk of hij bang was. Dat was hij ook, en hij wenste dat het hem koud liet dat de anderen dat zouden denken. Hij vroeg het Yehia, die zijn schouders ophaalde. Hij zou gaan waar Zac en Rafael gingen. Zij betaalden hem en hij was de enige tolk.

'Nou, iedereen die vóór doorrijden is,' zei Rafael. Iedereen behalve Kellas stak zijn hand op.

'Ik kan met hen mee, dan kun jij terugrijden,' zei Astrid tegen Kellas.

Kellas zag hoe zij hem aankeek, met de ogenschijnlijke onverschilligheid die, zo had hij geleerd, niet betekende dat het haar niet raakte, maar dat ze vooral groot belang hechtte aan de verantwoordelijkheid van anderen voor hun eigen lot.

'Ik had natuurlijk liever dat je bij mij bleef,' zei ze.

Sinds ze zich een paar dagen eerder in Koeweit bij hem had gevoegd, had hij gemerkt dat zijn onbekendheid met haar innerlijk wezen hem lief was geworden. Toch leek het zo onwaarschijnlijk dat hij geduld had leren oefenen. Het leek onwaarschijnlijk dat hij de tijd beter had leren begrijpen dan de gebeurtenissen en woorden waaruit de tijd bestond. Hij geloofde wat Astrid eens tegen hem had gezegd, dat je niet kon veranderen, behalve door meer te worden wie je werkelijk bent. Had hij mensen en landen in de tijd leren zien, of had hij dat altijd al in zich gehad? Hij klikte de band van zijn helm los, zette hem af en haalde zijn vingers door zijn haar. In het verleden had hij soms in situaties als deze zichzelf de grootste waaghals gevonden. Die keren waren het degenen met kinderen en dierbare partners geweest die voorzichtiger waren. Deze groep had opgeteld vijf kinderen, twee vrouwen en een partner. Yehia alleen al had een vrouw en drie kinderen in Beiroet. Hun waaghalzerij was een teken van de omvang en de riante allure van deze onderneming.

'Vier tegen één,' zei hij. Hij gaf drie klappen met zijn knokkels op de helm en zette hem weer op. 'Prima. Laten we gaan. Asjeblieft, we hebben Irak de democratie gebracht, en het deed helemaal geen zeer.'

Toen ze zich verspreidden naar hun auto's, riep Kellas dat hij en Astrid aan de beurt waren om voorop te rijden. Kellas reed de Mitsubishi het viaduct op en zag in de spiegel de Tahoe achter aansluiten. Astrid keek recht vooruit. Ze merkte dat hij naar haar keek, en lachte naar hem.

'Hebben we je overdonderd?' zei ze.

'Zeg eens iets mooiers,' zei Kellas. 'Ik wil iets horen wat zin heeft. Ik wil een oud verhaal horen. De leegte van deze weg zit me niet lekker. Staan je nekharen al overeind?'

'Ik vind het juist fijn als ze dat doen. Meestal is het 's nachts het bos ingaan dat me dat gevoel geeft. Ken je het verhaal van Artemis en Actaeon?'

Astrid begon het verhaal te vertellen. Kellas legde zijn hand in de hare en luisterde naar de mythe over de jager die de toorn van de godin had gewekt en door haar in een hert werd veranderd, en hoe hij door zijn eigen honden werd verscheurd. Na een poosje, in de stilte van de woestijn, voelde hij zijn bewustzijn zich splitsen: hij was nog steeds Adam Kellas achter het stuur van een auto, met zijn ogen op de weg voor zich, en tegelijk was hij een andere, afstandelijker versie van zichzelf, die Kellas en Astrid al rijdend gadesloeg. Ze zagen er rustig en bedachtzaam uit, half lief, half hongerig, het soort gelukkige mensen in wie hoop en nederlaag nog in evenwicht zijn – hoewel je dat natuurlijk niet kunt zeggen na een ogenblik kijken. Misschien zaten ze maar wat te dromen. Langzamerhand trok de toeschouwer zich terug, tot Kellas en Astrid niet langer als individuen waren te onderscheiden; ze waren twee donkere mensengedaanten in een auto. De toeschouwer vergrootte zijn afstand steeds meer, de twee auto's werden kleiner en kleiner, slonken weg in het landschap en leken almaar langzamer te bewegen, totdat de toeschouwer in het zwart-witte gloeien tussen de coördinaten op zijn scherm niets meer zag dan twee donkere stippen, kruipend als luizen door de woestijn over de lege weg.